La Femme d'argent

DU MÊME AUTEUR

Chez Michel Lafon :
L'AMOUREUSE, roman
LE TOURBILLON, roman vécu
LES REINES DE CŒUR ROUMAINES, récit historique
LA MAUDITE, roman
L'ENTREMETTEUSE, roman
LA FEMME QUI EN SAVAIT TROP, roman
LA VENGERESSE, roman
LA FEMME SANS FRONTIÈRES, roman
LA COUPABLE, roman
LE BOULEVARD DES ILLUSIONS, roman
LA JUSTICIÈRE, roman
LE CHÂTEAU DU CLOWN, roman
J'OSE, confidences faites à son fils Jean des Cars

Chez Flamme (distribution Flammarion) :
LA FEMME-OBJET, roman
LE CRIME DE MATHILDE, roman
LA VOLEUSE, roman
JE T'AIMERAI ÉTERNELLEMENT, roman
L'HOMME AU DOUBLE VISAGE, roman

Chez Flammarion :
LA BRUTE, roman
L'IMPURE, roman
L'OFFICIER SANS NOM, roman
LA CORRUPTRICE, roman
LA DAME DU CIRQUE, roman
LA CATHÉDRALE DE HAINE, roman
LA DEMOISELLE D'OPÉRA, roman
AMOUR DE MA VIE, roman
CETTE ÉTRANGE TENDRESSE, roman
LA TRICHEUSE, roman
LE CHÂTEAU DE LA JUIVE, roman
LES FILLES DE JOIE, roman
LE GRAND MONDE, roman
LA VIPÈRE, roman
SANG D'AFRIQUE, roman
L'AMOUR S'EN-VA-T'EN-GUERRE, roman
LES SEPT FEMMES, roman
LE FAUSSAIRE, roman
LA RÉVOLTÉE, roman
DE CAPE ET DE PLUME, roman vécu
LE TRAIN DU PÈRE NOËL, conte illustré par Paul Durand
UNE CERTAINE DAME, roman
L'INSOLENCE DE SA BEAUTÉ, roman
LE DONNEUR, roman
LA VIE SECRÈTE DE DOROTHÉE GINDT, roman
L'ENVOÛTEUSE, roman

Dans la série « Le Mage » chez Flammarion :
LE MAGE ET LA BOULE DE CRISTAL, roman
LE MAGE ET LE PENDULE, roman
LE MAGE ET LES LIGNES DE LA MAIN, roman
LE MAGE ET LA BONNE AVENTURE, roman
LE MAGE ET LA GRAPHOLOGIE, roman

Au Mercure de France :
LE FAISEUR DE MORTS, roman policier

Chez Pierre-Marcel Favre :
LA MÈRE PORTEUSE, roman

Chez Atlas :
LE FABULEUX ROMAN DU LIDO DE PARIS, album illustré.

Guy des Cars

La Femme
d'argent

Roman

illustration couverture : Pascal VANDEPUTTE

L'héroïne de cette histoire a existé. Si ceux qui l'ont connue la retrouvaient sous le pseudonyme imposé par les nécessités du récit, ce serait la preuve que l'étude de son comportement pour le moins surprenant est exacte. S'ils ne la reconnaissaient pas, ce serait très bien pour la tranquillité de l'auteur.

LA CHÂTELAINE

Ce fut sa chance, celle qu'elle attendait depuis des années.

Le prince, son époux, venait de mourir, tué dans l'écrasement contre un platane d'une voiture conduite par sa maîtresse. Ce n'était pas que Marie-Adélaïde détestât son époux mais – cela arrive souvent chez les dames les plus huppées – elle lui préférait de beaucoup son titre. Il est vrai qu'il n'est pas donné à tout le monde de devenir, par la grâce du mariage, princesse de Verchamps, surtout quand on est née tout bêtement Marie-Adelaïde Jubet. Quant à la maîtresse – décédée elle aussi dans l'accident, bien qu'elle ne se trouvât pas à la place du mort – l'épouse légale, n'ayant jamais ressenti la curiosité de la rencontrer, se moquait éperdument de ses origines. La seule chose importante aujourd'hui pour Marie-Adelaïde était d'être brusquement devenue veuve... Enfin!

Dès que la nouvelle de l'accident – annoncée par la radio et confirmée par une visite assez gênée d'Adolphe Dubuisson, le maire de Chemy-en-Perche, commune sur laquelle se trouve le château de Verchamps, et qui en avait été informé par les services de gendarmerie – fut certaine, Marie-Adelaïde n'attendit pas une seconde pour mander par téléphone ses enfants qui se trouvaient encore à

11

Paris en ce début de juillet alors qu'elle-même était revenue s'installer au château dès les premiers jours du printemps.

Enfants se répartissant entre une fille Roselyne moyennement intelligente, âgée de vingt-quatre ans, mariée avec le vicomte Sosthène de La Roche Brûlée auquel elle n'avait pas encore eu le temps de donner d'héritier, et Gontran, son cadet, un grand dadais de vingt-deux ans qui venait de se fiancer très officiellement, un mois à peine avant le décès de son père, avec Angelina, une Madrilène de dix-neuf ans ne manquant pas de charme mais à qui sa future belle-mère reprochait de ne pas descendre d'une lignée de Grands d'Espagne de première classe ou même, à la rigueur, de seconde classe! Le prince, trouvant l'Espagnole charmante, n'avait fait aucune objection à une pareille union et avait même calmé les ardeurs belliqueuses de son épouse par cette simple réflexion :

– Enfin, très chère, je ne comprends pas pourquoi vous vous mêlez des origines de cette jeune fille alors que vous-même n'étiez avant notre mariage qu'une Marie-Adelaïde Jubet!

La princesse n'avait plus eu qu'à se taire : ce qu'elle détestait.

Apprenant la triste nouvelle, les enfants, gendre et future belle-fille, avaient accouru à Verchamps dans la louable intention de consoler celle qui devenait bruquement la « mamma » de l'auguste famille... Une maman qui, après avoir laissé couler devant sa progéniture les larmes exigées par les circonstances, n'avait pas été longue à reprendre ses esprits. Lucidité qui s'était traduite par des paroles très nettes :

– Hélas! Vous n'êtes pas sans savoir que mon

cher Éric, votre père, n'a jamais éprouvé la nécessité – ceci malgré mes innombrables récriminations – de rédiger un testament! Se sentant toujours en pleine forme il m'a répondu à chaque fois qu'il n'y avait aucune raison de faire preuve de trop de précipitation dans ce domaine aussi bien pour lui que pour moi... Le résultat d'un tel comportement est là : étant ses enfants légitimes vous êtes ses héritiers directs, et moi, sa veuve, je vais devoir ne me contenter que de l'usufruit du quart de sa succession. Ainsi le veut une loi que j'estime mal faite! Cela signifie aussi que ce château – avec tout ce qu'il contient de mobilier de valeur, tableaux signés, tapisseries anciennes ainsi que le parc l'entourant et les six fermes louées en métairies – vous revient en indivision. Pour les fermes vous pourriez à la rigueur trouver un terrain d'entente en vous réservant chacun la moitié du cheptel; trois fermes pour chacun. Mais pour le château et son parc, dont l'entretien représente une charge écrasante, comment vous en tirer si vous restez en indivision? A moins que l'un de vos deux couples – soit celui de Roselyne et de son mari, soit le tien, Gontran, avec ta future épouse – ne prenne la courageuse décision de conserver seul la jouissance des lieux après avoir payé au couple co-héritier le montant d'un dédommagement correspondant à la part légale lui revenant de droit? Seulement, pour parvenir à un tel arrangement, il serait nécessaire de procéder à une estimation de la totalité des biens mobiliers et immobiliers que l'ensemble représente! Comment vous y prendre pratiquement? Ceci d'autant plus que, connaissant vos situations de fortune respectives qui sont assez modestes, je ne vois pas très bien comment l'un ou l'autre d'entre vous parviendrait à trouver la somme d'argent suffisante pour assurer le montant du désintéressement alloué à l'héritier renonçant à sa part de propriété du domaine... A moins que la partie prenante ne contracte un emprunt? Mais à qui le demander? Seul peut-être le Crédit Agricole, qui me semble être l'organisme financier le plus indiqué pour participer à ce genre d'opération, accepterait de jouer ce rôle? Ce qui n'est pas du tout certain! L'un de vous opterait-il pour cette solution?

Comme Roselyne de La Roche Brûlée restait tout aussi muette que son frère le nouveau prince de Verchamps, madame mère reprit:

– Personnellement je pense, étant donné que c'est lui qui porte le nom de cette propriété ancestrale, qu'il serait préférable que celle-ci revint à Gontran. N'est-ce pas ton avis, Roselyne, ainsi que celui de Sosthène ton époux?

A nouveau ce fut le silence. Sentant que sa dialectique se révélait rigoureuse, Marie-Adelaïde poursuivit:

– A moins que vous ne décidiez de conserver Verchamps en commun? L'ennui c'est que ce système de copropriété ne crée que des complications et finit souvent par engendrer des disputes familiales assez pénibles! Qui prendra le commandement pour assurer la bonne marche de l'entretien du château? Roselyne, ou Gontran? Et si, influencés peut-être par l'un de vos conjoints – et ce serait des plus normal – il vous arrivait de ne pas être du tout d'accord sur tel ou tel point? Qui trancherait le différend? Moi? Je m'y refuse, ne me sentant pas l'étoffe d'un roi Salomon et vous chérissant trop tous les deux pour me permettre de donner des conseils dont vous ne tiendriez certainement aucun compte!

– Mais maman, protesta faiblement Roselyne.

14

– Il n'y a pas de maman qui tienne! Dans ce genre de différend, c'est chacun pour soi et Dieu pour personne! Enfin, comment parviendrez-vous à vous occuper de cette propriété où vous ne viendrez qu'à certaines époques de l'année et pour des séjours relativement courts, étant absorbés réciproquement par vos occupations à Paris? A moins que vous ne vous mettiez d'accord pour ne pas y séjourner en même temps et alterner vos présences? Cela ne me paraît pas non plus être très pratique! Ce que tenterait un couple, ne serait-ce que le simple aménagement selon son goût de l'une des pièces, ne conviendrait pas obligatoirement à l'autre couple et vice versa! Vous pourriez aussi fixer chacun votre choix sur l'une ou l'autre des ailes du château pour y résider en laissant le centre – c'est-à-dire toutes les pièces de réception : vestibule d'entrée, grand salon, petit salon, bibliothèque, salle à manger – ouvert à tout le monde tel une sorte de *no man's land* où on se croise de temps en temps en se parlant le moins possible! Autre situation me paraissant peu souhaitable! Ne risquerait-elle pas de rompre cette bonne harmonie familiale qui a toujours régné jusqu'à ce jour entre vous, comme cela doit normalement se passer pour une sœur et un frère qui ont été élevés ensemble? Et sans chercher le moins du monde à me targuer de m'être montrée une mère exemplaire à votre égard, j'ai la conscience d'avoir fait tout mon devoir pour que l'entente familiale puisse continuer à se maintenir malgré tout... En disant cela, je pèse mes mots : maintenant qu'il n'est plus de ce monde, nous n'avons pas à juger la conduite de votre père. Paix à ses cendres!

L'oraison funèbre avait été courte mais bien sentie et ce ne fut pas sa teneur qui incita les rejetons à prendre enfin la parole pour disserter sur l'avenir encore incertain de la vaste demeure.

Et pourtant il fallait bien prendre une décision!

Pour Marie-Adelaïde, née Jubet, c'était d'autant plus urgent que, dès l'instant même de l'annonce de la disparition prématurée de son conjoint, elle avait commencé à élaborer un plan secret qui, tout en satisfaisant ses appétits de domination, lui apporterait la possibilité de devenir ce véritable « chef de famille » sans lequel rien de stable ne pourrait être entrepris à l'avenir chez ce qu'il restait de la dynastie Verchamps. Certes elle savait que désormais elle ne serait plus qu'une « princesse douairière » – appellation qui, à son âge encore relativement vert (une toute petite cinquantaine), lui assenait un terrible « coup de vieux » – mais quelle douairière! Une femme exceptionnelle dont toute la famille devrait tenir compte et plus particulièrement cette petite Espagnole ambitieuse pas très bien née qui, le jour fatidique où elle épouserait Gontran, deviendrait la véritable princesse de Verchamps en titre! Un désastre pour Marie-Adelaïde... Évidemment cette noiraude n'était pas laide mais son charme ne suffirait pas pour lui conférer l'allure indispensable que doit avoir obligatoirement une princesse pour pouvoir en imposer à tout le monde.

A l'époque où elle avait réussi, non sans mal, à mettre le grappin sur feu le prince Éric, Marie-Adelaïde était déjà assez futée pour se rendre compte que, si elle n'était pas elle-même ce que l'on appelle une beauté, elle possédait cependant un atout essentiel, la classe... Une classe certaine qui, ajoutée à une ambition démesurée et épaulée par un sens inné des petites économies, devrait lui permettre de régner quand même d'une certaine façon en ce xxe siècle où

16

tout s'avère de plus en plus difficile pour les dernières grandes familles.

Qui, maintenant que le prince Éric n'était plus là pour ramener les mérites à leur juste proportion, se permettrait de contrecarrer chez une veuve aussi déterminée une telle soif de pouvoir nobiliaire, auquel beaucoup de gens ne croient plus guère mais qui excite cependant l'envie de pas mal de roturiers? Ce ne serait certainement pas Roselyne qui – à peu près nantie avec son Sosthène d'époux – ne perdrait pas son temps à s'attaquer aux idées dominatrices de sa mère, ni encore moins son frère Gontran! Celui-ci n'était qu'un timoré redoutant par-dessus tout les éclats de celle qui lui avait donné le jour, comportement qui durait chez lui depuis le temps où, n'étant encore qu'un petit garçon timide n'ayant pas la moindre idée de révolte, il avait seulement peur d'être puni! Aujourd'hui, après avoir fait un service militaire sans éclat en qualité de 2e classe dans un vague train des équipages et réussi à se fiancer presque en cachette avec Angelina, il attendait, recherchant une situation peut-être moins honorifique mais certainement plus rémunératrice que celle de nouveau prince de Verchamps... Heureusement – respectant en cela une tradition solidement établie dans certaines familles bien nées et qui veut que tout héritier mâle contracte une union argentée – les parents de la Madrilène, par bonheur fille unique, possédaient quelques biens qui n'étaient pas que des châteaux en Espagne! – Gontran pourrait donc attendre que son titre lui vaille des jetons de présence dans les conseils d'administration de certaines banques ou multinationales qui ne détestent pas auréoler leur réussite de noms ronflants : un prince Gontran de Verchamps, cela ne sonne pas trop mal...

Quand il avait rassemblé tout ce qui lui restait de courage pour annoncer à sa redoutable mère sa volonté de convoler, Éric avait prévu qu'une telle nouvelle déclencherait un orage... Celui-ci fut terrible ! Marie-Adelaïde devint blême pendant que sa voix, plus étranglée par la sainte colère que par la véritable émotion, murmurait dans une sorte de spasme guttural :

– Tu as osé te lancer dans une pareille aventure sans me demander mon avis ! Que va penser ton père d'une décision aussi prématurée que ridicule ?

Machiavélique, Marie-Adelaïde s'était tout de suite retranchée sournoisement derrière l'autorité paternelle pour exhaler ses propres griefs. Ce mariage ne lui convenait pas du tout ! Son fils était encore beaucoup trop jeune et trop inexpérimenté sur les choses de la vie pour prétendre fonder un foyer... Et d'où venait cette étrangère dont le nom de famille, Lopez, était dans son pays d'une banalité aussi déprimante que celle des Durand chez nous !

Éric, très fier que son fils n'ait pas craint d'affronter les foudres maternelles, avait accordé sa bénédiction au projet quelques semaines avant de disparaître. On allait donc être contraints maintenant de marier ce benêt de Gontran, ce qui mettait sa très digne mère dans une rage inextinguible ! Oh, on pouvait compter sur elle pour que la cérémonie, célébrée dans la chapelle du château devant le moins d'invités possible, fût des plus discrètes... On convierait juste quelques intimes et, bien sûr, « les parents Lopez » qu'il serait très difficile d'évincer ! Ce serait le curé du village, l'abbé Galopin – un vieux prêtre portant soutane et ayant encore bon genre – qui officierait... Pas question de faire appel à l'évêque qui avait des idées des plus gauchisantes ! Après la céré-

18

monie, il y aurait un lunch auquel on ne pourrait pas échapper, mais celui-ci se matérialiserait par le plus frugal des buffets froids. Ensuite les tourtereaux pourraient bien partir en voyage de noces à tous les diables et Marie-Adelaïde, débarrassée de la corvée, serait enfin tranquille! Du moins l'espérait-elle...

Telles étaient les grandes lignes du plan général opérationnel mijoté par le cerveau calculateur de la toute récente douairière. Seulement, si l'on veut faire de l'excellente tactique, il ne faut jamais révéler ses projets à l'ennemi! Ce dernier, selon Marie-Adelaïde, c'était tout le monde à l'exception d'elle-même, car l'égoïsme ancré profondément en son âme depuis ses premières années de jeunesse avait toujours été pour elle l'une de ses plus redoutables armes de manœuvre... Ennemi qui, dans son esprit torturé, avait tour à tour pris la figure d'époux – celui dont elle était enfin libérée – puis de sa fille Roselyne encombrée de son prétentieux vicomte, ensuite de Gontran qui allait être affublé d'une épouse portant sans doute mantille et châles à grandes franges, enfin de tous les autres soi-disant amis ou relations épisodiques qui s'étaient ligués depuis des années pour empêcher Marie-Adélaïde d'affirmer une suprématie à laquelle elle était convaincue d'avoir droit. Il était grand temps de réparer pareille injustice! Et si cela s'avérait nécessaire, elle n'hésiterait pas à frapper fort... Mais pour le moment, mieux valait agir encore avec circonspection. Ce fut pourquoi elle reprit, en employant le ton le plus doucereux qu'elle pût trouver, son exposé sur la situation qui se présentait à Verchamps :

– Peut-être resterait-il une ultime solution qui risquerait d'arranger tout le monde? Votre silence prolongé vient de m'apporter la preuve que ni les uns, ni les autres, n'avez très envie d'assumer les charges de ce château! Ce qui risque de me mettre dans l'obligation d'abandonner mon domicile parisien pour me consacrer entièrement à Verchamps où il me faudrait résider pendant toute l'année. Pour moi ce serait là un terrible sacrifice mais qui d'autre saura se montrer capable de se dévouer pour maintenir la pérennité de notre fière devise familiale « *Verchamps avant tout* »? Et vous devez bien vous douter que je ne consentirai à m'enterrer ici qu'à deux conditions expressément formulées dans un accord que vous devrez signer tous les quatre, c'est-à-dire compris Angelina bien qu'elle ne soit pas encore légalement une Verchamps. Conditions qui seront les suivantes... Premièrement vous reconnaissez tous m'avoir demandé de vous remplacer pour gérer au mieux des intérêts familiaux la propriété de Verchamps comprenant le château, ses dépendances, le parc et les six fermes, ceci jusqu'au jour de mon décès, à moins que nous ne décidions par un nouvel accord commun cosigné que cesse cette délégation de pouvoirs trop astreignante pour moi. Deuxièmement, vous me laissez entière liberté de manœuvre pendant la durée de ladite délégation sans qu'aucun de vous ne puisse se mêler d'entraver ou même de critiquer mes décisions qui, j'en suis certaine, seront toutes salutaires pour assurer la sauvegarde du domaine. Bien entendu, en échange de cette abdication de votre part, je m'engage à assumer seule, grâce à mes économies personnelles ajoutées aux faibles revenus des fermages, l'entretien de cette demeure où vous pourrez venir séjourner de temps en temps, à condition cependant de me prévenir de votre arrivée au moins une dizaine de jours à l'avance et ceci

20

soit à tour de rôle par couple, soit tous ensemble. Ce n'est pas la place qui manque! Et à condition aussi de prendre l'engagement de participer proportionnellement aux frais de nourriture et de rétribution de personnel supplémentaire que pourrait entraîner pour moi vos présences dans les lieux. Si vous préférez ne pas venir – ce qui me chagrinerait, je l'avoue – vous n'aurez évidemment rien à payer. De toute façon, tant que je serai de ce monde et à peu près bien portante, j'espère pouvoir vous débarrasser les uns et les autres du lourd souci que représente toujours ce genre de propriété ancestrale que l'on se transmet par devoir de génération en génération... Je crois qu'ainsi les choses seraient très nettes. Que pensez-vous de cette idée?

– Elle me paraît excellente! s'exclama Sosthène qui, sans doute parce qu'il était le plus âgé des quatre, s'octroyait le droit de répondre avant tout le monde.

– C'est certainement une très belle idée empreinte d'une grande générosité, enchaîna Roselyne, mais êtes-vous bien certaine de pouvoir trouver les fonds si de grosses réparations de toitures ou autres se présentaient?

– Je me débrouillerai, étant fermement décidée à vous laisser l'entière disposition des parts d'héritiers qui vont vous revenir de la succession de votre père et dont vous avez le plus grand besoin. Peut-être même parviendrai-je à mieux m'en tirer que ce cher Éric qui n'avait pas le moindre sens des réalités ni de ses responsabilités. Ma conviction a toujours été que normalement Verchamps devrait rapporter suffisamment d'argent pour couvrir ses frais d'entretien, comme cela se passe aujourd'hui dans beaucoup de propriétés similaires. Je ne sais pas encore comment je m'y prendrai mais ce ne sont pas les modes d'exploitation qui devraient manquer! Peut-être serai-je contrainte de transformer le parc en réserve d'animaux sauvages, comme c'est le cas pour Thoiry, ou en parc d'attractions du genre Disneyland selon la mode qui commence à déferler un peu partout? A moins que je ne me tourne vers la solution du relais-château? Mais l'ennui est que nous ne nous trouvons pas à proximité d'une autoroute ni sur un passage de grande communication... Enfin nous verrons bien! Aide-toi et le Ciel t'aidera... Peut-être? Vous savez tous aussi que je n'ai pas de besoins personnels, sachant me contenter de très peu... S'il me reste encore quelques bijoux – venus, je m'empresse de le dire, de mes chers parents Jubet et non pas des princes de Verchamps qui les ont tous plus ou moins oubliés dans des monts-de-piété pour éponger leurs dettes les plus criardes – je ne les montre pas : je les cache. Quant à mes robes, je me suis toujours bien gardée de les acheter chez ces grands couturiers qui négligent les princesses françaises au profit des princesses arabes... Ma voiture est des plus modestes et, contrairement à votre père, je n'ai jamais éprouvé le besoin d'aller faire des séjours dispendieux à Deauville ou sur la Côte d'Azur! Jusqu'ici j'ai eu également la chance de ne pas être contrainte d'aller subir des cures répétées à Quiberon, Biarritz ou autres Abano pour soigner mes vertèbres... Sincèrement je crois être venue au monde pour vivre tout le temps à Verchamps, dont le destin exige sans doute que je devienne la gardienne vigilante et obstinée. Mais toi, Gontran, contrairement à ta sœur et à ton beau-frère, tu n'as rien dit quand je vous ai demandé à tous si mon offre très désintéressée vous agréait? L'approuves-tu oui ou non?

– Chère mère, c'est toujours assez difficile de ne pas acquiescer à vos suggestions...

– Ça ne convient peut-être pas à ta future femme?

– Angelina ne se permettrait pas de se dresser contre vos décisions.

– Donc, puisque nous sommes tous d'accord, nous n'avons plus qu'à signer...

Une demi-heure plus tard le protocole – qu'elle avait pris soin de rédiger avant l'arrivée de ses enfants et de recopier elle-même à la main pour éviter que des regards indiscrets pussent se mêler d'une affaire aussi strictement familiale – était signé. L'un des exemplaires fut remis à Roselyne, le deuxième à Gontran et le dernier fut enfoui par Marie-Adelaïde dans le sac-cabas, véritable fourre-tout dont elle ne se séparait jamais aussi bien dehors qu'à l'intérieur d'une demeure. Un véritable mystère, ce sac! Le visage moins crispé – peut-être le chagrin du veuvage commençait-il à s'estomper à grands pas? – Marie-Adelaïde reprit le fil de son propos:

– La pire des solutions, mes enfants, eût été que Verchamps fût mis en vente parce que ses héritiers n'auraient pu se mettre d'accord. Que de belles propriétés ont ainsi disparu pour une raison aussi stupide ou échoué dans des mains indignes d'y résider! En vous ralliant à mon offre, non seulement vous venez de faire preuve d'esprit familial mais aussi de civisme à l'égard de la population de la commune qui est toujours restée très attachée au destin de ce château qu'elle considère comme étant un peu son bien. Ce qui est très beau et très encourageant pour l'avenir! Pour tous les paysans qui nous entourent, c'est bien « *Verchamps avant tout!* »

Il y eut foule aux obsèques du prince Éric célébrées à Paris en l'église Saint-Honoré-d'Eylau, la paroisse « chic » par excellence, mais il y eut infiniment moins de monde trois mois plus tard dans la chapelle du château pour le mariage du prince Gontran avec Angelina Lopez. Une fois la cérémonie terminée et le lunch spartiate qui suivit expédié, les quelques invités, suivant l'exemple des jeunes mariés envolés rapidement vers le ciel d'Italie, se dispersèrent ainsi que les extra engagés pour tenir le buffet. Et Marie-Adelaïde se retrouva enfin débarrassée de tout le monde avec pour unique compagnie celle de Clémence, la fille d'Ernest et Adèle Borniquet.

Ceux-ci formaient le couple indispensable sans lequel une propriété, quelle qu'elle soit et plus particulièrement si ses dimensions sont respectables, ne peut être maintenue en bon état. Ernest remplissait la triple fonction de jardinier-chauffeur-homme à tout faire alors qu'Adèle son épouse tenait celles de cuisinière-femme de chambre-lingère. Couple précieux cumulant les emplois et logeant à une centaine de mètres du château dans un appartement ne manquant pas de charme, aménagé au-dessus des anciennes écuries et remises transformées en un garage où la Renault 25 solitaire de la princesse douairière avait remplacé les landaus, coupés ou victorias de jadis qui avaient fait rêver des générations de grands-mères et d'aïeules dormant maintenant pour toujours dans le caveau de famille édifié au fond du petit cimetière entourant la modeste église de Chemy-en-Perche.

Loin d'être sotte, Clémence ne manquait pas de piquant avec ses vingt années, sa tignasse rousse et indisciplinée, ses yeux verts saupoudrés de quelques paillettes d'or, son instinct remplaçant avantageusement une culture totalement absente, et même son ignorance qui parvenait à se dissimuler sous des répliques dégoulinantes de bon sens. Clémence Borniquet était l'une des rares personnes au monde qui eut jamais trouvé grâce devant une Marie-Adelaïde, intimement persuadée d'être elle-même la femme la plus intelligente de son temps. La fille du jardinier de Verchamps parvenait très bien à tenir tête à la princesse. N'était-ce pas équitable qu'il en fût ainsi? Entre celle qui était convaincue d'être devenue une très grande dame et celle qui se contentait de n'avoir que la franchise de sa jeunesse, l'équilibre était bien établi.

– Ma petite Clémence, déclara celle qui était devenue la maîtresse absolue du château, maintenant que tous ces parasites sont enfin partis, nous allons pouvoir nous mettre à l'ouvrage...

– Que faudra-t-il faire, Madame?

– Astiquer! Partout! Meuble par meuble, pièce par pièce et ceci de la cave au grenier! Voilà des années que je disais à feu le prince mon époux, qui s'en moquait éperdument, que ce château était mal entretenu et désespérément poussiéreux! Vous et moi allons le nettoyer de fond en comble... Ça demandera sûrement du temps, mais peu importe! Comme nous n'avons rien d'autre de spécial à faire pendant toute la durée de mon grand deuil et que je n'ai nullement l'intention de recevoir qui que ce soit, ça nous occupera... Après, quand ce sera enfin propre, nous aviserons...

– Mais quelles sont les intentions de Madame au sujet de Verchamps?

– Essayer d'en tirer le plus d'argent possible!

Pour le grand nettoyage préalable, nous commencerons dès demain matin par les pièces de réception du rez-de-chaussée.

Travail de titan pour les deux femmes, pourtant énergiques et dont l'une était encore bien jeune, qui dura plusieurs mois pendant lesquels la soubrette put mieux découvrir l'étrange caractère de la douairière où alternaient les exaltations les plus saugrenues et les plus opposées. Passant brusquement de l'enthousiasme fébrile au découragement le plus complet, Marie-Adelaïde pouvait se révéler tour à tour foncièrement altière ou faussement humble, franchement désordonnée ou stupidement méticuleuse, grandiose ou sordide mais presque toujours odieuse.

Pendant cette période de labeur intensif, elle ne fit que de très rapides incursions à Paris, s'absentant vingt-quatre ou quarante-huit heures tout au plus pour vérifier que tout était resté en ordre dans son appartement de la Capitale, dont elle avait soigneusement roulé les tapis rares imprégnés de l'odeur de naphtaline et où il n'y avait pas un meuble qui ne fût caché sous une housse grise. L'appartement, situé dans le XVIe arrondissement à proximité de la porte Dauphine, lui appartenait en bien propre, étant le cadeau de mariage que lui avait fait ses parents disparus depuis une dizaine d'années. Profitant de ces courtes venues à Paris, Marie-Adelaïde ne manquait jamais de passer quelques coups de fil à ses enfants ou à ses amis. Après avoir donné aux premiers l'impression qu'elle s'enquérait de leur santé alors qu'en réalité la seule personne au monde qui pouvait l'intéresser n'était qu'elle-même, elle répétait invariablement la même phrase :

– Tout va bien à Verchamps depuis que j'ai pris

les choses en main... Si vous me faites le plaisir de venir y passer quelques jours l'été prochain, je suis certaine que vous serez agréablement surpris de constater que notre château familial a enfin bonne mine.

Aux amis parisiens qui s'étonnaient de ne plus la voir, elle confiait d'une voix accablée :

– Ne m'en veuillez pas : Verchamps absorbe tout mon temps! C'est bien simple : à la longue ce château m'usera... Vous n'avez pas idée comme c'est difficile de maintenir en état une bâtisse d'une pareille dimension! Mais n'est-ce pas là mon devoir depuis la disparition du cher Éric?

Dans le Tout-Paris – et plus spécialement dans les salons ou au cours de grands dîners – on commença à chuchoter que Marie-Adelaïde s'épuisait à la tâche pour suppléer à la déficience de ses enfants avec une admirable abnégation qui maintenait la grandeur du berceau ancestral. Ce n'était plus qu'un concert de louanges à son égard... et à distance. On s'étonnait même de n'avoir jamais remarqué, au temps où vivait le prince Éric, à quel point cette compagne de plus en plus méritante avait pu chérir son époux... Un pareil besoin de réclusion terrienne ne pouvait qu'être inspiré par le profond amour conservé pour le défunt.

Ce qui fascinait le plus ces louangeurs de toute dernière heure était, lorsqu'elle consentait à se montrer au cours de ses furtives apparitions parisiennes, de constater l'extrême simplicité avec laquelle Marie-Adelaïde se vêtissait... Portant presque toujours un imperméable usagé jeté négligemment sur un tailleur des plus simples et ne manquant jamais de se séparer du sac-cabas à la teinte indécise, qui n'avait plus d'âge, ayant des bas en coton aboutis-

27

sant à d'épaisses chaussures de style campagnard, la douairière inspirait presque pitié. Elle adorait d'ailleurs d'être plainte... C'était même à se demander si ses dernières économies n'étaient pas en train de fondre dans ce gouffre financier qu'était Verchamps ?

Un château qui, après des mois d'obscurs travaux domestiques exécutés par la princesse en personne et toujours avec la précieuse collaboration de la dévouée Clémence, commençait à briller grâce à l'éclat des carreaux des innombrables fenêtres. Ça puait également l'encaustique sur les parquets devenus de vraies patinoires où il paraissait assez dangereux de s'aventurer tellement ça glissait... Il aurait fallu que tous ces gens qui magnifiaient de loin les efforts surhumains de la princesse – mais qu'elle n'invitait jamais au château par crainte de les voir salir son chef-d'œuvre de propreté – puissent la contempler en pleine activité... N'était-ce pas grandiose – et surprenant ! de voir une Marie-Adelaïde tour à tour accroupie sur le plancher pour le frotter à la paille de fer ou juchée tout en haut d'un escabeau, maintenu en équilibre par la jeune Clémence, alors qu'elle enduisait de vinaigre les cristaux des lustres pour qu'ils deviennent étincelants ! Et tout cela était fait avec cette modestie quelque peu affectée qui est bien l'apanage des très grandes dames.

Ce fut au cours de l'une de ces séances quotidiennes de nettoyage que, par un bel après-midi de printemps, Marie-Adelaïde eut la surprise de recevoir la visite tout à fait impromptue du baron Melchior de Raversac... « *Ce cher Melchior* » comme elle avait pris l'habitude d'appeler le personnage aux temps révolus de leur commune jeunesse.

Malgré une soixantaine assez proche, Melchior avait encore belle allure et l'on pouvait aisément imaginer qu'il avait dû être superbe avant la quarantaine, certainement assez beau pour faire pâlir de désir toutes les riches héritières de l'époque parmi lesquelles s'était trouvée Marie-Adelaïde, fille de bourgeois bien nantis. Le sentiment très caché qui avait alors surgi dans son cœur à l'égard de ce gentilhomme né s'était révélé tellement incandescent qu'elle avait hésité pendant six mois entre lui et Éric, qui n'était pas mal non plus de sa personne... Mais quand on a la chance de savoir que l'on a la perspective de posséder une dot considérable et lorsqu'on est farcie d'ambition, il est évident que le titre de princesse de Verchamps est nettement plus enviable que celui de baronne de Raversac! Princesse avec, en fond de décor pour le titre, un magnifique château du XVIIᵉ siècle, qui apporterait encore plus d'éclat à la progression sociale. Seulement, maintenant que le prince n'était plus après avoir englouti dans les fastes les plus discutables une bonne partie de la dot Jubet, il ne restait que le château dont le maintien de la splendeur s'avérait ruineux!

Melchior, lui, n'avait jamais hérité de pierres aussi dispendieuses. Situation dont il s'était fort bien accommodé en se disant que si l'on voulait profiter aujourd'hui de temps en temps de la vie de château, il était préférable de se faire inviter par ceux qui avait le bonheur - ou le malheur – d'en posséder un... Qui, dans un milieu encore à peu près civilisé, aurait osé refuser le gîte et le couvert à un monsieur de sa qualité? A un aussi parfait homme du monde ayant le verbe agréable et ne manquant pas de cette érudition de surface que possèdent souvent des gens qui n'ont pourtant jamais rien fait de leurs dix doigts, farci aussi de bonnes manières, connaissant enfin les moindres usages et sachant se montrer assez serviable pour jouer les quatrièmes à une table de bridge ou remplacer au tout dernier moment, et sur un simple appel téléphonique, l'invité manquant qui a contraint les convives à se retrouver treize à table!

Malgré tous ces atouts et après avoir été la coqueluche d'innombrables donzelles prêtes à s'offrir, Melchior de Raversac avait cependant réussi à passer à travers les filets tellement trompeurs du mariage! Resté vieux garçon il parvenait à ne pas vivoter trop désagréablement en se gavant des invitations qui lui étaient prodiguées. Parfois même, les temps se révélant de plus en plus difficiles, il n'avait pas honte de recevoir les prébendes qui lui étaient discrètement allouées pour les petits services de tout genre qu'il rendait à de vieux amis, ou même à d'anciennes admiratrices possédant encore quelques biens.

Il était tellement gentil, ce Melchior! On l'adorait... N'incarnait-il pas ce personnage, de plus en plus rare et en voie de disparition, du vieux pique-assiette distingué qui peut parfois se révéler très utile pour remplir certaines tâches obscures dont les personnes bien nées, ou se croyant telles, peuvent difficilement s'encombrer si elles ne veulent pas voir se ternir leur bonne réputation? Aussi, sans avoir jamais eu le courage d'épouser une Marie-Adelaïde ni même, à la rigueur, de devenir son amant, Melchior avait su se muer pour elle en confident qui est capable de se transformer éventuellement en homme à tout faire... Une princesse n'est-elle pas dans l'obligation, avec toutes les charges qui l'accablent, de maintenir dans son sillage ampoulé un individu de cet acabit? Et au moment où il se retrouvait en présence d'une douairière affublée d'un madras de pacotille et le torchon de nettoyage à la main, Melchior se félicitait d'avoir su se retrancher derrière une prudente réserve. La silhouette de la princesse de Verchamps évoquait plus aujourd'hui pour lui la femme de ménage que la noble dame dont on ne peut pas ne pas baiser la main. Ce qu'il fit en s'inclinant avec sa courtoisie naturelle pendant que ses lèvres balbutiaient quelque peu gênées :

– J'ose espérer, chère Marie-Adelaïde, que je ne vous dérange pas trop ?

– Mon bon Melchior, depuis que je me suis retrouvée seule dans l'existence, j'en suis arrivée à un point où j'ai compris que l'on doit savoir tout faire y compris manier le balai si l'on veut survivre à notre époque !

– Seule ?... Mais cependant vos enfants ?

– Ne me parlez pas d'eux ! Des ingrats n'ayant plus qu'une idée : ne jamais venir rendre visite à leur mère qui s'est sacrifiée totalement pour eux ! Mais vous-même, que venez-vous donc faire par ici cet après-midi ?

– Voilà, certes, une question que je n'ai pas à vous poser à mon tour puisque je peux constater *de visu* que ce qu'on m'avait raconté dernièrement à Paris de vos nouvelles activités est parfaitement exact... Alors, comme cela, vous entretenez Verchamps ?

– Hélas avec les moyens du bord qui sont des plus limités – elle venait de désigner son torchon – et aussi, je dois le reconnaître, grâce à l'aide précieuse de ma gentille petite Clémence qui est la fille de mon jardinier.

La rouquine adressa au monsieur un sourire où l'insolence se mêlait à un soupçon de conquête spontanée. Melchior sut répondre à cette invite par un regard de connaisseur qui sait jauger les tendrons et en disant :

– Mademoiselle, votre prénom vous convient à ravir!

– Allons, Melchior! Ne commencez pas à lutiner mon personnel! C'est que je vous connais, tendre gredin!... Maintenant répondez-moi franchement : vous ne trouvez pas que ça sent le propre, ici?

– Mon Dieu, pour la propreté, il semble qu'il n'y ait rien à redire... Je trouve même assez admirable qu'une dame de votre qualité s'astreigne à de telles besognes! Sans doute est-ce là l'une des conséquences de cette terrible crise du manque de personnel qui sévit de plus en plus?

– Il y a cela, bien sûr, mais même si l'on parvient à dénicher ce personnel, encore faut-il le payer... et je ne le peux pas!

– C'est à ce point, ma pauvre amie?

– Eh oui! Vous savez très bien qu'avec l'existence désordonnée qu'il a menée, Éric n'a laissé que des dettes! Il fallait d'abord les payer... Qui l'aurait fait? Mes enfants dont vous me parliez tout à l'heure? Des inconscients, et, ce qui est pire, des incapables... Il ne restait que moi! Aussi n'ai-je pas hésité à gratter mes fonds de tiroir et à liquider les dernières bonnes valeurs léguées par mes chers parents... Le château est le seul bien tangible subsistant aujourd'hui de la succession d'Éric! Il appartient d'ailleurs maintenant en indivision à Roselyne et à Gontran, alors que moi, qui me dévoue pour le sauver, je ne pourrai toucher que l'usufruit du quart si le malheur voulait qu'on le mît en vente! Ce à quoi je m'opposerai de toutes mes forces tant que je serai encore dans ce monde!

– Je reconnais là votre grandeur d'âme... Savez-vous que tout Paris ne parle que de cette abnégation et sait que si Verchamps ne vous avait pas, ce

32

domaine inestimable de beauté et de noblesse ne pourrait plus survivre?

– C'est la stricte vérité. Verchamps risquerait de mourir sans moi! C'est bien simple : depuis la disparition d'Éric j'ai l'impression que son âme continue à hanter le château en me répétant sans cesse : « Marie-Adelaïde, il faut absolument conserver Verchamps! Notre belle devise l'exige! Maintenant que je ne suis plus là, vous devez vous considérer comme étant devenue l'épouse de ce domaine. » Comment voudriez-vous, ayant entendu dans le secret de mon cœur de telles paroles, que j'abandonne des lieux qui sont devenus aussi sacrés pour moi?

– Le fantôme du prince vous a dit tout cela? C'est prodigieux! Éric était un seigneur...

– Oui, répondit Marie-Adelaïde sans trop de conviction et avant d'enchaîner avec vivacité : Mais vous, Melchior, vous nous arrivez de Paris?

– Pas exactement. Je viens de faire un séjour des plus agréables à Dinard chez les Divois-Maubeux... Vous connaissez?

– De nom seulement... les surgelés?

– Les surgelés : une très grosse affaire qui prend de plus en plus d'ampleur. Jacques et Florence Divois-Maubeux forment un couple adorable... et très riche! Ce qui ne gâte rien.

– C'est possible, mais ils ne m'intéressent pas. J'ai horreur de tout ce qui est nouveaux riches! N'ayant jamais fréquenté le monde de l'alimentation quand Éric était vivant, ce n'est pas aujourd'hui que je vais commencer! Il faisait beau à Dinard?

– Splendide! Comme je m'y étais rendu dans ma vieille Citroën, j'ai profité du voyage de retour vers Paris pour faire ce petit détour par Verchamps... Vous ne m'en voulez pas trop d'être arrivé ainsi à l'improviste?

– Vous savez bien que je suis toujours ravie de vous voir... L'ennui est que je ne vais pas pouvoir vous héberger ni même vous retenir à dîner. La chambre que j'aurais aimé vous offrir n'est pas encore prête à accueillir un ami tel que vous et il n'y a rien à manger de convenable. Le soir je me contente d'un maigre potage que me prépare la maman de Clémence et d'un tout petit bout de fromage. Vous savez bien que j'ai toujours eu des goûts culinaires très simples... Éric me l'a assez reproché! Mais que voulez-vous : on n'a pas faim quand on mange seule chez soi!

– Ça, je vous comprends : on a toujours beaucoup plus d'appétit chez les autres... Et c'est tellement assommant de se trouver à table sans personne à qui parler! C'est pourquoi je vous aurais volontiers tenu compagnie au cours de votre maigre repas même en ne mangeant rien moi-même...

– Toujours tellement galant, ce Melchior! Eh bien, puisque vous avez eu la gentillesse de faire un pareil crochet pour venir me voir, je ne veux pas vous laisser repartir sans vous avoir traité convenablement... Mais croyez-moi : c'est bien parce que c'est vous! Personne, y compris mes enfants, n'est venu séjourner à Verchamps depuis que j'ai repris les rênes du pouvoir en main. Vous serez mon premier invité.

– Je suis infiniment touché d'une telle attention.

– Mais vous devrez vous contenter de partager ma misère.

– Chère Marie-Adelaïde, ne pensez-vous pas que ce terme est quelque peu exagéré? Disons plutôt que c'est une misère relative... Vous n'en êtes quand même pas réduite à la mendicité!

34

– Ça viendra si je ne trouve pas la solution miracle qui pourra sauver les meubles et tout le reste! De toute façon vous ne repartirez que demain matin après le petit déjeuner : ce qui vous permettra de rentrer à Paris à une heure de la journée où il n'y aura pas trop d'encombrements, surtout sous le tunnel de Saint-Cloud que je déteste! Seulement, à table il faudra vous contenter de ce qu'il y aura et je crains fort que vous ne mangiez ce soir à l'infortune du pot!

– Ce sera follement sympathique : ça me rappellera les temps héroïques de l'Occupation... Vous n'en êtes tout de même pas revenue aux rutabagas?

– Bientôt je n'en serai peut-être pas loin, à moins que vous, qui êtes toujours farci de bonnes intentions, n'ayez une idée lumineuse qui me permettrait de faire revivre ce château dans des conditions moins aléatoires.

– Une idée? Je vais réfléchir... Vous savez bien en quelle estime je vous tiens! Ça m'ennuie énormément de vous voir ainsi transformée en demi-souillon... C'est là un rôle qui ne vous convient pas du tout, Marie-Adélaïde! Une idée de financement régulier, c'est cela qu'il faudrait trouver...

– Clémence, allez quand même ouvrir les volets de la chambre d'honneur.

– Celle où Charles X a dormi en 1830 lorsqu'il a fait une haite alors qu'il partait en exil pour l'Angleterre? s'exclama Melchior.

– Celle-là même...

– Mais c'est beaucoup trop pour moi! Au début de cet entretien vous m'avez laissé entendre que vous ne pouviez pas me recevoir et voilà que vous m'offrez le lit d'un roi! Un petit lit de rien du tout dans une chambre de bonne mansardée du deuxième aurait amplement fait mon affaire!

En disant cela Melchior avait eu en direction de Clémence un regard fulgurant que Marie-Adelaïde ne fut pas sans remarquer :

– De toute façon ce genre de chambre ne vous conviendrait pas puisque ma petite Clémence elle-même n'en veut pas et loge avec ses parents au-dessus des communs... Montez au premier, Clémence, pour ouvrir les volets et même entrouvrir les fenêtres. Cette chambre presque historique doit avoir un grand besoin d'aération ! C'est tellement poussiéreux, l'histoire ! Ensuite vous irez dire à votre maman de mettre des draps dans le lit, des serviettes dans le cabinet de toilette, puis de vérifier que tout sera en ordre pour accueillir M. le baron de Raversac. Après vous direz à votre père de monter dans cette chambre les bagages de notre invité.

– Oh, les bagages ! dit Melchior. Pour une nuit, je crois que le sac léger qui me sert de nécessaire de voyage suffira. Les autres valises pourront rester dans la voiture.

– Évidemment, ici où nous sommes entre nous, mon cher Melchior, vous n'aurez pas besoin pour une soirée et une nuit de tout ce que vous avez dû être contraint d'emporter à Dinard pour faire honneur à vos fabricants de surgelés ! Quant à votre voiture, Clémence dira également à Ernest de la garer dans la remise à côté de la mienne.

Dès que Clémence fut partie, elle reprit :

– Oui, j'ai fixé comme règle absolue de laisser tous les volets clos quand il n'y a personne dans les pièces de réception ou dans les chambres des deux étages. Le soleil brûle tout : les vernis des tableaux, les teintes des tapisseries, la patine des meubles... Il faut conserver soigneusement tout cela : ça fait partie du capital.

– Seriez-vous l'ennemie du soleil à ce point?

– Tout en étant nécessaire de temps en temps, j'affirme qu'il est l'ennemi des vieilles demeures et aussi des femmes! Si, ayant eu jusqu'à ce jour le moins possible recours aux méfaits du maquillage, j'ai pu conserver un teint assez juvénile, c'est parce que j'ai toujours évité de soumettre mon visage au supplice du brunissage solaire qui, à la longue, laisse des traces indélébiles sur l'épiderme en desséchant la peau... Nos mères et nos grands-mères avaient mille fois raison de s'abriter à l'ombre de capelines ou d'ombrelles... N'êtes-vous pas de mon avis?

– Comme tout le monde, Marie-Adelaïde, je ne peux qu'être de votre avis.

– C'est pourquoi nous nous entendons aussi bien, vous et moi, depuis un nombre d'années que nous préférons ne pas compter! Pourquoi aussi vous commencez à constater que tout est encore en bon état ici.

– Un véritable musée! Mais n'est-ce pas un peu triste de vivre ainsi dans un musée?

– C'est exaltant, au contraire! On a l'impression que toutes les merveilles qui s'y trouvent ne sont là que pour notre seul plaisir.

– Ne serait-ce pas là une forme d'égoïsme?

– C'est plutôt le respect des splendeurs passées...

– Ah! Chère amie, vous continuerez toujours à surprendre le monde!

– Montons jusqu'à votre chambre dont vous prendrez possession avant de venir me rejoindre au rez-de-chaussée à dix-neuf heures. Ensuite nous dînerons tous les deux, je n'ose pas dire en amoureux, mais plutôt en vieux amis.

– C'est cela : de vieux amis... Je vous en prie : passez la première dans l'escalier.

Clémence avait fait vite. Les volets étaient ouverts, les rayons du soleil caressaient les visages des portraits d'ancêtres – pas les ancêtres de Marie-Adelaïde qui évitait de parler d'eux, mais ceux des princes de Verchamps – les draps propres étaient déjà déposés sur le couvre-lit, le lit à baldaquin donnait l'impression d'être aussi authentique que de bonne noblesse, le cabinet de toilette... – Ah! ce cabinet... Dès que Marie-Adelaïde se fut retirée pour retourner à ses multiples travaux d'entretien, Melchior s'y précipita pour procéder aux ablutions qui sont le réconfort des étapes au cours d'un voyage. Et là il demeura interloqué, figé pendant quelques instants... Ce n'était pas que la robinetterie s'y révélât exceptionnelle, mais les étiquettes étaient véritablement fascinantes! Les étiquettes? Celles que les mains très attentionnées de la maîtresse de maison avait collées un peu partout sur le miroir surplombant la cuvette du lavabo, à proximité du commutateur commandant l'éclairage électrique, sur chaque cintre accroché à la penderie destinée à accueillir les vêtements et même sur le réservoir de la chasse d'eau des w.-c...

Étiquettes sur lesquelles on pouvait découvrir, écrits de la main même de la princesse, quelques conseils d'usage pratique destinés à rappeler à ceux qui occupaient très provisoirement les lieux qu'ils n'y étaient pas chez eux et que c'était un grand honneur que d'être hébergé au château de Verchamps! Sur l'étiquette du miroir on pouvait lire : « *Prière de fermer les robinets après usage : l'eau est précieuse à Verchamps, surtout aux époques de sécheresse.* » A proximité du commutateur électrique : « *L'E.D.F. ne faisant pas de cadeaux, ne lui en faites pas non plus. Éteignez dès que vous quittez ce cabinet de toilette ainsi que la chambre voisine.* » Sur la monture en bois de chaque cintre : « *Ne m'emportez pas avec vous par inadvertance au moment de votre départ. J'appartiens au mobilier de Verchamps.* » Sur le réservoir des w.-c. enfin on lisait, calligraphié par la même écriture plus pointue qu'aristocratique : « *Prière de n'utiliser que le papier hygiénique placé dans le distributeur et de ne pas jeter dans cette cuvette les serviettes d'ordre intime ou autres.* » Une littérature à faire rêver un invité de la qualité du baron de Raversac.

Revenu de son extrême surprise Melchior pensa : « Marie-Adelaïde est vraiment une femme prodigieuse! Elle pense à tout : au comportement de ses hôtes qui peuvent ne pas toujours se comporter en gens du monde et à toutes les petites économies qui font les grandes fortunes. C'est encore heureux que j'ai pensé à apporter mon savon, car il n'y en a pas! Il est vrai que ça glisse si facilement entre les doigts, un savon... »

Le menu du dîner, servi à l'office par Clémence – qui avait revêtu pour cet événement un tablier brodé lui seyant à ravir et qui faisait d'elle la plus pimpante des soubrettes – fut ce que la pingrerie de la maîtresse de maison pouvait laisser prévoir : très maigre. Le potage aux légumes passés, préparé par Adèle Borniquet, fut suivi d'un œuf à la coque agrémenté de ce conseil de Marie-Adelaïde à son convive :

– Vous pouvez le déguster sans aucune appréhension : je vous garantis que c'est un œuf du jour. Il vient directement de l'une des fermes.

De viande il n'y en eut point, ni même de

volaille. Ce plat de résistance fut remplacé par des sardines à l'huile accompagnées de cet autre commentaire :

– Le cher Éric était comme moi : il aimait beaucoup les sardines en conserve et prétendait qu'elles étaient infiniment plus savoureuses que les sardines fraîches... D'ailleurs ici, à Verchamps, situés comme nous le sommes loin d'une agglomération importante, il n'est pas question de manger du poisson frais à l'exception, parfois, d'une carpe pêchée dans l'étang. Mais ce n'est jamais bien fameux, une carpe : ça sent la vase! Vous ne trouvez pas?

– Mon Dieu...

– Oui, nous avons exactement les mêmes goûts... Pour dessert, vous aurez du pain perdu fourré de confiture de groseilles du potager : une douceur qui est la grande spécialité d'Adèle... Elle la réussit à merveille! C'est délicieux, le pain perdu, n'est-ce pas?

– C'est-à-dire...

– Oui, je sais : c'est modeste mais c'est sain. Et c'est pour cela que c'est bon! Ne vous avais-je pas laissé entendre qu'étant donné notre longue amitié, j'étais bien décidée à vous recevoir en toute simplicité... Peut-être buvez-vous du vin? Personnellement, depuis la mort de mon époux, j'ai pris la résolution de m'en passer.

– En signe de deuil, peut-être?

– Non. Je n'ai jamais beaucoup apprécié le vin, ni les alcools. De toute façon il faudra vous passer de vin! L'eau de Verchamps est d'ailleurs excellente... Je me demande même si ce ne serait pas très intelligent de la vendre en bouteilles comme toutes ces eaux soi-disant minérales qui sont de plus en plus à la mode et qui ne la valent pas! Ce serait assez joli comme nom « *l'eau de Verchamps* »... Ça sonne tout aussi bien que l'eau d'Évian ou l'eau de Vittel. N'est-ce pas votre avis?

– Ça pourrait être aussi d'un bon profit...

– Je vais y penser... Car il faut absolument que cette propriété ait un rendement, sinon je me demande avec inquiétude ce qu'elle deviendra après ma disparition.

– Heureusement que nous n'en sommes pas encore là... Vous avez une excellente santé.

– Éric aussi en avait une, et pourtant!

– Les accidents de voiture ne se transmettent pas automatiquement par tradition!

– Savez-vous que c'était la dame de ses pensées qui conduisait?

– Je l'ai entendu dire par des ragots.

– Des ragots! Mais ni les journaux, ni la radio, ni la télévision ne se sont gênés pour le préciser!

– Les gens sont tellement médisants...

– Auriez-vous, par hasard, rencontré cette personne un jour où elle se serait trouvée en compagnie d'Éric?

– Ma foi non et je n'irai pas jusqu'à dire que je le regrette parce qu'enfin, quand on a la chance d'avoir une épouse telle que vous!

– Éric n'a jamais fait le moindre effort pour essayer de me comprendre... Au fond, malgré ses grandes qualités, il pouvait se révéler très égoïste! Ce n'est pas comme vous qui avez toujours su rester pour moi l'ami sûr et dévoué... Oh! Si! Je vous connais bien, Melchior... Avouez que vous avez toujours été un peu amoureux de moi en secret?

– J'avoue si cela peut vous faire plaisir mais que voulez-vous! Avec le temps qui a passé il a bien fallu que je me fasse une raison.

– Toujours ce même charme, Melchior !

– Puis-je vous poser une question qui risque peut-être de vous paraître un peu saugrenue à un moment où nous risquons de nous laisser entraîner sur la pente des souvenirs ?

– Je vous en prie : parlez...

– Eh bien voilà : pourquoi prenez-vous vos repas ici dans cet office alors que Verchamps possède une magnifique salle à manger ?

– Tellement belle que je ne veux pas qu'on la déflore ! Là aussi, comme dans toutes les pièces de réception, les volets restent fermés, les rideaux sont tirés et aussi bien la grande table que les chaises sont recouvertes de housses pour ne pas être rongées par la poussière qui dégrade tout ! Sincèrement je préfère cet office... Et je me sentirais perdue, assise à la grande table de la salle à manger ! Comme vous l'avez si bien dit les repas solitaires ne sont jamais très gais, mais je crois qu'ils paraissent encore plus sinistres dans un cadre d'époque que dans un quelconque restaurant !

– Ce soir vous n'êtes plus seule, Marie-Adelaïde, puisque nous sommes deux...

– En fin de compte je suis très heureuse d'avoir insisté pour que vous restiez...

Le repas terminé on ne passa ni dans le grand salon, ni dans le petit – qui, eux aussi, étaient des lieux interdits – mais dans une sorte de réduit au plafond surbaissé coincé entre le petit salon et la bibliothèque où le mobilier se réduisait à deux fauteuils Louis-Philippe assez encombrants ainsi qu'à une table sur laquelle trônait *le Figaro* du jour resté entrouvert à la page des mondanités, la seule présentant pour Marie-Adelaïde quelque intérêt. Clémence vint déposer sur la table un plateau surmonté de deux tasses accompagnées chacune de leurs petites cuillers, d'une théière fumante et d'un sucrier démuni de pince à sucre.

– A défaut d'un alcool vous accepterez bien une tasse de tilleul, cher Melchior? Il n'y a rien de tel pour digérer avant de dormir.

Il n'osa pas répondre que le repas plutôt léger qu'il venait d'ingurgiter ne lui chargeait en rien l'estomac. Mais, au point où il en était de cette réception, il jugea plus prudent de se taire. Ce fut la châtelaine qui parla. Après avoir rempli les deux tasses du breuvage tiède, elle présenta le sucrier en demandant :

– Un morceau, ou pas du tout?

Melchior se sentit dans l'obligation de répondre :

– Un!

S'il avait osé dire *deux*, la voix doucereuse l'aurait presque certainement mis en garde :

– Méfiez-vous du diabète! J'ai remarqué que ces morceaux-là sucraient beaucoup...

– C'est charmant ce petit recoin presque caché dont on ne soupçonne même pas l'existence dans une aussi vaste demeure, remarqua l'invité.

– N'est-ce pas? Éric le détestait et disait que cette pièce, qu'il traitait de gourbi, ne servait à rien.

– Alors que vous avez su en tirer un admirable parti en y installant, si j'ose dire, votre P.C.?

– Exactement, ici nous nous trouvons en plein centre du château.

– Mais votre chambre? Sans doute résidez-vous toujours dans celle que vous occupiez avec Éric au premier?

– Pas du tout! Je niche sous les toits dans l'une des mansardes que l'on ne considérait autrefois que comme étant tout juste des chambres de bonnes... Eh bien, vous me croirez ou non mais je m'y sens très heureuse! De là-haut je vois tout! Par la lucarne je domine suffisamment la situation et la cour d'honneur pour pouvoir donner l'alarme au cas où des importuns oseraient se présenter sans avoir été invités.

– L'alarme? Comment faites-vous? Peut-être avez-vous une cloche?

– J'ai mieux que cela! Il faut être de son temps, cher ami! Il me suffit d'appuyer sur un bouton de sonnette pour qu'un signal retentisse aux communs où habitent Ernest le jardinier, son épouse Adèle et leur fille Clémence. Ils me sont très dévoués.

– Et ils accourent aussitôt que vous avez donné le branle-bas de combat?

– C'est un peu cela. Vous devinez tout!

– Pas tout, Marie-Adelaïde! Par exemple je ne parviens pas à comprendre pourquoi vous vous refusez à profiter de la magnificence de ce château. Pourquoi un pareil renoncement? Pourquoi aussi vous calfeutrer dans les pièces les plus obscures et les plus modestes comme si vous cherchiez à vous cacher?

– Pour une raison toute simple : je n'ai plus les moyens de subsister à Verchamps comme cela se passait encore du vivant d'Éric et encore davantage au temps de mes beaux-parents que je n'ai que très peu connus... Je crois qu'ils ne m'appréciaient guère, disant que j'avais l'âme d'une affreuse petite bourgeoise! Oui, et ceci malgré la dot considérable que j'ai apportée et qui a permis de continuer à assurer une relative facilité d'existence dans ces lieux aux proportions démesurées! Maintenant tout cela est bien fini! Les fastes ne conviennent plus à notre époque.

– Je ne suis pas du tout de votre avis! Dans mon esprit vous me paraissez être au contraire la

44

seule personne qui saurait se montrer capable de ressusciter toute la grandeur des princes de Verchamps!

– Avec quel argent? Éric a tellement écorné mes économies!

– Vous me l'avez déjà laissé entendre et vous n'avez pas manqué de le répéter à tout le monde à chacune de vos rares venues à Paris... Vous avez besoin d'argent? Je ne sais pas : il faudrait en trouver! Il existe sûrement un moyen de mettre ce que l'on appelle assez vulgairement « du beurre dans les épinards ».

– Vous voulez donc m'aider?

– Hélas vous n'êtes pas sans savoir que je suis moi-même contraint, malgré mon nom, de vivre modestement... Je dirais presque : de la charité publique de mes amis!

– Ce qui vous sauve, c'est que vous en comptez énormément!

– De ce côté-là, je n'ai pas trop à me plaindre...

– Vous possédez aussi d'innombrables relations, issues de milieux assez divers, qui ne cherchent plus tellement à me rencontrer depuis qu'ils savent que, par la faute de cette charge écrasante sur mes frêles épaules de veuve, je côtoie une certaine gêne...

– Une gêne dorée...

– Et pourquoi, vous qui connaissez autant de gens et qui évoluez aussi aisément chez des Divois-Maubeux, ne viendriez-vous pas à mon secours pour organiser le mécénat qui me manque terriblement aujourd'hui?

– Ce que vous venez de dire est assez étrange! Figurez-vous que, même avant de vous écouter ce soir, j'ai pensé, pendant que je conduisais pour venir vous retrouver, à tous ces problèmes qui ne peuvent que vous assaillir... Je puis même vous avouer, puisque nous en sommes venus au moment des confidences, que si j'ai fait ce détour avant de rentrer à Paris, c'est uniquement parce qu'ayant entendu de-ci de-là parler de vos graves soucis, je me suis dit qu'il y avait sûrement quelque chose à tenter...

– Quoi? Transformer Verchamps en une sorte d'auberge de luxe relatif dans laquelle passeraient les gens les plus hétéroclites tels que ces congés payés ne rêvant que de s'offrir la vie de château, des étrangers qui viendraient de je ne sais où et qui parleraient des langues impossibles, des gens qui ne respecteraient rien et qui laisseraient traîner des mégots partout, qui ne tiendraient aucun compte de toutes ces prescriptions de règlement intérieur que j'ai pris soin de placarder dans chaque pièce sous la forme d'innombrables étiquettes que je rédige de ma propre main et qui, pour des vandales, rappelleraient les interdits répandus pendant l'occupation allemande sous forme de *verboten*? Non, Melchior, ce n'est pas possible! Faire de Verchamps une hôtellerie, mais ce serait une insulte à la mémoire de « nos » ancêtres qui, du haut de tous ces portraits d'où ils continuent à nous observer sans aménité, rougiraient de honte! Ce serait alors qu'on ne me traiterait même plus de petite bourgeoise mais de marchande de soupe ne cherchant plus qu'à procurer, moyennant finances, le gîte et le couvert! Et je n'oserais plus me montrer à personne à Paris, pas même à de vieux amis aussi fidèles que vous!

– Je ne suis pas certain, si une maîtresse femme telle que vous tentait une pareille expérience, que Verchamps n'obtiendrait pas très vite trois ou même quatre étoiles dans le guide Michelin ou auprès du haut-commissariat au tourisme?

46

– Des étoiles! Il ne manquerait plus que cela! Le nom des Verchamps serait ridiculisé. Comme s'ils avaient besoin d'étoiles ajoutées à leur blason! Et vous imaginez tous les problèmes qu'une telle organisation ferait surgir? D'abord il faudrait cloisonner les pièces pour répartir la clientèle, puis faire construire d'autres salles de bain que les trois qui existent déjà, installer des w.-c. partout... Les gens ne consentent à voyager aujourd'hui que s'ils ont la certitude de trouver à l'étape leurs commodités particulières... C'est entré dans les mœurs de tout le monde, même dans celles de ceux qui vivent misérablement le reste de l'année. Ce sont les plus difficiles. Il leur faut tout le confort moderne qu'ils n'ont pas chez eux! La clientèle qui voyage est devenue odieuse. Et le service? Qui l'assurerait? Il faudrait trouver du personnel: maître d'hôtel, caméristes, chasseur peut-être aussi, pour monter les bagages ou garer les voitures... Et en cuisine, qu'est-ce qui se passerait? Celle de ce château est immense. C'est d'ailleurs pourquoi elle est pratiquement inutilisable! Le repas que vous avez pu apprécier tout à l'heure, comme tous ceux qui me sont destinés dans ma solitude, a été préparé par Adèle sur un modeste fourneau fonctionnant au gaz butane que j'ai pris la précaution de faire installer dans un office jouxtant la pièce où nous avons dîné: un fourneau qui n'a que deux trous et qu'une seule plaque chauffante... Oui, mon bon Melchior, le moindre convive nous pose une foule de problèmes!

– Vraiment vous m'en voyez confus... Si je m'étais douté d'un pareil désarroi, jamais je n'aurais accepté votre invitation aussi spontanée et aussi chaleureuse.

– Vous m'auriez fait beaucoup de peine! Mais

vous accueillir vous, ce n'est pas grave : je vous ai toujours considéré comme étant l'un des nôtres.

– Dites plutôt « de la famille » ! C'est vrai : même si les Raversac n'ont aucun lien de parenté avec les Verchamps, j'aurais été très flatté d'avoir une cousine de votre envergure.

– Ce que vous venez de dire est très gentil : ça m'émeut infiniment ! Et revenons au fond du problème... Même en supposant que dans ce relais château tout fonctionne à merveille, m'imaginez-vous, moi Marie-Adelaïde, princesse douairière de Verchamps, en train de jouer les hôtesses, pendue au téléphone dans l'attente des réservations, accueillant avec un sourire de commande tous ces médiocres que je mépriserais profondément et que je n'aurais jamais voulu recevoir dans mes salons ! C'est pourquoi il me paraît préférable d'abandonner définitivement cette idée... En auriez-vous une autre ?

– Si nous laissons aussi de côté celle du parc zoologique pour animaux sauvages en semi-liberté qui exigerait une mise de fonds considérable avant de se révéler rentable, il resterait celle du parc d'attractions style Disneyland ou autres...

– J'ai horreur du tintamarre des musiques de foire, du scenic-railway, de l'odeur des gaufres et d'une rivière qui n'est jamais enchantée ! Non, Verchamps doit conserver tout son calme et toute sa dignité.

– Que diriez-vous d'un festival artistique, soit musical, soit théâtral, comme il s'en crée de plus en plus un peu partout ?

– Ce sont là des animations trop saisonnières et beaucoup trop aléatoires pour se révéler bénéfiques ! Et, franchement, vous aimez suffisamment la musique pour ne pas hésiter à faire des kilomètres avant d'assister à un concert ?

48

– Ça dépend duquel...

– Vous êtes comme moi : les concerts du style
« musique de chambre », récitals de piano ou autres
vous assomment, n'est-ce pas ? Quant à des représen-
tations théâtrales, il n'est même pas question d'y
songer : je déteste les cabotins !

– C'est là votre droit le plus absolu. Seulement,
devant tant de méfiance, notre champ d'investigations risque de se rétrécir... Continuons pourtant à
chercher...

– Vous ne trouverez pas !

– Et les séminaires ? Pourquoi ne pas louer le
château à de grandes entreprises qui seraient peut-
être ravies de réunir pour un temps limité, dans un
cadre aussi prestigieux et à certaines époques de
l'année, leurs cadres supérieurs ou même inférieurs ?
Vous pourriez certainement récolter un bon prix de
ce genre de locations momentanées à des groupes de
gens travaillant dans une même spécialité ?

– Croyez-vous ? Dans quelle entreprise peut-on
avoir vraiment confiance aujourd'hui pour les paiements ?

– Et la formule du musée dans le genre de celui
de Mme Tussaud à Londres ou du Grévin à Paris ?
Elle est déjà pratiquée avec succès par les propriétaires très honorables et très bien titrés d'une propriété proche de la vallée de Chevreuse... Cela
consiste à faire payer un prix d'entrée, qui n'est pas
trop faible, pour la visite du château dans lequel sont
installés des mannequins en cire placés dans différentes pièces comme s'ils y vivaient réellement et
dont la ressemblance avec des personnages historiques est étonnante. On a l'impression que ceux-ci
vous parlent et surtout qu'ils se sentent tout à fait à
l'aise dans un cadre convenant admirablement à
l'époque où ils ont vécu.

– Quels personnages?

– Je ne sais pas, moi... Des rois, des princes, des généraux illustres, des diplomates du genre Talleyrand ou autres!

– Celui qu'on a surnommé «le Diable Boiteux» n'a jamais eu, je crois, les moindres relations avec les princes de Verchamps... Quant à ces derniers, si on veut découvrir leurs visages, il n'y a qu'à contempler les innombrables portraits dont mes murs sont encombrés! Il y en a de beaux ayant quelque valeur et d'autres nettement moins réussis. Des rois? A part Charles X, qui n'a fait que passer une nuit dans la chambre que je vous ai réservée, il n'y en a pas eu beaucoup! C'est ce que m'a toujours dit Éric et qui m'a un peu chagrinée parce que je raffole des rois! Et puis vous ne m'imaginez pas non plus évoluant à longueur d'années au milieu de mannequins qu'il faudrait épousseter et même décrasser! J'ai déjà assez de travail avec l'entretien courant! Enfin ce n'est pas très gai, un personnage en cire! Je trouve même que cela a quelque chose d'un peu morbide.

– Il est vrai que vous êtes beaucoup trop remuante pour vous promener parmi ce genre d'individus immobiles... Mais alors, si nous avons épuisé toutes les bonnes idées, il ne nous reste plus qu'un recours: Bruno Orvoli...

– Qui est-ce?

– Je ne dirais pas qu'il est l'un de mes amis les plus intimes... Ce serait plutôt l'une de ces innombrables relations que je connais effectivement... Comme son nom l'indique, il est de nationalité italienne et même plus que cela: d'origine sicilienne. C'est un homme très entreprenant, farci d'idées originales... Avec cela il est loin de manquer de charme

50

et j'ai tout lieu de penser qu'il pourrait sinon vous séduire, mais tout au moins vous intéresser. Aimeriez-vous qu'une fois rentré à Paris je fasse appel à ses bons offices?

– Mais de quoi vit exactement ce monsieur?

– D'un peu tout : c'est ce qui fait la variété de ses occupations... Il m'est arrivé d'avoir recours trois ou quatre fois à ses services au cours de périodes où je me trouvais moi-même un peu gêné financièrement. Je n'ai eu qu'à m'en féliciter.

– C'est un usurier?

– Pas exactement. Disons qu'il sait trouver de l'argent quand on en manque... Je ne sais pas trop comment il se débrouille mais il y arrive! Il travaille au pourcentage sur les bénéfices que l'on parvient à réaliser grâce à lui. J'ai la conviction que ce serait l'homme idéal pour vous permettre de récolter enfin cette manne céleste dont Verchamps a le plus grand besoin! Il saura trouver l'idée géniale! Souhaitez-vous que je lui téléphone dès mon retour dans la Capitale pour lui dire de prendre contact avec vous? Bien entendu je lui expliquerai succinctement la nature de vos soucis pour que vous n'ayez plus ensuite, quand vous le rencontrerez, qu'à examiner directement avec lui les modalités d'une entente éventuelle entre vous sur le plan salvateur à suivre.

– Mais comme je ne bouge pratiquement plus d'ici, il faudrait que ce personnage miraculeux se déplaçât pour venir me rendre visite?

– Il le fera sans aucun doute! Lui c'est l'inverse d'un mannequin : comme la plupart de ses compatriotes, il est toujours en mouvement!

– Vous me répondez de lui?

– Qui peut répondre d'un homme d'affaires? Je vous conseille seulement de le consulter... Et puis que risquez-vous à avoir une conversation d'ordre pratique avec lui? Enfin je vous sais beaucoup trop avertie de la vilenie du monde actuel pour prévoir que vous saurez, mieux que personne, évaluer le pour ou le contre du projet qu'il vous soumettra... Voilà déjà longtemps, chère amie, que vous êtes une grande personne sachant naviguer toute seule! Oui, bien sûr, il y a eu Éric, mais reconnaissez que, même s'il n'a pas su se révéler un époux très exemplaire, il ne vous a jamais beaucoup gênée?

– Pauvre Éric!

– Oui, pauvre Éric... Que faisons-nous de ce Bruno Orvoli?

– Puisque votre amitié indéfectible me le conseille, pourquoi ne pas tenter l'expérience d'avoir recours à ses lumières? Dites-lui de me téléphoner pour que je lui fixe un rendez-vous. Mais surtout qu'il m'appelle le matin de bonne heure! Vous savez que j'ai la réputation d'être très matinale! Dès que je suis réveillée, je m'ennuie au lit...

– Vraiment?

– Et j'abandonne le plus vite possible ce lit pour courir à la lucarne de ma chambre mansardée que j'ouvre toute grande en contemplant le parc silencieux qui s'éveille à mes pieds.

– Telle une oiselle sur son arbre perché?

– Du haut de mon perchoir je prends déjà possession en pensée de tous les événements grands ou petits qui se passeront dans la journée à Verchamps jusqu'à la tombée de la nuit, mais qui ne pourront pas se dérouler sans mon entière approbation. Ce sont là quelques minutes de recueillement essentielles pendant lesquelles je réfléchis.

– Peut-on connaître la pensée dominante?

– Vous oui. C'est toujours la même : si je n'étais

pas là, moi, Marie-Adelaïde, ce domaine ne vaudrait pas un sou!

– Savez-vous que c'est assez sublime?

– Maintenant allons nous coucher : ce bavardage nous a entraînés très tard... Vous vous rendez compte : il est déjà presque vingt-trois heures!

– C'est encore raisonnble...

– Pour un mondain tel que vous, mais pas pour moi! Quand je suis seule, ce qui a été le cas tous les soirs puisque vous êtes la première personne que j'ai consenti à accueillir sous ce toit depuis le mariage de Gontran, je me retrouve au lit à vingt et une heures. Oui je suis également une couche-tôt et je m'en porte très bien!

– Sans doute lisez-vous dans votre lit avant de vous endormir?

– Même pas! Il y a trop de livres dans la bibliothèque pour que l'on ose en extirper seulement un! Et ils y sont tellement bien rangés depuis des années que ce serait un crime de déséquilibrer une aussi belle ordonnance! Éric tenait beaucoup à sa bibliothèque... Il la respectait au point de ne jamais y toucher! Il faut maintenir l'harmonie des objets qui ont été placés une fois pour toutes en un certain endroit d'où ils ne doivent plus bouger.

– C'est évidemment une façon comme une autre d'envisager le confort intellectuel... Mais peut-être avez-vous décidé, pour remplacer définitivement la lecture qui semble ne pas vous manquer, de vous passionner pour la télévision?

– Moi? Perdre mon temps à regarder de mon lit toutes ces images insipides, à m'imprégner de ces publicités répétées et à écouter ces palabres n'offrant pas le moindre intérêt? Non, cher Melchior, pas de télévision dans ma chambre ni nulle part dans le château! Je crois bien que la petite Clémence a un poste dans sa chambre des communs : c'est le seul de toute la propriété... On ne peut pas le lui reprocher. C'est une distraction de son âge... Moi hélas, comme tout ici, j'appartiens déjà trop au passé!

– Un passé qui doit évoluer s'il veut encore se prolonger pendant de longues années! C'est pourquoi je pense qu'Orvoli serait le bienvenu.

– Nous montons? Je vous accompagne jusqu'à la porte de votre chambre. Ensuite, après avoir vérifié que toutes les lampes seront éteintes, aussi bien ici au rez-de-chaussée que dans le grand escalier et dans le couloir du premier étage, je rejoindrai par un petit escalier ma chambre de bonne. Et je m'y cacherai pour me faire oublier jusqu'à demain matin. Ne pensez-vous pas que c'est cela la vraie grandeur dans la simplicité et l'authentique noblesse dans la modestie?

– Oui et non...

Quand ils furent devant la porte de la chambre arrachée miraculeusement pour cette seule nuit à sa léthargie conservatrice, elle demanda :

– Vers quelle heure comptez-vous partir demain matin?

– A neuf heures, si cela ne vous dérange pas trop?

– Mon bon ami, je serai levée depuis longtemps et j'aurai déjà fait au moins deux fois le tour du château! Avant votre départ vous aurez droit au petit déjeuner que nous prendrons en tête-à-tête, comme le dîner, dans mon réduit du rez-de-chaussée... Vous aurez du café au lait mais pas de croissants! A Verchamps ils sont remplacés par des biscottes. Bonne nuit! Faites de beaux rêves...

– Je suis sûr qu'ils seront exceptionnels! J'y verrai un château de Verchamps étincelant, ressuscité dans toute sa splendeur grâce à la baguette magique de l'une des dernières fées de notre époque : Vous!

– Grâce aussi peut-être à ce sauveur de génie que vous allez m'envoyer?

– Quels que soient ses qualités et son enthousiasme, je sais déjà que ce Sicilien ne sera toujours à vos côtés qu'un pâle exécutant! Bonne nuit, Marie-Adelaïde.

La porte de la chambre se referma après qu'il lui eut baisé la main comme lui seul savait le faire.

Melchior avait vu juste : l'entente commerciale entre la princesse douairière et Bruno Orvoli fut assez rapidement conclue. Après lui avoir téléphoné en la bombardant au bout du fil d'une quantité de « *si madame la princesse le souhaite* » ou autres formules de politesse à la troisième personne qui n'avaient pas été sans l'émouvoir, le Sicilien était venu lui rendre visite à Verchamps dans une Ferrari rutilante qui avait produit le meilleur effet non seulement sur la châtelaine mais sur son adjointe Clémence et même sur les parents de Clémence. Avec Bruno, c'était l'Etna qui avait brusquement déversé sur le château aux quatre cinquièmes endormi sa lave incandescente d'idées créatrices où l'âpreté des gains en perspective se mêlait aux combinaisons les plus osées.

Comme l'avait également prévu le baron, Marie-Adelaïde sut se montrer parfaitement à la hauteur dans la discussion qui se prolongea pendant plus de cinq heures sans qu'il lui vînt même à l'idée de faire apporter par Clémence à son interlocuteur un verre de cette fameuse eau fraîche de Verchamps dont elle avait vanté les mérites, ou à défaut un extrait de jus de fruit « en conserve » puisque cette forme d'aliment semblait être à l'honneur dans le château. Lorsque Bruno Orvoli repartit dans son bolide aux vrombissements surprenants, vers dix-huit heures, Marie-Adelaïde ressentit la sensation qu'une tornade venait de s'éloigner de Verchamps... Mais une tornade bienfaisante qui lui fit prononcer dans le secret de son avidité instinctive un « ouf » de satisfaction.

Le plan proposé était infiniment plus original et plus prometteur de gains substantiels que toutes les idées périmées lancées par le cher Melchior. Il s'agissait de louer pendant huit mois, moyennant un bon prix, Verchamps et son parc à une importante société de production cinématographique qui y réaliserait une série de huit films à raison de un par mois. En plus du montant de la location, chiffrée par jour et réglée en fin de chaque semaine – ce qui au bout des huit mois ferait un total des plus intéressants – tous les frais d'assurances, qui seraient considérables étant donné la beauté de la demeure et la valeur des objets d'art qu'elle contenait, seraient assurés par la compagnie productrice après une sérieuse expertise.

Quand Marie-Adelaïde avait demandé quel serait le genre de films produits, Bruno Orvoli avait répondu :

– Celui qui conviendra parfaitement à la noblesse de ce château puisqu'il s'agira de films à tendance historique. Madame la princesse doit bien se douter que s'il s'était agi de tourner d'aimables petites comédies ne nécessitant que des « deux-pièces cuisine » ou une quelconque villa en bord de mer, les producteurs n'engageraient pas la dépense considérable que va leur coûter la location de Verchamps!

– Mais ils tourneraient dans tout le château?

– Je ne le pense pas... En tout cas leurs caméras ne pourront pas se trouver en même temps partout! Ils préféreront presque certainement utiliser Verchamps bout par bout.

– Bout par bout! Pauvre Verchamps que l'on veut déjà morceler!

– Mais non, madame la princesse doit me pardonner une expression aussi malencontreuse! Ces huit films, dont les scripts seront obligatoirement différents, mettront au contraire en valeur les innombrables aspects de cette admirable demeure... Ne sera-ce pas pour madame la princesse une immense satisfaction que de constater, quand les films seront terminés, que la caméra – dont l'œil est implacable! – n'aura oublié aucun salon, aucune chambre, aucun couloir, aucun meuble, aucune tapisserie ni même aucun dc ces portraits d'ancêtres prestigieux auxquels ne manque que le grand ou le petit écran pour pouvoir être admirés par de nouvelles générations.

– A aucun prix je ne veux que le nom de Verchamps ne soit mentionné sur les génériques ni dans la publicité faite autour de ces productions!

– Même pas qu'un petit remerciement ému ne soit adressé à madame la princesse douairière Marie-Adelaïde de Verchamps, en remerciement de l'immense compréhension dont elle aura su faire preuve à l'égard de la réalisation? C'est là un usage courant qui est souvent pratiqué et que l'on place à la fin du film pour rendre hommage aux châtelains qui ont consenti à prêter leur demeure.

– Prêter à ce prix-là? Comme personne ne sera

dupe, tout le monde se doutant que je n'aurai donné mon accord qu'en fonction du prix considérable qui m'a été proposé, si l'on voyait en plus s'étaler mon nom sur la pellicule, je serais très mal considérée dans mon monde où je tiens essentiellement à conserver ma respectabilité, monsieur Orvoli! Il y a aussi un point important qu'il faudra mentionner sur le contrat : étant décidée à ne jamais quitter Verchamps, je continuerai à y habiter pendant toute la durée des tournages.

— C'est là une clause absolument normale qui permettra à madame la princesse d'assister à la réalisation des films tout en constatant qu'aucun dégât n'est commis.

— Notez bien que je me contenterai du logement très modeste que j'occupe actuellement et qui n'intéresserait certainement pas vos cinéastes! Ce dont ils auront le plus besoin seront sans doute les grandes salles de réception?

— Peut-être aussi certaines chambres pour les séquences dites « d'intimité »?

— Qu'entendez-vous par là?

— Madame la princesse comprendra très bien qu'un film n'est bon que s'il est basé sur une histoire d'amour... Pour cette série ce seront des amours historiques, bien entendu! Par exemple celles de rois et de grands seigneurs avec leurs maîtresses ou celles de reines et de duchesses avec leurs amants...

— Il n'y aura pas de princesse, j'espère?

— Je demanderai aux producteurs de les éviter...

— Comprenez-moi : je ne voudrais pas que l'on puisse établir le moindre rapprochement avec moi qui ai toujours eu et continuerai à avoir une vie irréprochable!

— Tout le monde respecte madame la prin-

58

cesse... D'ailleurs son cousin le baron de Raversac m'a fait d'elle le plus grand éloge.

– Il n'est pas mon cousin mais je sais qu'il rêve de l'être! Et tous ces gens de la production : acteurs, figurants ou techniciens, je pense qu'ils n'ont pas l'intention d'habiter ici?

– Pas question! Ils pourront bien aller loger au diable mais pas dans une aussi auguste résidence! Ils arriveront chaque matin à huit heures et repartiront le soir à dix-sept après une interruption d'une heure prévue pour le déjeuner. Madame la princesse doit bien se douter que les lois syndicales sont scrupuleusement observées dans la profession!

– Déjeuner, mais où cela? Pas question que ces gens-là utilisent ma salle à manger ou ma cuisine à leurs fins personnelles, pas plus qu'ils ne pourront pique-niquer dans mon parc où ils laiseraient des papiers gras!

– Madame la princesse n'a nullement à s'inquiéter. Généralement artistes et techniciens mangent à la cantine.

– Quelle cantine? Ici ce n'est pourtant pas une caserne?

– Ça pourrait être pire par manque de discipline. La cantine dont je parle est une sorte de camion-restaurant spécialisé qui se déplace et qui s'installe à proximité des lieux de tournage quand on réalise ce que l'on appelle en termes de métier « les extérieurs ». Il m'est arrivé, quand j'ai eu le plaisir d'assister à des prises de vue, de profiter de cette cuisine de la cantine : c'était toujours excellent!

– Vraiment?

– Les artistes et surtout les techniciens sont des gens très difficiles! S'il arrivait à madame la princesse de manifester le désir de goûter à cette cuisine, je suis persuadé que les producteurs ou les metteurs en scène qui se succéderont pour chaque film se feront un plaisir et un honneur de l'inviter à partager des agapes aussi originales.

– Nous verrons cela quand le contrat sera signé et lorsque tout sera mis en train, mais je ne dis pas non... Ça me changera de mon ordinaire qui est des plus simples.

– Madame la princesse ne mange donc pas bien chez elle?

– Je mange peu, monsieur Orvoli.

Tous ces menus détails – qui avaient cependant pour Marie-Adelaïde une extrême importance – étant réglés, Bruno Orvoli s'était esquivé et la douairière s'était retrouvée seule. Pas complètement cependant puisque Clémence, telle une chienne fidèle, se trouva très vite à nouveau dans son ombre.

– Qu'est-ce que vous pensez de ce monsieur, Clémence?

La réplique, cette fois, fut fulgurante :

– Je ne sais pas si c'est un monsieur mais il a une belle voiture dans laquelle je ferais bien un petit tour... Seulement pas avec lui!

– Voyez-vous ça!

– La Citroën de Monsieur de Raversac est plus miteuse mais j'ai infiniment plus confiance en lui.

– Mon vieux confident vous a fasciné, n'est-ce pas?

– Lui au moins a des manières et ne pue pas le parfum comme ce macaroni!

– C'est exact. Seulement, ce que vous ne savez pas, c'est que ce « macaroni » comme vous l'appelez m'a été justement envoyé par le baron de Raversac...

– Pas possible! J'ai du mal à croire que Monsieur le baron ait de telles relations...

60

– Il en a! Et c'est même la raison pour laquelle je vais peut-être parvenir à sortir Verchamps du pétrin dans lequel il s'enfonce lentement mais sûrement... Vous comprendrez mieux dans quelques mois quand on commencera à y faire du cinéma.

– Du cinéma? Mais ça va être fantastique! Ça changera tout!

– Souhaitons-le...

– J'en connais qui vont être contents, dans le pays!

– Pourquoi dans le pays?

– Dame, il n'y pas de cinéma à Chemy-en-Perche! Il faut aller à Chartres ou à Nogent-le-Rotrou : c'est loin!

– Ma petite Clémence, ce n'est pas ici que l'on projettera les films, on se contentera seulement de les tourner. Je ne veux pas plus de salle de cinéma à Verchamps que de télévision.

– Alors le château va se transformer en studio?

– Ne dites pas de sottises! Verchamps restera toujours Verchamps et je m'y emploierai!

– Quand même, ces tournages, ça va amener du beau monde?

– Beau? Je n'en suis pas aussi sûre que vous... Mais que voulez-vous? Ce sera cela ou la faillite... Avez-vous réfléchi, au cas où elle se produirait, que vos chers parents et vous-même risqueriez de vous retrouver sans emploi et surtout sans logement?

– Ça serait épouvantable!

– C'est pourquoi, ne serait-ce que pour éviter un pareil désastre, il nous faut continuer à « briquer » comme le dit souvent votre père qui a fait son service militaire dans la Marine. Il est indispensable, le jour où ces cinéastes débarqueront, qu'ils soient éblouis par la netteté du château... En attendant,

61

allez vite remettre en ordre la chambre qu'a occupé monsieur de Raversac mais laissez les draps! Ce n'est pas la peine de les changer après une seule nuit... Si nous prenions l'habitude d'agir ainsi, où irions-nous? A la ruine, Clémence! Ça s'use vite, les draps, si on les lave trop...

A nouveau seule, Marie-Adelaïde demeura songeuse. Les réflexions nettement acerbes que le bon sens populaire de la fille du jardinier venait de faire sur le compte du signor Bruno Orvoli méritaient réflexion... Il était vrai que ce personnage aux cheveux noirs calamistrés, aux ongles trop manucurés et à la voix chantante pouvait inspirer une certaine méfiance, mais Melchior l'avait bien dit : « Qui peut répondre d'un homme d'affaires? » Tous ces gens-là sortaient du même tonneau! S'ils n'étaient pas ainsi, ils ne feraient pas d'affaires... D'un autre côté, le Sicilien donnait l'impression d'être très sûr de lui et l'offre qu'il avait apportée au nom du producteur pour la location pendant huit mois de Verchamps et de son parc était tellement alléchante qu'il serait tout à fait insensé de la refuser. Après tout, quand ces séances de « tournage » – puisque c'était le mot – seraient terminées, les choses rentreraient dans l'ordre et Verchamps retrouverait le calme qui lui convenait. En contrepartie, le compte en banque du domaine se trouverait sérieusement réconforté : n'était-ce pas la seule chose importante? La devise *Verchamps avant tout* n'impliquait-elle pas qu'il fallait d'abord s'occuper du château et que tout le reste viendrait, ou ne viendrait pas, après? Pour le moment, les silhouettes encore confuses des cinéastes commençaient à se profiler sur un horizon resté très noir jusqu'à ce jour... Le devoir de la châtelaine en mal de liquidités n'était-il pas d'essayer d'agripper ces sauveurs encore fantomatiques pour les voir se matérialiser sous l'apparence de caméramen dans ses salons et sous forme d'espèces trébuchantes dans son coffre-fort?

Quatre mois plus tard le passage des camionnettes, camions-ateliers et groupes électrogènes mobiles de la production – sur lesquels on pouvait lire, peinturlurée en lettres monumentales vertes d'espoir cette inscription prometteuse : LES FILMS DE L'AVENIR – fit sensation à Chemy-en-Perche... La population, qui n'était cependant pas tellement nombreuse, s'aggloméra, constituant une sorte de haie d'honneur improvisée à la caravane pétaradante rappelant, pour les anciens du village, la colonne motorisée des Noirs-Américains qui avaient « libéré » en 1944 ce coin de France bien tranquille... Mais cette fois c'étaient des Blancs, aux mines plus ou moins conquérantes, qui occupaient les véhicules et constituaient la grande équipe technique grâce à laquelle les fameux films historiques allaient pouvoir être réalisés.

Pendant que le défilé se poursuivait dans l'unique rue les réflexions des indigènes allaient bon train :

– Il paraît que ça va au château?

– C'est pour tourner des films, m'a dit la Clémence qui est au courant de tout ce qui se passe là-bas...

Le curé, l'abbé Galopin, qui n'avait quand même pas osé faire sonner les cloches pour un pareil événement, discutait avec le maire Adolphe Dubuisson.

– On chuchote que la douairière aurait touché le gros paquet pour cette opération de prestige?

– Faut bien, monsieur le curé, que cette pauvre dame fasse vivre sa grande baraque!

– Cette pauvre dame, monsieur le maire? Mais elle est riche comme Crésus! Croyez-moi : ce n'est pas parce qu'elle joue les fauchées qu'elle l'est!

– Évidemment, elle n'est pas comme la belle-mère, feu la princesse Isabelle, la maman du brave prince Éric! Elle, c'était une grande dame! Savez-vous comment on l'appelait, dans le pays?

– Je sais : « la vraie princesse ».

– Et l'autre?

– Celle d'aujourd'hui? « La fausse princesse »... Ce n'est pas qu'elle soit mauvaise femme mais ce qui lui fait du tort, c'est qu'elle lésine sur tout! Elle fait trop semblant d'être dans la dèche pour qu'on puisse la croire! Elle n'a pas la manière...

Pendant ce temps Marie-Adelaïde, qui avait abandonné la lucarne d'observation de sa mansarde pour accueillir dignement sur son perron la troupe pacifique envahissant progressivement « son » domaine, conservait le calme olympien dont il faut savoir faire preuve pour pouvoir superviser une grande bataille. Le contrat avait été signé et paraphé, la caution de garantie initiale avait été également payée sans discussion. Il n'y avait plus qu'à attendre avec sérénité tous les règlements qui suivraient à raison d'une par semaine comme elle l'avait exigé, guidée en cela par sa prudence instinctive. Aussi se moquait-elle éperdument des réflexions ou commentaires plus ou moins agréables à son égard qui couraient dans le village sur sa façon d'entrevoir l'avenir de Verchamps. Enfin le moment n'était-il pas arrivé pour elle de se souvenir de ce vieux proverbe arabe qu'elle avait maintes fois entendu répéter par son époux : « Les chiens aboient et la caravane passe. » Il n'y avait qu'à laisser les chiens du village se déchaîner !

Sur le perron et toujours à ses côtés, Clémence regardait avec un émerveillement non dissimulé le prestigieux arrivage. Une Clémence pressentant encore assez confusément que son destin pouvait peut-être se jouer grâce à ce déferlement d'individus sentant bon l'aventure sans laquelle l'existence d'une aussi belle fille qu'elle ne méritait peut-être pas d'être vécue? Évidemment il manquait un personnage d'importance dans ce remue-ménage qui devrait rapidement bousculer le silence accablant de Verchamps : l'aimable baron de Raversac... Mais un deuxième pressentiment encore plus secret que le premier portait la jolie rousse à croire qu'il ne tarderait sans doute pas à se montrer, lui aussi, pour évaluer les bienfaits de l'idée lumineuse qu'il avait eue en conseillant à la princesse d'écouter le Sicilien gominé. Ne serait-ce que pour cela, il viendrait... Peut-être aussi un peu pour elle, Clémence? On ne sait jamais... Ce dont ni Clémence, ni encore moins sa maîtresse ne pouvaient se douter était que le serviable Melchior n'avait pas manqué, en récompense du rôle d'intermédiaire qu'il avait joué avec brio pour mettre Bruno Orvoli en liaison avec la châtelaine, de réclamer à la firme cinématographique qu'on lui allouât discrètement une commission pour ses bons offices. Le monde du cinéma étant ainsi fait que le plus petit service mérite récompense, le baron avait été inscrit pour une part modique, mais quand même appréciable pour lui, dans les frais généraux de l'entreprise.

Marie-Adelaïde n'avait pas jugé opportun d'informer ses enfants et beaux-enfants, pas plus que personne d'ailleurs, de l'accord qu'elle venait de conclure. Aussi l'étonnement de sa fille Roselyne fut-il immense d'entendre sa mère lui répondre au téléphone, alors qu'elle venait de lui annoncer, se conformant en cela à l'une des clauses imposées dans le protocole familial, qu'il était dans ses intentions de venir lui rendre visite en compagnie de Sosthène au cours du week-end suivant:

– Hélas, ma chérie, ce ne sera pas possible! Je tourne un film...

– Quoi? Vous...

– Pas moi, bien sûr, mais une très importante société de production qui va réaliser plusieurs films historiques à Verchamps, pendant les huit mois à venir.

– A Verchamps? Pendant huit mois? C'est inouï!

– N'est-ce pas? Personne n'y avait pensé jusqu'à ce jour... Pourquoi, puisqu'on en fait un peu partout, ne pas tourner ici des films dans un cadre qui s'y prête aussi bien?

– J'espère au moins que vous allez toucher une somme rondelette pour cette affaire. En général le cinéma, ça paie bien.

– Ne t'inquiète pas! J'ai défendu «nos» intérêts, c'est-à-dire ceux de Verchamps. Peut-être allons-nous pouvoir enfin respirer un peu mieux cette année?

– Avez-vous demandé que l'on vous soumette les scénarios pour que le château ne soit pas utilisé stupidement? Ça pourrait lui porter tort!

– Aucun risque puisque j'ai exigé que notre nom ne soit pas mentionné dans les génériques. Ainsi le public ne saura pas où ces films ont été tournés. Peut-être croira-t-il même que tout a été réalisé dans des décors, en studio? Ça commence demain et, forcément, je vais être terriblement occupée pour surveiller ces gens-là et éviter surtout qu'ils ne mettent le feu avec tous leurs câbles électriques! Mais sur ce point précis tu peux dire à ton mari ainsi qu'à ton frère qu'ils n'ont aucun souci à se faire, nos contrats d'assurance multirisques sont parfaits.

– Quel sera le titre du premier film?

– Je n'en sais rien et ça ne m'intéresse pas du tout!

– Vous avez quand même lu le script?

– Le quoi?

– Le scénario tapé définitif.

– N'ayant déjà jamais trouvé le temps de lire jusqu'au bout un ouvrage imprimé, ce n'est pas maintenant que je vais commencer à me pencher sur des feuillets dactylographiés! Et à quoi cela servirait-il puisqu'il ne sera pas question de nous dans aucune des histoires? Attends... Je crois me souvenir maintenant que Bruno Orvoli m'a expliqué, au moment de la signature du contrat, que le premier film raconterait les amours cachées du marquis de Pompadour avec une courtisane de Versailles... Oui, c'est bien cela : en trompant sa femme il se venge de l'affront public que celle-ci lui fait en s'affichant ouvertement avec Louis XV...

– Ça pourrait s'appeler *la Vengeance du Cocu*?

– Oui mais le titre est beaucoup plus subtil. Il est même assez élégant... Ça me revient : *les amours lascives du Marquis de Pompadour*... C'est tout de même mieux que si l'on tournait dans notre demeure *les Liaisons dangereuses!*

– Cela a déjà été fait, maman.

– Ah?

– Qui est le metteur en scène?

– Je ne sais pas. Il va sûrement m'être présenté.

– Qui est ce monsieur Orvoli dont vous venez de parler ?

– Celui qui est venu me proposer de louer Verchamps pour y tourner ces films, un homme des plus courtois...

– Et qui sera la vedette de ce premier film ?

– Mais je n'en sais rien non plus, ma petite Roselyne ! Qu'est-ce que ça peut bien nous faire puisque nous serons intégralement payés longtemps avant que le film ne soit projeté dans les salles ! Telle que je te connais, je te vois déjà venir : bientôt tu vas me demander qui interprétera les rôles du marquis, de son épouse et du Roi ? Clémence le sait peut-être déjà mais pas moi ! As-tu quelque chose de plus intéressant à me demander ?

– Non maman, sinon que nous regrettons, mon mari et moi, de ne pas pouvoir venir vous embrasser justement à un moment où ce vieux Verchamps va retrouver la prospérité.

– N'exagérons rien ! Disons plutôt que ce n'est qu'un petit commencement mais, si tout a bien marché au bout des huit mois, je verrai si je n'aurai pas intérêt à m'adresser à une autre firme pour obtenir de meilleures conditions que dans cette première expérience... Il faut battre le fer quand il est chaud, mon enfant ! Si Verchamps parvenait à séduire et même à enchanter les gens du 7e art, comme on les appelle, nous pourrions valoir très cher !

– Verchamps ne serait plus un château, maman, mais un nouvel Hollywood !

– Et alors ? Il n'y a pas d'exclusive ni de sots métiers, ma fille ! Et ta mère ne veut plus être accablée de soucis ! Vous êtes étonnants, vous les jeunes... Vous nous laissez toutes les charges sur les bras et quand nous nous remuons pour avoir des initiatives heureuses, vous nous les reprochez !

Le lendemain la féerie cinématographique commençait à Verchamps. Les groupes électrogènes étaient stationnés dans la cour d'honneur, les câbles électriques se faufilaient partout dans le vestibule, les couloirs, les salons, la salle à manger, la bibliothèque; les « machinos », les « électros », les accessoiristes s'affairaient, virevoltant dans toutes les directions comme s'ils n'étaient que des insectes happés par la grande machine de tournage; trois caméras étaient déjà installées dans le grand salon où allaient être filmées les premières séquences; une lumière crue et aveuglante, diffusée par les projecteurs et les « spots » mettait tellement bien en relief les détails des boiseries anciennes recouvrant les murs, la crasse imprégnée sur le vernis des portraits d'ancêtres oubliés et l'élégance du mobilier d'époque que Marie-Adelaïde, assez étonnée, ressentait la désagréable impression de n'avoir pas encore suffisamment astiqué les splendeurs de la noble demeure. Toute cette fantasmagorie se déroulait, dans un brouhaha indescriptible, sous les regards ahuris d'un Ernest et d'une Adèle muets de stupeur et sous les yeux totalement extasiés de leur progéniture Clémence.

Le visage contracté de Marie-Adelaïde exprimait une certaine angoisse. On sentait qu'elle se demandait, anxieuse : « Ne vont-ils pas tout casser, ces déménageurs improvisés ? » Ce qui la rassurait un peu était la présence, sur les lieux de carnage éventuel, du représentant de la compagnie d'assurance – la Préservatrice, au nom prédestiné ! – qui avait l'œil professionnel, surveillait tout puisque l'assurance souscrite pour les productions était illimitée. Un garçon très bien cet agent d'assurances, sans doute même un fils de bonne famille ruinée : M. de Chantelouve avait bon genre. On pouvait lui faire confiance pour assurer la sauvegarde de biens princiers.

Il n'en était pas de même du metteur en scène, un dénommé Dimitri Suskoff, personnage dont Marie-Adelaïde n'avait jamais entendu parler. Mais, après tout, n'était-ce pas assez normal puisqu'elle ignorait tout du monde très spécial de l'écran pour lequel elle avait toujours eu un certain mépris ? Pour elle « ces gens-là » – c'était ainsi qu'elle les désignait globalement – n'étaient que des fumistes ou, à la rigueur, des saltimbanques... Dimitri Suskoff n'avait pas encore ressenti la nécessité de se présenter à la châtelaine, estimant de son côté que celle-ci n'était qu'une bourgeoise comme tant d'autres femmes prétendues distinguées qui ne cherchent qu'à tirer le plus d'argent possible de la location de leurs « extérieurs » nettement moins onéreux que les « intérieurs » en carton-pâte construits en studio.

Ce fut le directeur de production, Jérôme Lavalade, donnant l'impression d'être l'homme le plus civilisé de toute la meute artistique, qui comprit qu'il était indispensable, pour que des rapports de civilité honnête puissent s'établir entre ses troupes pas toujours disciplinées et la représentante qualifiée des copropriétaires du château, qu'un premier contact se produise entre la princesse et Dimitri Suskoff. L'entretien fut rapide :

– Cher grand Dimitri, dit Lavalade, voici madame la princesse de Verchamps, l'occupante des lieux...

L'occupante des lieux ! Marie-Adelaïde manqua de s'étrangler et faillit gifler celui qui cherchait à

70

jouer le rôle d'aimable intermédiaire. Comme si une pareille appellation pouvait lui convenir! Elle était beaucoup plus qu'une occupante! N'était-elle pas plutôt la protectrice des lieux, elle qui consentait à accueillir tout un monde aussi abominable? Mais estimant que ce directeur de production n'était qu'un gaffeur, elle tendit quand même la main au bonhomme barbu, hirsute, mal peigné, non cravaté, pantalonné d'un blue-jean délavé et à l'apparence parfaitement débraillée, qui était le rouage essentiel de tout film que l'on appelait le « metteur en scène » et qui allait devenir le maître d'œuvre des *Amours lascives du Marquis de Pompadour,* le premier film de la nouvelle grande série historique qui naîtrait à Verchamps.

Dimitri Suskoff saisit la main très fine de Marie-Adelaïde dans sa poigne velue, dont les dimensions rappelaient celles d'une escalope, en maugréant entre ses dents jaunies par l'abus du tabac un « Madame » des plus confidentiels. La princesse sut faire preuve de la même réserve en susurrant également entre ses lèvres pincées un « Monsieur » où ne filtrait certainement pas l'admiration. Dès que ce fut dit, elle se retourna vers Jérôme Lavalade pendant que le metteur en scène courait vers ses multiples occupations de génial créateur.

– Quel mufle! Et c'est cet homme-là qui va évoquer les fastes d'un XVIIIᵉ siècle qui n'aurait même pas voulu de lui?

– Ne vous fiez pas aux apparences, madame... Sous des dehors un peu rustres, Dimitri cache un immense talent! On pourrait même affirmer qu'il n'existe pas de meilleur metteur en scène que lui pour le genre de films « à costumes » qu'il tourne...

Confidence qui fut interrompue par l'arrivée de

71

la vedette venant tout droit de la pièce exiguë et au plafond bas choisie par Marie-Adelaïde pour en faire sa salle à manger intime, et qui, en vertu de ce pouvoir discrétionnaire que s'octroient les cinéastes lorsqu'ils envahissent une demeure privée, avait été rapidement transformée en salon de coiffure et de maquillage où de véritables artistes, dont les noms ne figureraient pas sur le générique, accomplissaient des prodiges pour faire d'un cabotin plutôt quelconque un prince charmant ou transformer une fille assez vulgaire en une héroïne capable de faire rêver des milliers de spectateurs.

C'est ainsi que le comédien auquel incombait la tâche difficile d'incarner le rôle principal – celui du cocu, alias marquis de Pompadour – et qui était la vedette du film bien que son nom ne dit rien non plus à Marie-Adelaïde – apparut, superbe et infatué de son élégance préfabriquée, sous sa perruque blanche, plus maquillé que n'importe quel travesti et surtout beaucoup mieux vêtu que tous ces Verchamps aux pauvres mines qui encadraient les cadres accrochés un peu partout au hasard des murs séculaires. Présenté à son tour par Jérôme Lavalade à la maîtresse de maison, le faux marquis ne lui baisa pas la main comme savait si bien le faire un Melchior de Raversac. Il se limita à dire d'une voix d'où toute distinction était exclue :

– Enchanté, madame, de faire votre connaissance.

Formule banale à laquelle Marie-Adelaïde se contenta de répondre en bredouillant n'importe quoi et en pensant : « Si c'est ce lourdaud qui va interpréter le rôle du mari, on peut s'attendre à tout quand apparaîtra son épouse ! »

Elle ne fut pas longue à venir, l'illustre Marquise... Elle aussi sortait de la petite officine où coiffeur et maquilleuse prodiguaient la beauté indispensable au mirage de l'écran. Assez étonnante, cette énième réincarnation vivante de Madame de Pompadour n'était pas laide. Malheureusement, malgré sa perruque tarabiscotée de boucles et haut perchée, une fausse mouche astucieusement plaquée sur la joue gauche, un décolleté des plus avantageux à peine caché par un caraco, une tournure pas trop mal faite et une robe à grand panier destiné à lui donner une démarche distinguée, elle n'avait aucune allure! On s'imaginait difficilement – et Marie-Adelaïde en premier – la plus illustre maîtresse du Roi ainsi ressuscitée. La voix enfin se révéla tellement nasillarde quand elle dit « Bonjour madame » que c'était à se demander si l'artiste n'était pas accablée de végétations chroniques...

Ce qui fascina le plus Marie-Adelaïde fut qu'en la saluant la pseudo-marquise lui fit une révérence. Sans doute lui avait-on appris une fois pour toutes que c'est toujours ainsi que l'on doit se conduire quand on connaît l'honneur de se trouver en présence d'une dame du grand monde? Un tel geste d'obédience ne déplut pas tellement à la princesse de Verchamps, née Jubet, qui se dit même qu'il était très regrettable que le nivellement social des temps modernes ne lui permette pas de recevoir plus souvent de telles marques de déférence. Malgré tout, après l'avoir contemplée en silence, Marie-Adelaïde estima que cette inconnue incarnerait toujours mieux une Jeanne Poisson qu'une Marquise de Pompadour... Quant à son nom d'artiste, prononcé par Lavalade, Marie-Adelaïde n'y avait prêté aucune attention. Pas plus d'ailleurs qu'à tous ceux des autres comédiens que le courtois directeur de production continua à lui présenter au fur et à mesure du tournage. Tout cela ne l'intéressait pas. La seule chose qui comptait pour elle dans cette aventure cinématographique serait le moment où – en fin de chaque semaine comme c'était bien spécifié sur le contrat de location de Verchamps – ce même directeur de production lui remettrait le chèque correspondant au versement hebdomadaire prévu. Ainsi, de semaine en semaine, puis de mois en mois, le château se porterait moins mal.

L'opinion de la princesse sur ceux qu'elle avait surnommés, dans le secret de ses confidences à Clémence, « les occupants » pouvait être comparée à celle que les cinéastes et leurs interprètes nourrissaient à son égard. Pour eux Marie-Adelaïde n'était qu'une sorte de poupée parfois trop bavarde, exhumée du passé et faisant partie du fonds du commerce du domaine comme les fauteuils Louis XV, les commodes Régence, les lustres sans âge, les psychés ou les tapis d'Aubusson. Elle n'était qu'un meuble vivant et ambulant qui se déplaçait un peu trop partout...

Des relations mondaines aussi tendues auraient peut-être duré jusqu'à la fin du tournage du huitième et dernier film de la série si la Ferrari rouge, toujours aussi bruyante, du signor Orvoli n'avait brusquement surgi dans la cour d'honneur au début de la deuxième semaine. Après un ultime rugissement, le bolide s'arrêta devant le perron et deux hommes en surgirent : le Sicilien bien sûr et son grand ami Melchior de Raversac... Un Melchior épanoui qui se précipita pour baiser respectueusement la main de Marie-Adelaïde en disant, volubile :

– C'est affreux, chère amie! Je ne sais comment « nous » excuser de n'avoir pas constitué l'avant-garde d'une telle expédition! Mais je suis certain que vous nous pardonnerez quand vous réaliserez qu'Orvoli et moi-même avons mis notre point d'honneur à venir nous rendre visite en compagnie des grands producteurs de tous ces merveilleux films...

A cet instant une deuxième voiture – Mercedes noire immense, aux vitres fumées empêchant de voir ceux qu'elle transportait et plus longue qu'un corbillard à quatre chevaux de Naples – vint s'immobiliser à côté de la Ferrari. Un chauffeur stylé courut pour ouvrir la portière arrière droite. Deux messieurs sortirent du véhicule.

Ce fut Orvoli qui joua le rôle du chef du protocole sans perdre son habitude de s'exprimer à la troisième personne :

– Que madame la princesse veuille bien me permettre de lui présenter messieurs Isaac Dreyfus et Moshé Dupont, les courageux producteurs de toute la série.

Lequel était Isaac, lequel était Moshé? Cela ne présentait pas non plus beaucoup d'intérêt pour Marie-Adelaïde qui avait réalisé en un éclair de pensée que l'un et l'autre appartenait à cette race élue qui sait faire tomber la manne céleste aussi bien pour le cinéma en difficulté que sur les beaux châteaux en péril.

Isaac et Moshé ne parlaient pas à la troisième personne et préféraient s'exprimer tour à tour dans une sorte de sabir bien à eux :

– L'histoire, marmonna Ysaac, c'est notre spécialité, surtout quand on peut y introduire de belles filles... L'histoire sans amour, ce n'est plus de l'histoire!

– Le public adore ce que nous produisons,

75

surenchérit Moshé. C'est pourquoi ça rapporte gros et, s'il n'y a pas de bénéfice, ce n'est pas la peine de faire du cinéma, n'est-ce pas votre avis, madame? Les affaires restent toujours les affaires...

– Et la chère princesse adore faire des affaires! enchaîna Orvoli. Moralité, comme vous pourriez le dire vous-mêmes, messieurs, tout le monde va être satisfait!

Melchior, qui avait écouté avec une certaine consternation ces propos, tenta de rétablir la situation en disant à son amie de jeunesse :

– L'essentiel est que cet admirable Verchamps sorte revigoré par une aussi audacieuse tentative de résurrection.

– Espérons-le! répondit Marie-Adelaïde.

Les producteurs avaient déjà rejoint le metteur en scène et son équipe composée de deux assistants très énervés, d'un cameraman se donnant beaucoup d'importance, d'un opérateur faisant l'impression d'être amoureux fou de sa caméra, d'un ingénieur du son qui savait rester silencieux, d'un perchiste accomplissant des efforts désespérés pour maintenir à bout de bras la longue tige au bout de laquelle se balançait dangereusement le micro d'enregistrement, et enfin d'un tout petit bonhomme toujours prêt à jouer des castagnettes avec son *clapboard*.

Le premier jour de tournage, alors que messieurs Isaac et Moshé n'avaient pas encore fait leur brillante apparition et que les trois caméras étaient déjà groupées dans le grand salon pour filmer la séquence capitale où le marquis de Pompadour ferait de sérieuses remontrances à sa volage épouse pour ses notables incartades de conduite, Marie-Adelaïde – toujours sous la vigilante protection du directeur de production – avait été autorisée à assister au tournage, à la condition expresse qu'elle restât bien gentiment dans un coin échappant au champ des caméras et surtout qu'elle n'émit aucun commentaire. Ce qui ne l'empêcha pas de se faire une opinion secrète sur la qualité d'un dialogue, assez éloigné du XVIIIe siècle, dans lequel l'incandescente Marquise n'hésitait pas à confier à son époux :

– Mais enfin, Ludovic, si je plais au Roi ce n'est pas de ma faute mais de la sienne! Et si vous n'êtes pas content, vous n'avez qu'à vous adresser à lui! On verra bien ce que ça donnera...

– Ma chère Jeanne, répondait le mari qui s'estimait offensé, il ne vous déplairait sans doute pas que je sois embastillé?

– Si c'était le cas, je me ferais une joie de vous y envoyer quelques friandises...

Tout le reste était du même niveau. Ce qui agaça le plus Maric-Adelaïde, qui n'avait encore jamais assisté de sa vie à une prise de vue, fut que l'on avait recommencé à tourner trois, quatre et même cinq fois de suite la même scène bafouillée plus ou moins par les acteurs jusqu'à ce que la voix puissante de Dimitri Suskoff eût hurlé : « Coupez! » Interruption pendant laquelle le coiffeur s'était précipité pour donner un coup de peigne à la perruque de la Pompadour alors que la maquilleuse poudrait le front de son époux. Intermède qui prit fin dès que le *clapman* eut fait lui aussi son entrée en donnant un vigoureux coup sec sur son cadre en bois et en criant : « *Amours lascives Marquis Pompadour*, Scène I, n° 3. »

Marie-Adelaïde, s'adressant à Lavalade resté rivé à sa personne tel un chevalier servant, lui confia à mi-voix :

– Je ne me doutais pas que ce pourrait être aussi fastidieux de voir tourner un film!

– Évidemment, reconnut le directeur de production, il aurait été préférable, madame, que pour ce premier contact avec les coulisses de l'écran, vous ayez assisté à quelques cascades réussies.

– Quelles cascades? Il n'y en a pas dans le parc de Verchamps!

– Ça ne devait pas exister non plus au XVIIIe siècle, Madame...

– Qu'est-ce que vous me racontez là? Et les grandes eaux de Versailles, ce n'étaient pas des cascades?

– Oui, évidemment... Mais les cascades dont je viens de parler sont d'un tout autre genre. Disons qu'elles sont plus rapides et surtout plus imprévues!

– Quel drôle de monde que celui de votre cinéma! dit Marie-Adelaïde en exhalant un long soupir où l'étonnement se mêlait à l'incompréhension. Puis changeant brusquement de conversation, elle avoua :

– Tout cela c'est très joli, cher monsieur, mais figurez-vous que j'ai faim!

– C'est là, madame, une excellente maladie et d'autant plus compréhensible que les séances de prises de vue, ça creuse... C'est bien connu!

– C'est surtout de votre faute! Depuis que vous m'avez envahie, je ne peux même plus profiter de ma salle à manger de remplacement transformée par vos soins en une sorte d'antichambre de la beauté où vos spécialistes essaient d'embellir vos comédiens! Vous ne voudriez tout de même pas que la princesse douairière de Verchamps aille prendre ses repas à l'office? Cela produirait, je crois, le plus mauvais effet sur toute votre troupe qui ne cesse pas de m'observer avec une sorte d'hostilité grandissante...

– Puis-je me permettre de vous faire remarquer,

madame, que nous avons pris bien soin jusqu'à maintenant d'éviter d'occuper, si j'ose dire, votre salle à manger?

– Apprenez, cher monsieur Lavalade, que je ne recommencerai à utiliser cette pièce – qui exige un grand service – pour mon usage personnel que le jour où les finances de ce château seront solidement étayées. Ce qui ne me paraît pas être pour tout de suite! Avant d'y parvenir j'ai l'impression qu'il faudra encore tourner ici beaucoup de films!

– Mais, madame, nous faisons de notre mieux... En huit mois nous allons déjà en produire huit! Ce qui est considérable. Dites-vous bien qu'une pareille cadence est tout à fait exceptionnelle.

– Vraiment?

– Il y a des films – et plus particulièrement les films historiques à grande mise en scène, ce qui ne sera heureusement pas le cas ici puisque nous avons décidé d'éviter les scènes de bataille ou même les grandes réceptions – qui demandent des mois de tournage!

– Quel tourment pour les châtelains! Mais comment diable allez-vous pouvoir tourner aussi vite à Verchamps?

– C'est une série de films qui va nous le permettre. Nous lui avons donné provisoirement, pour les contraintes voulues par les accords de distribution, le titre général de *Petits secrets des grandes alcôves*... Mais notez bien que cette appellation peut changer! Dans notre profession rien n'est définitif tant que la pellicule n'est pas entièrement en boîte.

– Si vous voulez bien accepter un conseil très désintéressé, je trouve ce titre global parfaitement exécrable! Il ne correspond pas du tout à la grandeur du cadre dans lequel vous tournez... Chez nous, les

Verchamps, il y a peut-être eu de lourds secrets mais pas de petits! Quant aux alcôves, il n'en existe pas une seule dans le château : vous n'y trouverez qu'un lit à baldaquin! Pourquoi ne pas intituler plutôt votre série de films : *Nobles secrets d'une grande époque*?

– C'est là, Madame, une suggestion des plus intéressantes dont je ne manquerai pas de faire part à messieurs Isaac Drefus et Moshé Dupont.

– Vous croyez qu'ils comprendront?

– Dans leur spécialité on les considère comme étant des surdoués... Mais je tiens à revenir sur ce que je commençais à vouloir vous expliquer au sujet du plan général de cette nouvelle série qui devrait être appelée à connaître le plus grand retentissement... Les dialogues y seront les plus courts possible, ce qui nous fera gagner du temps. Il arrive, comme vous avez déjà pu le constater, que les artistes bafouillent parfois, ce qui retarde le travail qu'il faut reprendre plusieurs fois de suite. Moins on parle dans les scènes d'amour et meilleures elles sont! L'important n'est pas tellement ce que disent les personnages mais ce qu'ils font en silence : ça peut être beaucoup plus suggestif!

– Je veux bien le croire puisqu'un homme de votre expérience me l'affirme, mais cela ne m'empêche pas de toujours avoir faim, cher monsieur! J'ai ouï dire que votre cantine...

– Serait excellente? C'est exact. En tant que directeur de production je puis vous certifier que bien nourrir les gens au cours d'un tournage est le meilleur moyen pour maintenir le moral de la troupe. Et je suis convaincu que Dimitri Suskoff sera infiniment flatté de vous accueillir à sa table dès que le moment de la pause-déjeuner, qui ne saurait tarder maintenant, sera venu.

80

Ce qui se produisit un quart d'heure plus tard. Et Marie-Adelaïde se retrouva dans le camion réfectoire en compagnie de toute l'équipe technique à laquelle s'était jointe la Marquise de Pompadour nantie de son cocu d'époux. La conversation avec le metteur en scène et les vedettes inconnues de ce premier film fut des plus réduites. Elle se limita à des « Encore un petit coup de rouge, princesse ? » ou à des « Pourriez-vous me passer la moutarde ? » Marie-Adelaïde n'avait rien à dire à tous ces gens et pour eux ce fut réciproque. On ne parla même pas du film : ça ne se fait pas tant qu'il n'est pas terminé. On se contenta de dévorer, tellement c'était appétissant. Il y avait bien longtemps que Marie-Adélaïde – oubliant complètement les restrictions budgétaires qu'elle imposait à la brave Adèle pour qu'elle lui prépare de misérables repas spartiates – n'avait montré un pareil appétit! Il est vrai que le couvert lui était offert par la munificence des Films de l'Avenir.

Lorsque survint la cinquième semaine de ce régime alimentaire gratuit qui permit à la Châtelaine de faire quelques économies supplémentaires en se passant de dîner tellement elle déjeunait bien, celle-ci se sentit infiniment plus en forme et d'autant plus optimiste qu'elle avait déjà encaissé quatre chèques pour les semaines de tournage écoulées. Mais sa surprise fut grande quand, revenant le lundi vers treize heures à la cantine selon l'excellente habitude prise, elle se trouva, à la table où sa place d'honneur était toujours réservée, en présence d'un autre metteur en scène que Dimitri Suskoff!

– Que se passe-t-il? demanda-t-elle à l'aimable Lavalade. Monsieur Suskoff nous aurait-il quittés?

– Il est parti, ayant terminé le tournage proprement dit de son film avant-hier samedi. Souvenez-vous, chère madame : je vous ai expliqué que notre plan de travail, qui est rigoureux, prévoyait que la réalisation de chacun de nos films ne devait pas excéder la durée d'un mois ! L'une des pires plaies de notre difficile industrie est le dépassement de temps !

– Mais qu'est-il arrivé dans votre histoire filmée au marquis et à la marquise pendant ces quatre semaines où, la première expérience m'ayant suffi, je n'ai plus eu le courage d'assister au tournage ?

– Ils ont continué à se tromper réciproquement ! Elle avec son royal amant et lui avec la courtisane rivale.

– Louis XV était là ? Mais je ne l'ai pas vu au château ! Pourquoi ne me l'avez-vous pas présenté ?

– J'ai pensé que ce comédien ne vous intéresserait pas plus que les autres... Il a d'ailleurs été parfait dans son rôle qui, bien qu'étant un peu épisodique, avait quand même quelque importance, parce que sans Louis XV il n'y aurait pas eu de marquise ni, par enchaînement, de marquis de Pompadour !

– Comment tout cela se termine-t-il dans le film ?

– Par une partie de jambes en l'air à quatre sur le canapé de votre grand salon.

– Qu'est-ce que vous me racontez-là ? Des jambes en l'air sur mon magnifique canapé qui a déjà franchi allègrement plus de deux siècles ! J'espère au moins qu'on a bien laissé la housse ?

– Ça, ce n'était pas possible, madame ! Vous n'imaginez pas Louis XV se vautrant sur une housse en compagnie de sa maîtresse, du mari de sa maîtresse et de la maîtresse de ce mari !

– Se vautrant ? Mais tout ce que vous me dites là est abominable !

– C'est la séquence-clef du film et le jour où

vous assisterez à une projection privée – nous ne manquerons pas de vous convier à ce régal en priorité – vous pourrez constater que c'est très artistiquement fait... C'est cela tout le génie de Dimitri Suskoff! Et, comme nous n'avons toujours pas les moyens de perdre du temps, les bobines ont déjà été envoyées au montage qui se fait à Paris. Ce qui nous permet d'attaquer dès aujourd'hui le tournage du deuxième film de la série qui, lui, s'intitulera *les Appas de la Belle Ferronnière.*

– C'est déjà tout un programme! Bien entendu cette personne viendra également ici?

– Pour qu'elle puisse tourner, c'est indispensable, madame! D'ailleurs elle est déjà là : c'est cette grande jeune femme brune qui déjeune à la table voisine et que vous voyez en ce moment en conversation avec Melwyn Scott...

– Je vois... Vous trouvez que ses appas sont tellement séduisants?

– A l'écran ils font beaucoup d'effet.

– Et qui est ce monsieur Scott?

– Le metteur en scène du deuxième film. Désireriez-vous que je vous le présente comme son prédécesseur?

– Non. Un seul metteur en scène m'a suffi!

– Nous en changeons à chaque film. Il y en aura donc huit en tout : Dimitri Suskoff le Russe avec qui vous avez parlé, Melwyn Scott dont vous n'avez pas tellement envie de faire la connaissance, Milko Valevik qui lui succédera pour le troisième film et qui est yougoslave, Hans Schrapnel qui nous arrivera de Munich pour s'attaquer au quatrième, etc.

– Inutile de tous les nommer! J'ai très bien compris : c'est l'O.N.U. d'un cinéma où certains effets de nu, d'après les titres que vous venez de citer, ne me paraissent pas devoir être exclus! Mais se trouverait-il quand même, par hasard, parmi tous ces messieurs un metteur en scène français?

– Un Français? répéta, saisi, l'aimable Lavalade. Laissez-moi réfléchir ou plutôt consulter le plan de travail... Attendez, chère madame... Eh bien plus je cherche et moins je trouve un nom français... à moins qu'Ahmed Ben Soussan n'ait réussi à devenir récemment notre compatriote grâce aux nouvelles lois d'immigration? Ce sera lui qui dirigera le cinquième film intitulé *les Plaisirs très secrets du Grand Turc*. N'est-ce pas aussi une sorte de monarque dans son genre, le Grand Turc? Qu'est-ce que ça peut bien faire après tout que ces réalisateurs soient nés en France ou ailleurs? La seule chose importante n'est-elle pas qu'ils aient du talent? Et ils en sont pourris! Vous verrez!

– Dans ce deuxième film que vous commencez, sans doute verra-t-on l'amant de la Belle Ferronnière : François Ier?

– Vous pouvez compter sur le sens de la grandeur qui ne cesse d'inspirer messieurs Dreyfus et Dupont : eux aussi sont des *tifosi* des rois! François Ier apparaîtra personnifié par un excellent comédien présentant l'avantage de porter déjà un collier de barbe naturel comme celui qu'il doit incarner. Il ne sera donc pas nécessaire de perdre du temps à lui faire une tête avec une barbe postiche, ce qui est toujours assez délicat... D'ailleurs dans la vie courante ce comédien est un véritable François Ier avec toutes ses qualités.

– Et aussi ses défauts?

– Souhaitons quand même qu'il ne contracte pas sa maladie en cours de tournage!

– En somme nous aurons un roi ou un semblant de roi dans chaque film de la série?

– C'est exactement cela. Les princes régnants plaisent toujours à ceux qui n'ont pas eu la chance d'en compter un dans leur famille.

– Et ces gens-là sont plus nombreux que les autres! Vous avez raison, M. Lavalade : moi aussi, qui suis cependant princesse, je raffole des rois! Il y a encore une chose qui m'intrigue dans vos réalisations... Le style architectural de Verchamps ne me paraît pas du tout convenir à la Renaissance! Je ne vois pas très bien François Ier évoluant dans un château du XVIIIe siècle, pas plus d'ailleurs que le Grand Turc!

– Ne vous inquiétez pas, madame. Nous saurons les entourer l'un et l'autre du harem qui leur conviendra...

– Et dans le troisième film qui sera dirigé le mois prochain par le Yougoslave, quel roi mettrez-vous?

– Ce sera mieux qu'un roi, un empereur!

– Lequel?

– Le plus rentable à l'écran : Napoléon!

– Et laquelle de ses maîtresses choisirez-vous?

– La plus populaire : Joséphine de Beauharnais, qui a réussi la gageure de devenir son épouse répudiée après avoir été sa maîtresse adorée!

– Mais enfin Verchamps ne présente pas non plus la moindre analogie avec La Malmaison!

– Je crains, madame, que vous ne vous fassiez beaucoup d'illusions en pensant que les spectateurs se donnent la peine d'y regarder d'aussi près! Ce qu'il leur faut et qui leur suffit, c'est de l'émotion et de l'amour. Je vous jure qu'ils en auront pour leur argent dans chaque film!

C'était le lendemain de cette conversation – qui n'avait pas été sans surprendre la douairière – que Melchior de Raversac avait réapparu en compagnie de Bruno Orvoli et des deux producteurs. Comme la veille, comme tous les jours du mois précédent, Marie-Adelaïde alla à la cantine. Elle y avait pris goût. Mais, cette fois, elle déjeuna en compagnie de Melchior qu'elle invita aux frais de la production et qui, lui aussi, trouva que « la soupe était bonne » comme cela se disait à la caserne au temps où il accomplissait son service militaire et il ne put s'empêcher, en sortant du camion-réfectoire, de confier à son ancienne amie de jeunesse :

– Si on nous avait prédit, alors que nous nous lancions dans des tangos langoureux à Paris au cours de bals pour jeunes filles bien nées, qu'un jour viendrait où nous nous régalerions dans une sorte de roulotte-buffet, nous ne l'aurions pas cru ! La vie réserve de ces bizarreries...

– Les temps ont bien changé, Melchior ! De plus en plus il faut se montrer résolument de son époque !

– Et vous l'êtes devenue avec une incroyable rapidité ! Ce qui me porte à penser que vous ne m'en voulez pas trop d'avoir orienté vos activités vers le 7e Art ?

– Je commence même à vous en savoir gré.

– Gentille amie ! Puisque vous me semblez être dans d'aussi bonnes dispositons à mon égard, je vais avoir l'audace de vous adresser une toute petite requête...

– Vous, Melchior, une requête ? J'ose espérer que cette accumulation de films à tendance historique ne va pas vous amener à croire que moi aussi je suis devenue une reine ! Parce qu'enfin les requêtes s'adressaient surtout aux rois...

– Ne régnez-vous pas sur Verchamps? Ce que personne avant vous, dans une aussi auguste lignée, n'a su faire avec autant de brio! Voici donc ma requête : elle concerne votre jeune et adorable collaboratrice des heures difficiles, Clémence...

– J'avais déjà remarqué, quand vous avez débarqué il y a trois mois ici à l'improviste, qu'elle ne vous était pas indifférente... Mais vous n'allez quand même pas me demander sa main? Ce serait ridicule pour trois raisons : elle n'est pas de notre monde, vous êtes beaucoup trop âgé pour elle et je ne suis pas sa mère! Elle en a une, figurez-vous, que vous connaissez puisque c'est elle qui nous a préparé le dîner que vous avez ingurgité le soir de notre petit repas d'amoureux...

– Jamais je n'oublierai ce repas!

– Je reconnais qu'il ne valait pas les splendeurs de la cantine aménagée par les Films de l'Avenir, mais enfin notre tête-à-tête n'a pas été dépourvu de charme... A la cantine nous sommes trop nombreux!

– Il y a toujours foule quand c'est bon.

– Ce qui me convient c'est que l'on m'y traite toujours en invitée d'honneur.

– Ils vous doivent bien cela!

– Alors de quoi s'agit-il au sujet de Clémence?

– Mon Dieu, il se passe quelque chose de très normal pour une jeune beauté... Cette mignonne rêve de faire du cinéma...

– Quoi? Ma Clémence apparaissant sur les écrans? Et c'est à vous qu'elle a fait cette confidence?

– Pas plus tard que ce matin.

– Dès votre arrivée? Elle n'a pas perdu de temps, la petite garce! Et que lui avez-vous répondu?

– Qu'il me paraissait indispensable, puisqu'elle

fait partie de votre personnel, de vous faire part de son souhait. Il est évident, à condition que vous n'y voyiez pas d'inconvénient, que l'on pourrait profiter de la présence inespérée dans votre château de toute cette meute cinématographique avec ses metteurs en scène très divers, ses caméras multiples, ses éclairages, son camion de prise de son et tout le reste, pour procéder à un bout d'essai...

– Ah, ça! Vous êtes complètement fou, Melchior?

– Pas tant que cela... Cette beauté rousse – il n'y a pas tant de rousses aujourd'hui sur les écrans – possède de sérieux atouts : un visage prometteur, un regard incendiaire, un sourire malicieux, l'insolence de sa silhouette, la jeunesse enfin...

– Je constate que vous l'avez détaillée avec soin! Elle vous fascine donc à ce point?

– Je reconnais qu'elle ne me déplaît pas, mais son plus grand mérite est, me semble-t-il, d'avoir su rester à vos côtés, alors que vos propres enfants vous abandonnaient, pour vous aider à redonner à Verchamps tout son éclat!

Marie-Adelaïde resta sans voix : comment s'opposer à un tel argument? Décidément Melchior ne manquait ni d'esprit de finesse ni de suite dans les idées! Quand il voulait quelque chose ou même une femme...

Réalisant qu'il venait de marquer un point sérieux, Raversac revint à la charge mais avec un peu plus de circonspection :

– Bien entendu, il ne s'agirait que de procéder à un petit essai... Et, s'il se révélait concluant, peut-être pourrait-on trouver pour cette enfant un bout de rôle, même une simple figuration dans l'un ou l'autre des films historiques... Je suis persuadé que votre jolie collaboratrice pourrait se révéler tout à fait charmante sous l'apparition costumée d'une demoiselle d'honneur ou d'une soubrette du XVIIIe siècle, et même d'une autre époque... Pourquoi pas aussi en hétaïre voilée quand viendra le moment de tourner le film des exploits du Grand Turc ou en « Merveilleuse » du temps de Joséphine ? Il y aurait beaucoup de possibilités de lui donner sa chance... Ne serait-ce pas équitable de la récompenser ainsi par cette toute petite faveur d'avoir accepté d'accomplir à vos côtés les plus humbles tâches domestiques pendant ces derniers mois de pénurie ?

– Melchior, vous êtes un homme inouï ! Ce que vous proposez là serait la plus sûre façon de me voir perdre l'une des rares créatures qui me soit restée fidèle dans mes malheurs et mes difficultés ! Supposons – ce qui m'étonnerait fort ! – que ce que vous appelez « le petit essai » soit réussi et que l'un des metteurs en scène consente à vous faire plaisir en accordant à celle, qui pour moi n'est encore qu'une gamine, un vague rôle, elle serait évidemment payée par la production ?

– Oh ! si peu ! Les petits rôles ont des traitements de misère...

– Misère ou pas, elle serait quand même perdue pour Verchamps où je ne la paie pas du tout, estimant que c'est déjà très bien pour elle que d'être logée gracieusement aux communs et que ses parents, qui la nourrissent, soient appointés par moi ! Il n'y a qu'une chose que je lui fournis parce que j'estime que c'est normal : ses blouses et ses tabliers pour le travail.

– Il ne saurait être question que Clémence quitte Verchamps ! Il ne s'agirait que d'une tentative éphémère dont la durée n'excéderait pas une heure ou deux, peut-être trois au maximum avec la séance préliminaire d'habillage et de maquillage. Ensuite, tout étant rentré dans l'ordre, votre servante reviendrait bien sagement vivre entre les siens et ses chers parents. Entre nous, j'ai la conviction qu'Ernest et Adèle seraient tellement flattés de l'honneur qui serait fait à leur fille que vous pourriez ensuite leur demander n'importe quoi pendant des années! Ne pensez-vous pas qu'une perspective aussi réconfortante de stabilité domestique ne mérite pas d'être prise en considération?

– Bien entendu, si je consentais à une telle folie, de même que j'ai interdit que l'on cite le nom de Verchamps sur les génériques ou dans la publicité des films, il faudrait exiger que le nom de Clémence Borniquet n'y soit pas mentionné non plus! Sinon vous rendez-vous compte de l'émoi que susciterait dans le pays l'annonce que ma femme de chambre a tourné dans l'un des films? Les gens ne seraient pas longs à dire que c'est moi, la princesse douairière, qui aurait imposé que l'on réserve un rôle à la fille de mon jardinier et de ma cuisinière! Je les entends déjà! Et d'ici que mes ennemis – on en a toujours quand on est châtelaine... C'est même la seule chose que l'on soit sûre d'avoir – affirment que j'ai joué les imprésarios et que je touche un pourcentage sur le cachet alloué à ma bonniche, il n'y aurait pas loin! Non, ce n'est pas possible! Vous savez combien je vous aime et je vous estime, Melchior, mais là vous me demandez trop!

– Et si Clémence, qui m'a confié elle-même qu'elle était majeure puisqu'elle vient de franchir le cap de ses dix-huit ans, décidait de tourner sans vous demander votre autorisation? Après tout, comme vous l'avez si bien dit vous-même, elle n'est pas votre enfant! Et maintenant que la loi la rend libre de choisir son destin, même ses parents ne peuvent pas faire obstacle à sa vocation.

– Sa vocation! Qu'est-ce qu'il faut entendre! Comme si une fille aussi ignare savait seulement ce qu'elle voulait!

– J'ai au contraire l'impression qu'elle sait très bien ce qu'elle veut...

– Elle vous l'a dit? Mais alors, Melchior, vous n'êtes plus mon confident, mais celui de ma bonne! C'est là une trahison très grave à mon égard!

– Comment pouvez-vous prononcer un mot aussi affreux? Moi qui ai toujours été et suis resté votre plus fidèle ami! Moi qui ai été aussi l'instrument de votre fructueuse rencontre avec Bruno Orvoli grâce auquel vous avez enfin trouvé le moyen de sortir de vos embarras!

– Précisément Orvoli... Puisqu'il est là en ce moment, ne cessant de batifoler autour des deux producteurs, l'avez-vous seulement mis au courant de vos projets mirifiques concernant Clémence?

– Il l'a repérée tout aussi bien que moi et m'a dit que ce n'était pas une si mauvaise idée...

– Il a dit cela, le Sicilien! Et moi qui le croyais moins sot que vous!

– Merci quand même! Il a ajouté que l'on pourrait sans grands risques tenter l'expérience et que si cela vous agréait – parce que lui aussi ne veut intervenir qu'avec votre plein assentiment... Si vous saviez, Marie-Adelaïde, à quel point il vous admire! – il pourrait parler de cette idée à Isaac Dreyfus et à son associé qui ne peuvent rien lui refuser pour d'obscures raisons que j'ignore... Et savez-vous pourquoi ces messieurs, eux aussi ne seront pas contre l'idée : parce qu'ils ne cherchent qu'à vous faire plaisir!

– Vous vous moquez de moi?

– Ils vous estiment et moi je vous aime...

– Assez, Melchior! Je ne voudrais tout de même pas penser que vous n'êtes revenu assister à ces séances de tournage que pour vanter les mérites artistiques encore ignorés d'une Clémence Borniquet?

– Je ne suis ici que pour vous. La jeune personne n'est qu'une incidente... ravissante il est vrai, mais quand même une incidente!

– Je préfère ça... Alors, puisque ça semble vous faire un tel plaisir, arrangez l'affaire de ce bout d'essai mais surtout que ce ne soit que pour un rôle minuscule, sinon elle aura la grosse tête et refusera ensuite de nettoyer les coins et recoins de Verchamps comme elle le fait si bien! Entre nous, je crois que, contrairement à ses aspirations secrètes, sa véritable vocation est plutôt de passer l'aspirateur pendant toute son existence! Et je mets une condition rédhibitoire à mon autorisation : c'est que ce ne soit pas vous, son admirateur, mais moi sa patronne qui lui annonce la nouvelle qui devrait la transporter de joie... Oui, pour le prestige de Verchamps, il est indispensable, aux yeux de cette petite, que ce soit moi qui ai eu l'idée de lui voir faire ce bout d'essai et non pas vous, Melchior, qui n'avez pas à vous mêler du bonheur de ma domesticité. Allez la chercher et envoyez-la moi : elle ne doit pas être bien loin.

Quelques minutes plus tard Clémence était là, mais nullement rougissante de timidité et plutôt très sûre d'elle, demandant avec cette impertinence juvénile qui avait toujours fasciné Marie-Adélaïde :

– Madame m'a fait appeler?

– Oui, mon petit... Figurez-vous que je me demande si cela ne vous enchanterait pas de vous risquer à tenter ce qu'on appelle « un bout d'essai » en terme de cinéma ?

– Madame a donc deviné mon souhait le plus cher ? Madame est formidable !

– Je devine tout, Clémence... C'est pourquoi je viens d'avoir une conversation avec le baron de Raversac à votre sujet. Sur mes instructions précises il va essayer d'obtenir l'acquiescement des producteurs de tous les films à « mon » projet... Mais peut-être refuseront-ils sous prétexte qu'accaparés comme ils le sont par ces tournages accélérés, ils n'auraient pas le temps ni la possibilité de procéder actuellement à un pareil essai... Dans ce cas il ne faudra pas vous formaliser : ce n'est pas parce qu'on ne nous verra jamais sur un écran que vous n'aurez pas été une jolie fille qui a su se révéler capable de trouver dans le pays un bon mari qu'elle a rendu très heureux tout en continuant à m'assister dans ma lourde tâche de conservatrice de Verchamps... A ce propos, le jour où il vous arrivera de dénicher un époux à peu près convenable, sachez que – à condition que vous restiez à mon service – je pourrai très bien loger votre ménage dans les chambres voisines de celles qu'occupent vos parents et où vous habitez actuellement au-dessus des communs... On aménagerait pour vous deux un délicieux petit appartement où vous abriteriez vos ébats... Tout cela pour vous faire comprendre que « mon » idée de vous laisser tenter ce bout d'essai n'est pas pour vous ouvrir les perspectives plus qu'aléatoires d'une carrière hypothétique, mais plutôt pour vous récompenser de m'avoir bien secondée depuis des mois. Vous me comprenez ?

– Très bien, Madame.

– Il y a longtemps que je sais que vous n'êtes

93

pas sotte. Maintenant nous n'avons plus qu'à attendre le résultat de la mission que je viens de confier au cher Melchior.

Ce que Clémence n'expliqua pas à cet instant à la douairière était que si le baron lui était cher, il l'était également à elle-même, Clémence... Ceci non pas parce qu'elle l'aimait d'amour, mais ayant très vite compris qu'elle avait marqué une sérieuse touche à l'égard du sexagénaire dès la première seconde où elle s'était trouvée en sa présence trois mois plus tôt, elle était fermement décidée à enfoncer l'hameçon jusqu'à ce que le vieux soupirant soit ferré à fond. Car, contrairement à ce que pensait Marie-Adelaïde, il n'était nullement dans les intentions de la jolie bonniche de passer son existence à astiquer le mobilier ou à faire briller les parquets du château! Elle en avait assez également de vivre confinée entre papa et maman, n'ayant pour seule distraction que d'aller à Chemy-en-Perche où une fille aussi bien moulée qu'elle ne trouverait jamais chaussure à son pied! Son poste de télévision, tellement méprisé par la châtelaine, lui avait permis de découvrir, depuis des années déjà, qu'il existait d'autres manières de vivre infiniment plus agréables que celle qu'elle avait connue jusqu'ici. A dix-neuf ans, que diable! on a le droit de s'amuser, de rire, de danser le rock ou la lambada, d'être adulée, de plaire surtout...

Dans ce domaine-là, le baron chauve ne serait qu'un tremplin qu'elle saurait vite remplacer, mais, pour le moment, il lui était indispensable pour pouvoir mettre le pied à l'étrier. Ne donnait-il pas l'impression de connaître beaucoup de monde et même celui, tellement mystérieux, du cinéma? Le cinéma qui était là, à Verchamps, avec toutes ses tentations comme s'il était venu la chercher à domicile! Ne serait-ce pas de l'aberration que de laisser passer une aussi fabuleuse invite? Dès qu'elle avait revu le baron plus fringant que jamais, surgir de la Ferrari rouge du « macaroni » elle n'avait pas perdu une seconde! Profitant de ce qu'il avait cessé de se confondre en congratulations de retrouvailles à l'égard de la princesse, et surtout de ce que cette dernière s'était lancée dans une grande conversation avec le directeur de production, Lavalade, elle s'était précipitée vers Melchior qui lui avait tout de suite tendu les bras moralement en s'exclamant:

— Je suis très heureux de vous revoir, charmante Clémence...

— Moi aussi, Monsieur le Baron...

L'entraînant dans un couloir assez peu éclairé – ce qui ne manquait pas à Verchamps avec les économies de lumière qui y étaient prodiguées – il poursuivit à voix basse:

— Quand nous sommes tous les deux entre nous, ne me donnez pas ce titre qui me vieillit terriblement! Appelez-moi tout simplement Melchior.

— Oui, Melchior.

— C'est bien! Au moins vous, vous comprenez vite! Il n'est pas nécessaire de vous donner des explications...

— Si cela pouvait vous faire plaisir, je pourrais très bien aussi vous tutoyer?

— Cela m'enchanterait, mais pas devant Marie-Adelaïde qui serait capable d'en avoir une attaque! C'est même étrange: sans qu'il ne se soit jamais rien passé de concret entre elle et moi, je la soupçonne d'être jalouse de ma vie privée et ceci sournoisement depuis des années... sentiment que j'ai perçu de plus en plus aigu au cours de ma rapide visite d'il y a trois

95

mois où j'ai eu la joie de faire votre connaissance. Elle n'admet pas que j'ai réussi à rester un homme libre!

— Elle voudrait que tout le monde lui obéisse... Je la connais bien!

— Je vois cela. C'est merveilleux d'être aussi bonne psychologue à votre âge! Alors, sincèrement, vous aimeriez me dire tu?

— Ça simplifierait les choses entre nous...

— Dites-moi une fois « tu », ne serait-ce que pour voir comment vous vous y prenez?

— Tu me plais, Melchior!

— C'est vrai, cet adorable mensonge?

— En veux-tu une preuve?

Avant qu'il n'ait eu le temps de reprendre ses esprits, elle lui plaqua sur les lèvres un baiser dont la fougue juvénile lui fit oublier en un instant, qui d'ailleurs se prolongea, toutes les étreintes ancillaires et même les autres plus haut placées socialement que sa longue expérience d'une galanterie innée lui avait fait connaître depuis presque un demi-siècle. Ce fut véritablement divin... Et quand ce fut terminé – puisqu'il faut bien, hélas, que les plaisirs les plus brûlants connaissent une fin! – il se sentit, tel un néophyte, tout étourdi par une attaque aussi imprévue. Sa partenaire, par contre, n'avait rien perdu de sa maîtrise calculée. Aussi fut-ce déjà très sûre d'elle qu'elle l'écouta balbutier, éberluée:

— Sais-tu que tu es follement douée? Je crois que nous ferons de grandes choses ensemble!

— Du cinéma! Je veux que tu me pistonnes pour que je devienne une « star » comme toutes celles que je vois à la télévision.

— Une star?

— Pourquoi pas? Est-ce que je ne les vaux pas

96

toutes? La plupart sont moches... Le jour où tu me feras obtenir un premier rôle, même un bout de rôle, je serai ta maîtresse. C'est promis.

– Ce qui m'arrive là est inouï! Tu as parlé vrai?

– A toi je ne mentirai jamais parce que tu es l'homme qu'il me faut...

– Je ne demande qu'à satisfaire ton envie mais comment faire?

– Tu n'as qu'à te débrouiller avec toutes tes relations! Tu l'as bien fait pour aider la vieille à sortir de son pétrin financier.

– Tu l'appelles déjà « la vieille »?

– Je l'ai toujours appelée ainsi dans le secret de mes pensées... Et je n'ai pas été la seule! Il y en a eu d'autres qui ne se sont pas gênés pour la nommer ainsi et à haute voix! Pas devant elle, bien sûr, mais devant moi...

– Qui cela?

– Le défunt, pardi!

– Son mari?

– Combien de fois ne l'ai-je pas entendu bougonner, quand elle n'était plus à ses côtés après avoir gueulé comme elle le faisait tout le temps : « Est-ce qu'elle ne va pas bientôt me f... la paix, cette vieille bique? »

– Éric disait cela? Je sais bien que l'harmonie conjugale ne régnait pas entre eux deux mais tout de même, s'exprimer ainsi quand on est prince de Verchamps!

– On peut être prince et pas du tout heureux avec sa bonne femme! Il faut dire qu'elle faisait tout pour l'embêter à longueur de journée! Elle était pareille avec ses enfants. C'est pour cela, j'en suis sûre, qu'ils sont ravis de lui avoir refilé la bicoque à gérer... Une poison, quoi! Le prince, lui, c'était un brave type.

– Dis-moi : tu ne lui a pas fait de charme au moins ?

– Je n'ai pas pu ! Quand il se trouvait là – le moins souvent possible, c'est vrai ! elle était toujours sur son dos pour des riens, pour des baux de ferme qui mettaient trop de temps à être payés, pour des histoires de petites cuillers qui avaient disparu de l'argenterie... Elle les comptait toutes chaque matin !

– Elle ne devait pas être facile ?

– Elle est encore pire maintenant qu'elle est la seule patronne ! Tes amis du cinéma feraient bien de se tenir à carreau... Avec elle on n'est jamais sorti de l'auberge ! Et quand l'auberge a la dimension d'un château, tu penses ! C'est parce qu'elle est comme ça qu'elle n'a jamais eu d'amant et qu'elle n'en trouvera pas, même devenue veuve.

– Qu'est-ce que tu en sais ? Quand elle était jeune fille, Marie-Adelaïde avait beaucoup de succès...

– Pour son fric mais pas pour le reste !

– Tu m'as dit que tu serais ma maîtresse... Sais-tu que je n'y consentirai que si tu me jures de n'avoir jamais couché avec Éric qui était un excellent ami... J'ai toujours eu pour principe de ne pas toucher aux petites amies des amis. C'est ainsi que ça se passe généralement dans mon monde.

– Ton monde ? Eh bien il ne doit pas être folichon !

– Chérie, ce que tu dis là est très mal élevé ! Sais-tu que parfois tu peux te montrer insolente ?

– C'est ce qui te plaît en moi ! Ce qui me convient à moi, c'est que tu viens de dire « chérie »... C'est la première fois que l'on m'appelle ainsi. Ça me réconforte !

– Pourtant, les jeunes gens du pays, les fils de fermiers ?

– Tous des ploucs! Ce qu'il me faut c'est un monsieur de ton genre. Tu as compris?

– Voilà que tu te mets à parler comme Marie-Adelaïde qui est toujours persuadée qu'on ne l'a pas comprise!

– Moi je l'ai pigée... et pour longtemps! Et à quoi ça m'aurait servi d'accorder mes faveurs à ton ami le prince? Ce n'est pas lui qui m'aurait aidée à devenir une star, tandis que toi...

– Moi? Je vais faire de mon mieux...

En récompense d'une telle marque de bonne volonté, elle s'apprêtait à bondir à nouveau sur lui pour lui flanquer un deuxième baiser goulu de gratitude quand un destin contraire voulut que la silhouette du signor Orvoli se profilât au bout du couloir. Clémence trouva quand même le temps de murmurer : « Le voilà qui rapplique, celui-là! Je ne peux pas le voir : il fouine partout... Tant pis! Pour nous deux on remettra ça demain! » Ils surent instantanément rétablir entre eux une distance respectueuse pour que Melchior puisse enchaîner à l'intention du nouveau venu en désignant sa toute nouvelle complice :

– Cher Bruno, que pensez-vous de cette jeune personne?

– Mais du bien, cher baron, beaucoup de bien... Elle promet de devenir très jolie.

– Elle ne promet pas seulement! rectifia Melchior. Elle l'est déjà! Et savez-vous pourquoi? Parce qu'en plus de son sex-appeal elle est très intelligente. Sa conversation est même passionnante! Je me demandais si...

Leurs propos se perdirent pendant qu'ils s'éloignaient. Melchior ayant pris très amicalement le bras du Sicilien et laissant une Clémence épanouie s'enfuir vers les besognes domestiques qu'elle exécrait.

Quarante-huit heures plus tard étant parvenu, grâce à son bagou mondain, à convaincre « ses relations », Melchior s'attaquait à Marie-Adelaïde en prenant bien soin cependant de ne pas lui révéler l'exquise raison pour laquelle il croyait qu'on pourrait peut-être tenter le fameux « bout d'essai »...

Dès le jour où il était revenu à Verchamps, il avait été décidé par Marie-Adelaïde que son vieux confident n'y ferait pas qu'une fulgurante apparition comme la fois précédente mais qu'il y resterait le plus longtemps qu'il le pourrait pour lui tenir compagnie. Pour elle ce serait un réel réconfort de se sentir épaulée par la présence d'un homme de « son » monde face à toute cette faune cinématographique.

Il avait tout de suite été entendu qu'il occuperait la chambre du roi. N'était-ce pas normal puisque les draps toujours inchangés l'y attendaient? Quant aux cinéastes – comme l'avait si bien dit Orvoli au cours de sa première visite – ils n'avaient qu'à aller coucher à tous les diables! N'était-ce pas déjà beaucoup pour eux que la châtelaine ait consenti à présider leurs agapes du déjeuner? Le soir, Melchior, qui saurait avoir assez d'éducation pour ne pas s'en plaindre, ferait comme elle : il ne dînerait pas. Et le lendemain matin, comme la salle à manger de remplacement était transformée en salon de maquillage, il ne descendrait pas y prendre son petit déjeuner en compagnie de la maîtresse de maison qu'il ne retrouvait à la cantine qu'à treize heures, se conformant en cela à l'horaire rigoureux imposé par le plan de travail du film. Mais où Marie-Adelaïde pouvait-elle bien prendre son petit déjeuner? Peut-être tout là-haut, dans sa mansarde où elle faisait bouillir elle-même son thé dans une casserole posée sur un réchaud quelconque? Solution qui enchantait Melchior parce qu'elle lui permettait de savourer son premier repas de la journée douillettement installé dans le grand lit et sous le baldaquin de Charles X...

Un petit déjeuner qui ne se limitait plus à une tasse de thé et à des biscottes. Il s'agrémenterait de deux œufs au jambon, de toasts grillés et tiédis, d'un petit pot de miel et d'autant de morceaux de sucre qu'il le désirait... Un vrai régal préparé avec soin par Adèle à qui sa fille avait bien recommandé de soigner tout particulièrement Monsieur le baron dont la vigilante protection allait peut-être lui permettre de faire une éclatante carrière à l'écran! Et, comble du raffinement pour Melchior, c'était son exquise protégée qui lui apporterait sur un plateau chaque matin à huit heures ce festin digne du noble épicurien qu'il avait toujours réussi à rester malgré les vicissitudes de l'existence. Une Clémence dont il attendait tellement la radieuse apparition matinale qu'il se réveillait longtemps avant sa venue tout en faisant semblant de dormir quand, après avoir frappé à la porte, elle pénétrait dans la chambre pour y déposer le plateau sur un guéridon avant de courir ouvrir les rideaux en disant de sa voix insolente qui ne s'encombrait plus d'aucune marque de déférence:

– Bonjour! As-tu au moins rêvé à moi?

– Je n'ai fait que cela! Je me suis même imaginée que tu étais là dans la tiédeur de ce lit, allongée à côté de moi.

– Voyez-vous cela! Le coquin! Ça viendra dès que j'aurai eu mon premier rôle...

– Je ne peux pas avoir droit à une petite prime de tendresse avant le tournage?

– Même pas! L'exécution de ta promesse d'abord, la récompense ensuite...

Dialogue qui se renouvela approximativement identique tous les jours jusqu'à un certain matin d'un mercredi de la dernière semaine du quatrième mois, pendant lequel s'achevait le tournage du quatrième film dirigé par le bavarois Hans Schrapnel, où Melchior put annoncer triomphalement à celle qui venait de lancer son bonjour claironnant :

– Mon aimée, j'ai pour toi une grande nouvelle : cet après-midi, après que la dernière séquence du film en cours aura été tournée, on te fera faire ton bout d'essai à dix-sept heures...

– Pas possible? Sûr que ce n'est pas un bobard?

– Je mens parfois aux gens qui m'ennuient mais jamais à une jolie fille qui me plaît... Tout est arrangé et même prévu par le directeur de production. Une heure avant, c'est-à-dire à seize heures précises, il faudra te rendre dans le salon de maquillage où on te passera aussi une robe convenant mieux que l'un de ces petits tabliers qui te vont à ravir mais qui paraîtrait déplacé dans le cinquième film où, si l'essai est bon, tu tourneras ton premier rôle après-demain lundi en fin de journée.

– Quel rôle?

– C'est ça la grande surprise! Mais rassure-toi : tu devrais y être épatante parce que tout ce qu'il y a de superbe en toi sera mis en valeur...

– Et les paroles?

– Sans doute veux-tu dire le dialogue? Là aussi tu peux être rassurée : tu n'auras pratiquement pas à ouvrir la bouche. Ce sera presque un rôle muet... Mais quel rôle! Tous ceux qui t'y verront s'en souviendront! Ce qui n'empêchera pas qu'à l'essai de cet après-midi, on te fera un peu parler pour voir ce que donne ta voix au cas où il t'arriverait d'interpréter ensuite un rôle plus important dans un autre film.

– Je vais donc jouer dans beaucoup de films?

– Le plus possible, ma beauté! N'ai-je pas promis de faire de toi une star?

– Tu es un chou! Mémé!

Dans un nouvel élan de reconnaissance, après s'être débarrassée du plateau qu'elle ne posa même pas sur le guéridon mais carrément sur le tapis d'Aubusson, elle se rua vers le lit, dont l'occupant était encore allongé, pour lui administrer un « patin » dont la vigueur surclassait de loin celle que sa conquête avait déjà pu apprécier dans le petit couloir du rez-de-chaussée. Il y eut même un commencement d'étreinte passionnée permettant d'augurer les plus éblouissants lendemains... Et lorsqu'elle lâcha sa proie pour vite retourner chercher le plateau qu'elle rapporta sur le drap recouvrant les jambes de la victime de plus en plus consentante, elle sut retrouver son souffle léger de soubrette pour dire, presque maternelle :

– Tu verras comme je saurai m'occuper de toi après...

– Mais pourquoi m'as-tu appelé Mémé?

– Ça me plaît et je trouve ça bien plus gentil que Melchior qui est pompeux et qui te va pas... A l'avenir, quand nous serons tous les deux bien près l'un de l'autre, je t'appellerai toujours Mémé, ce sera notre secret! Maintenant mange!

Elle s'assit sur le bord du lit en caressant le crâne reluisant de toutes les sueurs de l'émoi pendant que « Mémé » commençait à déglutir dans un silence émouvant. Ce fut elle qui, après avoir piqué un autre toast sur le plateau et avoir commencé à le grignoter, rompit le charme en disant la bouche pleine, ce qui aurait écœuré Marie-Adélaïde :

– Tu vois, ça me plairait bien de me donner à toi dans ce plumard... Il n'y a pas que les rois ou même les barons qui ont le droit d'y prendre du plaisir... Un lit de cette largeur ça permet tous les essais et puis – son regard errait vers le baldaquin – j'aime bien avoir ce petit toit sur la tête : ça incite à plus d'intimité...

– Justement, que dirais-tu d'un premier avant-goût ?

– Déjeune ! Alors c'est vraiment pour cet après-midi, mon essai ? Ça se passera où ? Dans le grand salon ? Dans le petit ? Dans la bibliothèque ? Je trouve que ce serait beaucoup mieux ici...

– La vieille ne voudra jamais !

– Tu progresses : tu commences à l'appeler comme moi... C'est d'ailleurs le seul nom qui lui aille !

– Mais tu ne te rends pas compte que cette pièce est pour elle le saint des saints : sa chambre d'honneur ! Mon amour, il va falloir te résigner à tourner ailleurs.

– J'aime bien « mon amour ». C'est tendre et c'est doux... Enfin, pour l'essai on se passera du petit toit, mais lundi, quand on tournera pour de bon, ça pourrait quand même très bien se faire ici !

– Et moi, où irai-je pendant ce tournage ?

– Mais tu seras debout à cette heure-là ! Et tu refuserais de prêter ton lit à ta petite Clémence ?

– Je veux bien, seulement il y a Marie-Adélaïde...

– Elle va assister à mon bout d'essai ?

– Non. Quand j'ai su hier soir par Orvoli que les producteurs avaient fixé le jour et l'heure, je le lui ai annoncé comme à toi.

– Qu'est-ce qu'elle a dit?

– Qu'elle ne voulait pas assister à cela parce qu'elle craignait que tu ne sois ridicule.

– La salope!

– Clémence! On ne parle pas ainsi de sa patronne, surtout quand c'est une princesse!

– Note bien que je préfère qu'elle ne soit pas là... Sa présence me gênerait : ça me ficherait le trac.

– Tu connais déjà ce mot? Ça prouve que tu as bien l'étoffe d'une vedette.

– Et toi, tu seras là pour m'encourager?

– Il vaudra mieux pas. Je serais trop troublé... C'est vrai : te voir, toi que j'ai découverte si naturelle, maquillée et sous toutes ces lumières aveuglantes, ce serait trop! Je préfère, comme Marie-Adélaïde, attendre la projection du film avec toi dans le rôle, plutôt que de piétiner d'impatience pendant un essai.

– Tu m'aimes déjà à ce point-là?

– Je veux ta réussite.

– Ne t'inquiète pas : elle viendra! Mais alors qui sera là à l'essai?

– Le metteur en scène de ce cinquième film dans lequel tu débuteras en principe si l'essai est bon. Il sera entouré de toute son équipe. Tu as beaucoup de chance d'ailleurs! Le titre de ce film est peut-être le meilleur de tous ceux de la série : *les Plaisirs secrets du Grand Turc*. Ça ne te plaît pas?

– Je ne sais pas. Ça dépendra de mon rôle...

– Déjà une vraie cabotine!

– Tu le connais, ce metteur en scène?

– Jamais vu. Il arrive au début de l'après-midi exprès pour toi à la demande des producteurs qui sont vraiment très gentils. Il se nomme Ahmed Ben Soussan.

– Quoi? D'où sort-il, celui-là?

– Sûrement du pays du Grand Turc! Qui sait? Tout à l'heure ils vont peut-être t'habiller en moukère pour l'essai?

– En quoi?

– C'est ainsi que l'on nomme les belles orientales... S'ils te demandaient à l'essai de te lancer dans une danse du ventre, n'hésite pas! Vas-y! Fonce!

– Comment c'est, ta danse du ventre?

– Ce n'est pas la mienne mais la leur... Tu n'as donc jamais vu à la télévision une femme qui la dansait? Ce n'est pas bien sorcier : il suffit de se trémousser et de remuer le derrière en cadence.

– Le derrière? Mais qu'est-ce que va dire maman?

– Il ne manquait plus qu'elle! D'abord tu peux être certaine que ni ta mère, ni ton père, n'assisteront à l'essai. Ce ne serait pas pour leur plaire parce qu'ils n'y connaissent rien! Comme Marie-Adélaïde et moi, ils ne te verront dans le film que lorsqu'il sera terminé et à condition, bien entendu, que l'on t'ait engagée : ce que nous ne saurons que lundi vers midi quand la bobine de l'essai développée reviendra de Paris. C'est pourquoi il ne faut pas s'emballer! Je sais que tu es douée, que tu en veux et que tu feras tout pour être superbe, mais attendons quand même le résultat... Dis-moi, chérie, tu n'as rien d'autre à faire ce matin que de m'apporter mon petit déjeuner?

– Zut! Tu as raison : la vieille doit me chercher partout et va encore gueuler.

– Es-tu bien sûre qu'elle ne se doute pas que tu es ici?

– Quand j'ai monté ton plateau, je l'ai aperçue dans le parc, par l'une des fenêtres du grand escalier : elle se dirigeait avec mon père vers le potager. Et quand elle est au potager, on est tranquille pour un bon bout de temps!

– Pourquoi?

– Elle y compte ses plans de salade... Je file quand même. Tu n'as plus faim?

– C'est le meilleur petit déjeuner que j'aie jamais fait.

– Alors je remporte le plateau. Dis-moi, on se reverra avant le bout d'essai?

– Pas sûr... Il vaudra mieux que je tienne compagnie à Marie-Adelaïde pour qu'elle n'ait pas la tentation de venir rôder autour de ton tournage ou sa présence gênerait tout le monde.

– Et le macaroni?

– Il ne viendra pas aujourd'hui. Il m'a dit hier qu'il serait retenu par une affaire à Paris.

– Moins on le voit, celui-là, et mieux c'est! Pour moi il a une tête d'espion ou d'agent double.

– Tu es folle!

– Fais-moi une bise à ton tour avant que je ne parte. Ça me portera bonheur pour cet après-midi.

Melchior s'exécuta sans attendre mais il ne dut pas se révéler très extraordinaire puisqu'elle lui demanda, le plateau en mains:

– Tu ne m'en voudras pas si je te dis quelque chose?

– Vas-y.

– On voit qu'il y a un bout de temps que tu n'as pas embrassé une jolie fille.

– Ma foi...

– Tu vis seul depuis longtemps?

– Encore assez...

– Cela aussi ça me plaît. On sent bien, quand tu embrasses, que tu n'as pas d'amie en ce moment. Tu as perdu l'habitude... Je te redonnerai le goût.

Compte sur moi! Dis-moi quand même un petit mot mignon?

– M..., mon amour, c'est cela qui porte bonheur.

Le soir même, alors que Marie-Adélaïde se trouvait vers dix-neuf heures sur le perron en compagnie de Melchior, échangeant avec lui de vastes considérations sur les difficultés qu'il y a aujourd'hui pour les châtelains à se faire agréer par l'État avec la qualité de sinistrés permanents accablés par les charges – ceci tout en regardant, l'un et l'autre, le carrousel des véhicules de la production qui repartaient de la cour d'honneur comme cela se passait tous les soirs après la journée de tournage – M. Lavalade s'approcha de la princesse et lui remit discrètement une enveloppe en murmurant :

– Bonsoir, madame. En attendant de nous revoir après-demain lundi, je vous souhaite de bien profiter de votre dimanche et surtout de vous reposer de toutes les fatigues que notre présence un peu bruyante vous impose.

– Cher monsieur, comme je l'ai déjà dit à ce cher baron de Raversac, vous êtes le plus courtois des hommes.

Un personnage assez foncé de peau et au regard ténébreux était à côté du directeur de production qui reprit :

– Me permettez-vous de vous présenter, bien que vous ayez manifesté le désir de ne plus faire de nouvelles connaissances parmi tous les nôtres, monsieur Ahmed Ben Soussan qui va mettre en scène *les Plaisirs secrets du Grand Turc*, le cinquième film dont le tournage commencera lundi?

L'enveloppe qu'elle venait de recevoir la rendant d'excellente humeur, Marie-Adélaïde eut le plus aimable des sourires à l'intention du cinquième réalisateur auquel elle tendit la main qu'il baisa avec une ferveur toute orientale en s'inclinant dans une ample courbette où l'obséquiosité se mêlait à la fausse admiration. Pendant qu'il accomplissait ce geste, Jérôme Lavalade s'empressa d'ajouter :

– Normalement, monsieur Ben Soussan ne doit commencer son travail que lundi mais – à la demande expresse de messieurs Dreyfus et Dupont qui ont tenu, madame, à vous être agréables, il est venu spécialement de Paris aujourd'hui pour procéder au petit essai conseillé par monsieur Orvoli.

– Ah, oui! Alors que pense monsieur Ben Soussan des éventuelles possibilités cinématographiques de ma petite femme de chambre?

Le metteur en scène demeurant muet comme s'il n'avait pas compris la question posée ou comme s'il ne savait pas un seul mot de français, ce fut Lavalade qui répondit pour lui :

– Il pense que cette jeune personne a de réelles dispositions mais, avant qu'il puisse donner une réponse tout à fait objective, il préfère attendre que les *rushes* soient développés.

– Les quoi? demanda Marie-Adélaïde intriguée.

– Comment? s'exclama Melchior qui jusqu'à cet instant n'avait été qu'un témoin silencieux de l'entretien. Chère Marie-Adélaïde, vous ne savez donc pas ce que sont les *rushes*? Eh bien disons que ce sont les différents bouts de film tournés au cours de l'essai... Tendre amie, maintenant que Verchamps est en train de devenir un centre cinématographique de la plus haute importance, vous allez vous trouver dans l'obligation de découvrir tous les mots techniques essentiels de la profession! Ne vous tourmentez pas : je vous les apprendrai.

– Les *rushes*, répéta la princesse alors que le directeur de production bien élevé montait dans une voiture en compagnie d'Ahmed Ben Soussan qui ne manqua pas de faire une nouvelle courbette encore plus cérémonieuse que la précédente avant de s'engouffrer à son tour dans le véhicule.

Restée seule avec son confident, Marie-Adélaïde lui confia en caressant amoureusement l'enveloppe :

– Cette heure du samedi après-midi est de loin celle que je préfère le plus dans ces semaines de tournage et ceci pour deux raisons : toute cette valetaille s'éclipsant, je ne la vois plus tourbillonner autour de moi pendant vingt-quatre heures et je peux aller déposer tranquillement dans mon coffre le chèque dont l'attente m'a permis d'endurer pendant six jours ces présences plus ou moins agréables. Eh oui! Me voilà devenue une affreuse commerçante qui va faire sa caisse avant de fermer boutique pour le repos dominical!

– Comme je vous comprends! Je savoure, moi aussi, le charme de ces week-ends où nous nous retrouvons tous les deux et où il vous est loisible de faire le tour de la propriété pour vérifier qu'il n'y a pas eu trop de carnage dans ce havre imprégné de la grandeur du passé...

– Ni de vols! Vous pouvez compter sur ma vigilance! Et comme chaque dimanche, depuis que Verchamps vit sous cette terreur heureusement épisodique des Films de l'Avenir, je passerai demain mon jour du Seigneur à faire l'inspection minutieuse des lieux en compagnie de ma fidèle Clémence... A propos d'elle, vous avez entendu ce que Lavalade vient de dire sur l'opinion de ce metteur en scène au

110

sujet de son soi-disant talent? Elle aurait de « sérieuses dispositions »? Avouez que c'est assez risible! La progéniture des Borniquet transformée en starlette! Mais quels temps vivons-nous, mon bon ami? Enfin... Attendons les résultats des fameux *rushes* et souhaitons qu'ils se soldent par un échec...

– Oh! Ce serait terrible pour la pauvre petite!

– Vous la plaignez? Je trouve au contraire qu'elle a eu beaucoup de chance que je consente à vous écouter! Faut-il que je vous tienne en estime, mon bon Melchior! Au fond vous n'aviez pas tellement tort quand vous me disiez que je vous aimais en cachette : c'est pour cela que je deviens indulgente...

– Chère Marie-Adélaïde!

– La seule chose qui me chagrine pendant ces dimanches d'accalmie, c'est que, la cantine étant fermée, je ne peux pas vous traiter à ma table avec le même raffinement que le font ces producteurs cousus d'or! Demain vous allez être à nouveau dans la pénible obligation de vous contenter du menu habituel d'Adèle...

– Je sais : les sardines à l'huile, l'œuf à la coque, le pain perdu...

– Eh bien non! Comme ce sera dimanche, j'ai décidé cette fois qu'il y aurait une variante : les sardines seront remplacées par des miettes de thon. C'est très bon aussi, le thon! Vous aimez?

– C'est nourrissant et puis, ça bourre... Mais qu'importe! L'essentiel n'est-il pas que nous nous retrouvions en tête-à-tête? Je ne déteste pas non plus ces repas très frugaux dégustés dans la simplicité monacale d'une office. Ça nous change de toutes les splendeurs de la cantine.

– Rassurez-vous : nous les retrouverons dès

lundi... Par contre ce soir, comme d'habitude, depuis que ce cinéma a bouleversé nos existences, nous ne dînerons pas. Ce qui est très bien pour nos santés réciproques... C'était tellement copieux ce matin que nous n'avons plus faim jusqu'à demain midi. N'est-ce pas?

– Vous êtes la sagesse même...

– Maintenant nous allons rejoindre chacun notre chambre. Il n'y a rien de plus sain que de se coucher tôt.

– Vous allez pouvoir déjà dormir?

– Là-haut, dans ma mansarde, je vais commencer par compter mes pauvres sous...

– C'est donc là où se trouve votre coffre-fort?

– Chut! Ne le dites à personne, surtout! Il est incrusté dans le mur : derrière mon lit, c'est-à-dire à la portée de ma main. Qui aurait l'idée d'aller le chercher là?

– Ce qui fait que même en dormant, vous pouvez caresser votre fortune?

– Dites plutôt mes maigres économies... Mais enfin, grâce à tous ces films et beaucoup aussi à la suite de votre habile intervention auprès d'Orvoli, disons qu'elles progressent un peu... Vous n'avez pas idée de la joie que m'apporte maintenant à la fin de chaque semaine l'instant où, enfermée dans ma chambre et allongée dans mon petit lit de bonne, je commence à pouvoir me poser cette question : comment utiliser cet argent qui arrive enfin pour améliorer la situation du château? Car je ne perds jamais de vue que la plus fière devise au monde est *Verchamps avant tout*!

– Bravo!

– Et vous Melchior, quand nous nous serons séparés d'ici quelques instants, vous n'allez pas trop vous ennuyer dans votre grand lit royal?

112

– Moi? Même si je ne dors pas tout de suite, j'y rêve tout éveillé...

– Quel genre de rêve?

– Ça, c'est mon petit secret! Soyez gentille de me le laisser pour que je ne me sente pas trop seul sans lui...

– J'ose quand même espérer que ce rêve n'est pas teinté de rousseur? Et qu'il ne vous fait pas penser à Clémence?

– Laissons cette enfant retrouver maintenant le calme au sein de sa famille après les émotions qu'elle vient de connaître...

– Vous avez raison : sa famille... C'est bien pour conserver ce trio à mon service que j'ai consenti à ce que l'on tente ce bout d'essai insensé! C'est que j'ai besoin des trois, vous savez! Sans eux je serais perdue ici! C'est fou ce que l'on est obligé de faire aujourd'hui pour pouvoir conserver son personnel! Bonsoir, Melchior.

– Bonne nuit, chère amie.

Il lui baisa à nouveau la main comme elle aimait qu'il le fit et comme ça se passait chaque soir avant qu'ils ne rejoignent sagement leurs pénates respectives, loin des *sunlights*, lorsque le cyclone cinématographique s'était calmé.

Ce ne fut que le lendemain qu'il put revoir Clémence quand elle lui apporta son petit déjeuner. Après qu'elle lui eut lancé le bonjour insolent qui valait pour lui tous les réveille-matin et qui le ravissait, il demanda :

– Tu ne m'embrasses pas, ce matin? Ne penses-tu pas que je le mérite maintenant que ton essai est fait?

113

– Tiens, le voilà ton baiser, mais en vitesse!

– Pourquoi une telle précipitation?

– La vieille exige que je l'accompagne dans sa voiture pour aller à la messe. C'est dimanche...

– Tous les dimanches vous allez ensemble à la messe?

– D'habitude elle y va seule mais sais-tu ce qu'elle vient de me dire à l'instant en me voyant passer dans le couloir avec ton plateau? « Clémence, vous devez venir prier avec moi pour demander pardon au Bon Dieu d'avoir pêché par orgueil... » Et comme je ne réalisais pas de quel orgueil il s'agissait, elle a ajouté : « En faisant hier ce bout d'essai que vous avez réclamé, c'est uniquement parce que vous êtes persuadée de pouvoir devenir une grande vedette de cinéma. Eh bien cela c'est de l'orgueil mal placé qui n'est guidé que par le besoin de vous faire admirer sur des écrans par des gens qui ignorent même que vous existez! C'est un sentiment d'autant plus vilain que vous savez très bien que votre vrai et seul destin sera de continuer à appartenir au personnel de Verchamps. » Ça m'a coupé le souffle et j'ai failli laisser tomber le plateau... Crois-tu, quelle garce! Il y a longtemps déjà que, sous ses manières de bienfaitrice, je la sens jalouse de moi! Il y a quelque chose qui ne passe pas en elle et qui lui reste en travers de la gorge : elle ne supporte pas l'idée que je suis bien plus jolie qu'elle ne devait l'être à mon âge.

– Calme-toi, mon trésor. Je peux t'assurer une nouvelle fois que dans sa jeunesse, Marie-Adelaïde fut loin d'être laide...

– C'est toujours ce qu'on dit quand les bonnes femmes sont décaties! Alors... Je pars à la messe! La corvée, quoi!

– Cette messe te sera très salutaire. Y a-t-il une statue de Notre-Dame de Lourdes dans l'église?

– Évidemment!

– Tu devrais lui mettre un cierge pour qu'elle accomplisse un nouveau miracle : que l'on t'engage dans *les Plaisirs secrets du Grand Turc*...

– Ce ne sera pas un miracle mais une justice! Quand j'ai vu défiler hier dans le salon de maquillage toutes les autres qui tournent dans le film, j'ai compris! C'est bien simple : si je ne suis pas déclarée demain « bonne pour le film » au lieu de perdre mon temps à jouer les « bonnes à tout faire », je ne t'apporterai plus ton petit déjeuner! Fini!

– Tu me ferais cela, à moi ton protecteur?

– Parfaitement! Ce sera ma mère qui me remplacera... Tu pourras toujours essayer de lui faire du gringue!

– Mais, Clémence, ta maman est charmante...

– Charmante! Tu n'as que ce mot-là à la bouche... Tu le dis à toutes les femmes et même à la vieille... Oui, je t'ai entendu : « *Charmante Adélaïde* » et patati et patata!

– C'est une vraie scène de jalousie que tu me fais là, mon petit! Serais-tu déjà amoureuse à ce point-là?

– Flûte!

Elle s'enfuit, oubliant de donner le baiser de sortie et claquant la porte. Résigné et toujours assis dans le lit royal, Melchior commença à beurrer un toast en pensant qu'il n'y a rien qui puisse rendre les femmes plus nerveuses que de tenter l'expérience d'un premier bout d'essai.

Le lundi matin – ne retournant cependant pas à la messe, à l'église de Chemy-en-Perche, Clémence donnait l'impression d'être encore plus pressée. A son « bonjour » succédèrent ces quelques mots :

– Pas le temps ce matin de te faire des câlins!

– Même pas un petit?

– Rien! Je suis dans un de ces états! C'est bien tout à l'heure que nous allons connaître le résultat de mes essais?

– En fin de matinée, je pense, et s'il est probant, le directeur de production m'a dit que tu commencerais à tourner aujourd'hui dès quinze heures.

– Ça se passera où dans le château? En bas dans l'un des salons ou en haut dans l'une des chambres? Dans le parc peut-être?

– Il fait beau mais ça m'étonnerait que ce soit dehors puisqu'ils recherchent surtout l'intimité...

– J'aimerais tant être cinématographiée ici dans cette chambre et sous ce petit toit! Il y a de l'ambiance... Je suis sûre que ça me donnerait encore plus de talent!

– Ça te reprend? C'est donc une idée fixe?

Deux heures plus tard, alors que baigné, rasé de frais, vêtu d'un complet bleu marine, parfumé à souhait de cette odeur de fougère qu'il adorait, de plus en plus séduisant parce qu'il se sentait rajeunir sous le renouveau d'amour, Melchior s'apprêtait à quitter la chambre d'honneur et à rejoindre le perron – sur lequel Marie-Adelaïde devait déjà se trouver depuis longtemps pour surveiller de ce point stratégique idéal tout ce qui se passait – on frappa à la porte. C'était Jérôme Lavalade:

– Désolé de vous déranger, monsieur, mais je crains que vous ne vous trouviez dans l'obligation de déménager en vitesse de votre chambre!

– Comment cela?

– Monsieur Ben Soussan s'impatiente dans le

couloir... Permettez-vous qu'il entre juste pour donner un coup d'œil et pour voir si le décor convient à la séquence qu'il doit tourner aujourd'hui?

– Cela avec l'assentiment de madame la princesse de Verchamps?

– En vertu du contrat général, la production a la possibilité d'utiliser toutes les pièces du château qui lui conviendront pour les besoins des tournages, à l'exception cependant des chambres mansardées du deuxième étage.

Melchior demeura quelques instants silencieux. « Parbleu! Marie-Adelaïde a réservé le perchoir où elle se cache pour tout surveiller de haut! »

– Même cette chambre d'honneur?

– Même elle!

– Ce qui signifie que je n'ai plus qu'à abandonner les lieux?

– Momentanément, cher monsieur! Vous pourrez la réintégrer en fin d'après-midi dès que le tournage sera terminé.

– Et mes affaires personnelles? Mes vêtements?

– Personne n'y touchera. Vous pouvez me faire entière confiance.

– J'aurais quand même préféré que cette invitation à déguerpir m'ait été signifiée par la princesse de Verchamps en personne!

– Monsieur Soussan attend toujours dans le couloir...

– Mais qu'il entre, ce satrape! Moi je me retire sur le perron, comme la princesse! C'est égal : elle a rudement raison quand elle dit que nous vivons une drôle d'époque! Le cinéma a tous les droits et les gens de notre monde n'en ont plus aucun!

Il sortit dignement et passa sans ajouter un mot ni saluer le metteur en scène et ses sbires qui, de l'autre côté de la porte, lui assurèrent une sorte de haie d'honneur... Hélas! Il savait très bien, le cher Melchior, qu'il ne quittait pas les lieux – tel le marquis de Mirabeau au XVIIIe siècle – sous la volonté des baïonnettes mais vaincu par la puissance terrifiante de l'argent... Le maudit argent de MM. Isaac Dreyfus et Moshé Dupont dont Marie-Adelaïde avait tellement besoin et dont il avait été le premier à lui indiquer la source possible, ce qui le contraignait maintenant à se taire.

Sur le perron il retrouva une Marie-Adelaïde toute suave qui susurra :

– Vous ne m'en voulez pas trop d'avoir dit à ces messieurs qu'ils pouvaient disposer provisoirement pour la journée de votre chambre afin de tourner la séquence où votre protégée va faire ses débuts de starlette? J'ai même pensé que cela vous ferait peut-être un certain plaisir?

– Même pas... Ça ne vous chagrine pas que l'on utilise votre unique chambre royale?

– Le metteur en scène m'a expliqué que, pour bien réussir sa séquence, il lui fallait absolument un très grand lit... Le vôtre est le plus large de tout Verchamps.

– Pourquoi un aussi grand lit?

– Je l'ignore. Je ne connais pas les détails de l'existence de ce Grand Turc qui, comme tous les personnages qui l'ont précédé dans les autres films, ne m'intéresse absolument pas! Tout ce l'on m'a expliqué est qu'il s'agissait d'une scène d'intimité intense que l'on ne pouvait pas tourner dans les pièces de réception du rez-de-chaussée beaucoup trop vastes et où il n'y a pas de lit!

– Pourtant, les canapés?

– Vous trouvez qu'un canapé peut inciter à l'intimité?

118

– Ça dépend des circonstances... Mais où donc se cache notre jeune Clémence?

– Sans doute dans le salon de maquillage... Nous la verrons bientôt passer dans le vestibule quand elle en ressortira... Voyez : je ne serais pas étonnée que ce personnage – moustachu et à gros ventre, coiffé d'un turban et portant ces culottes bouffantes – qui en vient, ne soit le Grand Turc lui-même ou, tout au moins, l'artiste qui interprète le rôle...

Il passa, majestueux et le regard terrible, le Grand Turc voulu par Ahmed Ben Soussan. Il était suivi d'une cohorte frémissante de femmes voilées emmitouflées dans de longues djellabas de toutes couleurs, chaussées de babouches désuètes et se suivant en file indienne. Leurs mensurations étaient des plus disparates. Il y en avait pour tous les goûts : des grandes, des petites, des grosses, des menues mais on ne voyait que leurs yeux reflétant tout le mystère du Moyen-Orient. Elles passèrent, elles aussi, dans un chatoiement des brocarts à ramages et se dirigeant vers le grand escalier sous la conduite d'un curieux personnage à la démarche encore plus féminine que la leur, coiffé d'une chéchia et tenant une sorte de fouet dans sa main droite.

– Ce doit être le harem du Grand Turc placé sous la surveillance du grand eunuque? remarqua Melchior.

– Vous croyez? répondit Marie-Adelaïde vivement intéressée. Je dois dire que c'est la première fois de ma vie que je vois un eunuque d'aussi près...

– Moi aussi, confia le baron. Et si l'on m'avait prédit que cette vision me serait offerte dans le château des princes de Verchamps, je ne l'aurais jamais cru!

119

– Il faut s'attendre à tout aujourd'hui...

– Je ne vois toujours pas poindre Clémence?

– Peut-être se trouvait-elle dans le lot des favorites que nous venons de voir?

– Vous croyez? Si c'est le cas elle aurait bien pu nous faire un petit clin d'œil au passage?

– Ça ne doit pas être autorisé à la cour du Grand Turc et n'oubliez pas que le grand eunuque veille...

– Pauvre Clémence!

– Ah, ça! Vous êtes complètement gâteux d'elle, Melchior?

– Je... Je ne sais plus.

– Et moi je me demande ce que toute cette troupe va bien pouvoir faire là-haut dans la chambre de Charles X?

– Allah seul le sait, très chère! Ce qui est certain c'est que, pour une séance d'intimité, il y aura pas mal de monde autour du baldaquin! Ne pensez-vous pas qu'il serait peut-être préférable pour vous de monter aussi là-haut pour voir ce qui s'y passe? Bien entendu, je vous accompagnerai.

– Il n'en est pas question, Melchior! Notre place à vous et à moi ne peut pas être dans un harem! Vous rendez-vous compte du scandale que ça ferait si les caméras de ces vandales nous chipaient tous les deux parmi les courtisans du Grand Turc!

– Avec nos vêtements des temps modernes il n'y a aucun risque! Ça ne vous dit vraiment rien d'aller jeter un petit coup d'œil?

– Que peut-il se passer dans leur histoire? Rien d'intéressant! Un Grand Turc ça somnole en fumant de l'opium dans une longue pipe, c'est bien connu... Pendant qu'il sera allongé sur le lit...

120

– Mon lit!

– Et celui du roi, ne l'oubliez pas! Donc pendant que le Grand Turc se prélassera, il est probable que les femmes de son harem tourneront autour du lit en interprétant cette fameuse danse du ventre qui est leur grande spécialité, le tout sur un fond de musique orientale... J'imagine très bien la scène d'ici! Aussi est-ce tout à fait inutile de nous déranger pour si peu! Nous ne devons pas, vous et moi, donner à ces cinéastes l'impression que nous portons trop d'intérêt à ce qu'ils font : ça les gonflerait d'orgueil et ils finiraient par devenir impossibles! Restons sagement ici.

– Ce qui est un peu triste, c'est de se dire que le pauvre Charles X a dû connaître moins de joies dans cette chambre que le Grand Turc!

– C'est vrai : pendant sa fuite vers l'Angleterre il ne devait guère avoir envie de réserver sa nuit de Verchamps à la gaudriole! Vous est-il déjà arrivé dans votre existence, Melchior, d'assister à une exhibition de danse du ventre?

– Heuh... C'est-à-dire...

– En somme vous n'êtes pas plus avancé que moi dans ce domaine! Il est vrai que ces trémoussements sont complètement ignorés dans nos régions.

– Le fait est que la danse du ventre à Chemy-en-Perche paraîtrait aussi saugrenue qu'une bourrée auvergnate à Constantinople!

– Si nous profitions de ce qu'ils sont tous là-haut pour nous diriger tranquillement vers la cantine?

– Déjà? Bonne amie, n'est-il pas encore un peu tôt pour la pause-déjeuner...

– Arrivant les premiers ne risquons-nous pas d'être mieux servis?

– Qui sait? Étant donné le sujet du nouveau

film que l'on commence ce matin à tourner au premier étage, peut-être aurons-nous droit à un menu oriental?

– C'est bon?

– C'est assez pimenté grâce à une sauce qui sert à arroser un peu le tout et que l'on pourrait appeler la ketchup de l'Arabie Heureuse... Mais peut-être dégusterez-vous avec plaisir le couscous, les tajines et la confiture de figues?

– J'ai hâte de découvrir ces merveilles dont l'énumération me fait déjà songer aux *Mille et Une Nuits*!

– N'êtes-vous pas, depuis le temps que nous nous racontons des histoires, devenue ma Shéhérazade? Celle de Verchamps, bien entendu! Et vous auriez le droit aussi, comme friandise finale, à des loukoums saupoudrés de sucre?

– C'est quoi, ça?

– Il faut aimer : c'est gélatineux, un peu mou et très sucré.

– Attention à « notre » ligne, Melchior! Le sucre fait grossir... Enfin, une fois n'est pas coutume! Et ça nous changera des immuables pains perdus à la confiture de groseille de la chère Adèle... Vous venez?

Ils ne revirent Clémence, démaquillée et débarrassée du haïk qui faisait d'elle une anonyme dans le harem du Grand Turc, qu'en fin d'après-midi au moment où toute l'équipe quittait le château pour y revenir le lendemain matin. Une Clémence qui avait une drôle de figure et qui ne semblait pas se sentir très à l'aise.

– Alors, mon enfant, demanda Marie-Adélaïde, comment les choses ne sont-elles passées pour vous?

Après une courte hésitation la jeune femme répondit :

– Mais... le mieux possible, je pense...

– Vous me donnez l'impression d'être un peu fatiguée ?

– Il y a eu de quoi, Madame !

– Pourquoi cela ?

– Mon rôle n'a peut-être pas été très long mais je vous jure qu'il s'est révélé épuisant !

– Ce fut à ce degré ?

– Oui Madame, mais, de toute façon, je m'en suis plutôt bien tirée.

– Elle est contente d'elle, c'est l'essentiel ! constata son supporter Melchior.

– Pour moi c'est sûrement le plus beau jour de ma vie, reprit Clémence.

– Jusqu'à présent parce que vous êtes encore très jeune ! Je suis certain que vous en connaîtrez beaucoup d'autres !

– Merci, Monsieur le baron. Merci aussi, Madame, de n'avoir pas fait d'opposition à ce que je fasse le bout d'essai... Qu'est-ce que papa et maman vont être fiers de moi !

– Revenons aux choses sérieuses : Clémence, soyez gentille de monter dans la chambre de monsieur le baron de Raversac pour qu'il puisse la retrouver présentable après tout le désordre qu'ont dû y laisser ces vandales !

– C'est déjà fait, Madame. J'en reviens à l'instant : Monsieur le baron va pouvoir dormir ce soir dans de nouveaux draps bien propres...

– Pour une fois je vous approuve de les avoir changés, n'est-ce pas, Melchior ? Que le Grand Turc couche dans les vôtres, ça peut à la rigueur être admissible puisque ce personnage n'est qu'un bar-

123

bare, mais que vous, qui êtes des nôtres, lui succédiez dans ses draps, ça je ne saurais l'admettre! Bonsoir Clémence. Courez vite raconter vos exploits devant la caméra à Adèle et à Ernest.

Puis, dès qu'elle fut partie :

– Quant à nous, Melchior, comme nous n'avons pas trop mal déjeuné à la cantine même si le steak aux frites n'avait rien de très oriental, nous n'avons plus qu'à aller prendre l'un et l'autre un repos bien mérité.

– Mais, chère amie, nous n'avons rien fait de la journée!

– Comment, nous n'avons rien fait? Vous venez de déménager et de réemménager en quelques heures... Vous trouvez que ce n'est pas déjà beaucoup pour un homme de votre âge? En ce qui me concerne je suis morte de fatigue : celle qu'apporte l'angoisse de m'être demandée tout le temps si ma chère chambre royale n'allait pas être saccagée? Ce n'est pas drôle du tout, vous savez, d'être la déléguée des propriétaires... Eh oui! C'est ce que je suis devenue alors que je sais pertinemment que mes chenapans d'enfants ne m'en ont pas la moindre reconnaissance! Dormez bien, Melchior, en essayant de ne pas trop penser à toutes les turpitudes qui ont pu se passer sous le baldaquin.

Le lendemain matin le calme et la sénérité étaient revenus dans la chambre d'honneur. A défaut d'un Charles X exilé depuis longtemps, le baron de Raversac, réveillé par le bonjour rituel de Clémence apportant son plateau, trônait dans le lit en se demandant avec anxiété ce qui avait bien pu se passer la veille dans ce sanctuaire royal pendant les heures où il avait été expulsé par les exigences du scénario. Aussi sa première question adressée à la beauté rousse fut-elle :

– Maintenant que nous sommes enfin tous les deux, hors de la présence trop inquisitrice de cette chère Marie-Adelaïde, raconte-moi exactement comment se sont effectuées ces prises de vue? Hier soir, j'ai cru comprendre qu'il y avait certains détails que tu ne semblais pas avoir tellement envie de raconter à ta patronne?

– Tu parles! Elle aurait explosé pour de bon et je crois même qu'elle m'aurait tout de suite flanquée à la porte si elle m'avait vu opérer! Quant aux détails... Le metteur en scène – ça doit êre un beau saligaud, ce Ben Soussan! – nous a fait retirer à une autre fille et à moi tous nos vêtements à l'exception du voile qui nous masquait le bas du visage sous prétexte qu'il fallait mettre notre beauté en valeur devant le Grand Turc qui nous avait choisies pour être ses favorites...

– Où était-il, le Grand Turc, pendant ce temps-là?

– Avachi sur le lit et contemplant son nombril! Lui aussi s'était débarrassé de tous ses oripeaux, y compris sa culotte de zouave oriental, en ne gardant pour tout vêtement que son turban et sa grande moustache.

– Sa moustache?

– Oui : elle était postiche et s'est même décollée deux fois pendant le tournage sous l'effet de l'émotion... Il a fallu tout recommencer!

– L'émotion?

– Normal : il était amoureux...

– Tout de suite comme ça?

– Crois-tu que ma copine et moi on n'étaient pas désirables, à poil?

– A poil devant tout ce monde?

– Oh! il n'y avait pas tant de monde que ça : juste le metteur en scène et son équipe. Les autres filles du harem, qui n'avaient pas été choisies comme favorites dans cette séquence, étaient restées dans le couloir sous la surveillance de l'eunuque qui faisait aussi le régisseur.

– Tous les emplois sont comptés chez Isaac Dreyfus et Moshé Dupont! Je pense qu'une caméra était quand même restée dans la chambre?

– Il le fallait bien pour les gros plans...

– Et qu'est-ce que vous avez fait, ta partenaire et toi, devant cette caméra quand le metteur en scène a crié « moteur!»?

– Ce qu'il nous a ordonné de faire... Mais avant que ça ne tourne pour de bon, on a répété la scène quatre fois... J'étais éreintée!

– A cause du dialogue?

– Il n'y a pas eu de dialogue. Comme dans le vieux cinéma on a tourné en muet... ou presque... Oui, à chaque fois que la copine et moi on opérait, on devait pousser des soupirs. C'était crevant!

– Des soupirs?

– Pas besoin de te faire un dessin, non? Enfin cela a dû être très bien puisque le metteur en scène a crié à la cinquième fois : c'est parfait!

– Et le Grand Turc qu'est-ce qu'il faisait?

– Il nous regardait toutes les deux en train de nous caresser où tu penses.

– Mais c'est insensé, chérie! Vous étiez tous les trois dans mon lit?

– Les trois... Mais attention! Le Grand Turc ne nous a pas touchées! Les convenances ont été respectées.

– Les convenances? Je suis quand même très

inquiet à l'idée qu'on va te voir ainsi sur l'écran quand le film passera dans les salles!

– Et alors? Il fallait bien que je débute, non? D'ailleurs l'un des assistants du metteur en scène m'a dit que la plupart des grandes vedettes actuelles de l'écran ont commencé comme ça par de la pratique. Ensuite, comme elles n'étaient pas complètement idiotes, on leur a donné des rôles plus sentimentaux... D'ailleurs – je l'ai souvent vu à la T.V. et sans qu'ils mettent leur fameux carré blanc – dans la plupart des films qui ont du succès devant les familles il y a une séquence cochonne. Faut croire qu'à ce moment-là on a envoyé les enfants se coucher?

– Chérie, j'ai déjà pensé que tu étais très douée, mais tu m'inquiètes!

– Ce n'est pas le rôle d'une maîtresse, oui ou non? J'en suis une vraie.

– Je sens que ça vient...

– Alors ne te plains pas et laisse-moi faire convenablement mon travail. Le cinéma, contrairement à ce que pensent les bourgeois, ce n'est pas de la frime! C'est du sérieux.

– Encore heureux qu'Adelaïde n'ait pas assisté au tournage!

– Elle? Elle m'a dit qu'elle n'allait jamais au cinéma! Donc pas de risque qu'elle s'offusque... Et puis zut pour elle! Ma carrière passe avant ses complexes de refoulée.

– Et maintenant que vos galipettes sont en boîte, on ne doit plus pouvoir les supprimer?

– Nos galipettes? Pourquoi les supprimer puisque le metteur en scène nous a dit qu'elles étaient réussies? Ce qu'il me faudra dans mon prochain film ce sera beaucoup de romantisme, comme avec toi.

– Avec moi? Je vais enfin l'avoir ma récompense?

– Demain matin, après le petit déjeuner... Juré, promis! Ce sera formidable et ici, comme je le rêvais dans ton lit sous le petit toit et sans le Grand Turc ni l'idiote qu'il m'ont donnée pour partenaire et qui frimait tandis que moi j'y ai été carrément!

– Une dernière question, adorable petite fleur de Verchamps. Je me suis demandé samedi comment tu t'y étais prise pour obtenir que ta séquence soit tournée ici et pas dans une autre pièce du château?

– J'ai fait comme avec toi pour qu'ils acceptent ce que je voulais.

– Avec tous?

– Seulement le Ben Soussan, ses deux assistants et le directeur de production.

– Ce n'est déjà pas mal... Tu as bien dit Lavalade? Lui qui donne cependant l'impression d'être tellement convenable?

– Il ne l'est pas, je te le garantis! C'est un hypocrite! Il s'est même montré le pire et le plus exigeant après que j'ai réussi à le décider... Le plus facile a été le metteur en scène. Il m'a dit, quand ce fut terminé entre nous deux, que pour lui c'était une règle absolue : ou une fille y passe, ou il ne la fait pas tourner en disant qu'elle manque de dons.

– Et tu y es passée!

– Dans ce métier, comme dans beaucoup d'autres, il faut respecter les usages.

– Comment as-tu trouvé le moyen, en si peu de temps, de les coincer les uns après les autres?

– Ne m'as-tu pas dit toi-même que j'étais douée? Alors?

Une nouvelle fois Melchior resta sans voix, suffoqué d'admiration.

128

Avant de s'enfuir la diablesse trouva encore la force de dire, plus insolente que jamais :

– Je ne te reverrai sûrement pas avant demain matin parce que la vieille m'a bombardée de séances d'astiquage dans la salle à manger qu'ils vont utiliser, paraît-il, dans ce cinquième film... Mais je compte sur toi : tâche au moins d'être brillant à huit heures sinon les jours suivants tu iras chercher toi-même ton petit déjeuner à l'office... Je me sauve. Je te fais une bise à distance... Demain, ce sera du bouche à bouche.

Comme le cyclone du cinéma, la tornade rousse venait de passer dans la chambre royale où le baron de Raversac resta un long moment pantois avant de commencer à pouvoir beurrer ses toasts...

Le lendemain matin Clémence tint sa promesse. Après une heure « d'entretien serré », pendant laquelle elle prit soin de tourner la clef intérieure de la chambre pour que nul importun – et surtout pas la princesse ! – ne se mêlât d'assister à des débats d'ordre aussi intime, elle laissa un Melchior pantelant qui, ayant même oublié de prendre son petit déjeuner, se réendormit comblé. Ensuite, deux fois par semaine, les lundis et jeudis, il en fut ainsi. Une cadence supérieure aurait risqué d'être dangereuse pour les possibilités du sexagénaire.

Les trois autres films prévus succédèrent à celui dans lequel Clémence avait fait ses débuts, mais aucun des metteurs en scène désignés ne fut capable de lui trouver, comme Ben Soussan, un rôle à la mesure de son talent naissant ! Malgré cette déception, elle sut se faire une raison, étant convaincue que sa personnalité pimentée crèverait l'écran dès que *les Plaisirs secrets du Grand Turc* seraient projetés dans les salles. Il fallait savoir attendre la gloire toute proche en continuant à faire briller les parquets de Verchamps.

Le soir du dernier jour de tournage de l'ultime film de la brillante série il y eut, à la cantine, ce que l'on appelle dans le métier « le pot des adieux » auquel Marie-Adelaïde et son fidèle homme de bonne compagnie, Melchior, furent conviés. Il y avait là MM. Isaac Dreyfus et Moshé Dupont dont les visages rayonnaient de satisfaction, Jérôme Lavalade l'irremplaçable directeur de production, la plupart des techniciens et le toujours bouillant Bruno Orvoli qui, pour pallier la carence verbale des deux producteurs préférant s'empiffrer de petits fours, ne put résister à l'envie de faire un discours de circonstance dans lequel il se confondit en remerciements formulés à la troisième personne à l'égard de la princesse de Verchamps, « cette grande dame qui, pendant des mois, avait su faire preuve de tant d'indulgence accueillante pour toute l'équipe des Films de l'Avenir ». La réponse de Marie-Adelaïde se résuma à une sorte de souhait déguisé : « Moi-même, messieurs, j'ai compris que les possibilités cinématographiques de Verchamps pourraient être immenses ! »

Et l'on se sépara. Sans doute fut-ce moins émouvant que les adieux de Fontainebleau mais il s'en fallut quand même de peu que la châtelaine ne se laissât aller à verser une fausse larme, à la pensée déprimante qu'elle ne recevrait plus en fin de chaque semaine un chèque des mains de M. Lavalade comme elle en avait pris la délicieuse habitude.

Tous les véhicules partis en emportant le matériel et toute la compagnie s'étant envolée, il ne resta

plus auprès de Marie-Adelaïde que son trio de serviteur et Melchior qui ne tarda pas à dire :
– Moi aussi, chère amie, il va falloir que je
songe à rejoindre Paris...
– Vous êtes donc si pressé ?
– Mais ça fait des semaines que ma présence
peu rémunératrice pour vous encombre votre existence !
– Ne dites pas de sottises ! Avouez plutôt que
vous commencez à vous ennuyez ?
– Moi ? suffoqua Melchior.
Comment pouvait-on émettre une pareille sup-
position alors qu'il venait de connaître tous les lundis et jeudis matins un regain de flamme amoureuse
soigneusement entretenue par les travaux pratiques
de plus en plus raffinés que n'avaient cessé de faire
une Clémence déchaînée. Seulement voilà : Marie-
Adelaïde ne savait pas et il ne faudrait jamais qu'elle
sache ! Car tout avait déjà été prévu entre les très
secrets amants de Verchamps : dès que la révélation
des possibilités cinématrographiques de la starlette
en herbe – appellation des plus indiquées pour une
fille venant de la campagne – éclaterait, Clémence
abandonnerait le château sans se soucier le moins du
monde des projets domestiques à longue durée que
la princesse nourrissait à son endroit et elle courrait
vite rejoindre le nid douillet qui l'attendrait dans la
garçonnière très parisienne de Melchior. Ce ne serait
d'ailleurs qu'une halte provisoire sur la route étoilée
qui l'attendait...
Et Melchior, que deviendrait-il s'il perdait un
jour celle qu'il avait déjà l'intention d'exhiber
devant ses vieux amis et relations intimes en la présentant par ces quelques mots qui, pour lui, résume-
raient toute la situation : « Connaissez-vous mes

131

amours?» Eh bien le cher Melchior agirait comme beaucoup d'autres l'avaient déjà fait avant lui : après un soupçon de chagrin, il se dépêcherait de dénicher une remplaçante. Mais cette fois, ce ne serait probablement pas dans un château! Plutôt dans l'une de ces auberges bien cotées où les hasards d'un arrêt gastronomique au cours d'une randonnée en automobile permettent parfois de découvrir d'exquises soubrettes-maîtresses peu farouches.

Et les bons parents de Clémence, les valeureux Ernest et Adèle, que diraient-ils s'ils voyaient ainsi s'échapper leur progéniture? Comme le baron délaissé ils finiraient par se consoler en parcourant les journaux spécialisés de cinéma et de télévision où la féminité grandissante de la beauté aux yeux verts se répandrait de plus en plus, de semaine en semaine et de page en page...

C'était tout cela qui aurait dû logiquement se passer mais le malheur voulut qu'un cataclysme imprévisible s'abattît trois mois plus tard sur le destin fulgurant de la charmante enfant qui, dans la patiente attente du succès escompté, avait réintégré le sein familial tout en continuant à aider la princesse à remettre de l'ordre dans les pièces où avaient opéré les caméras et à replacer soigneusement les housses sur les meubles après avoir refermé tous les volets pour ramener le beau château-musée à l'obscurité bienfaisante qui convenait à sa vétusté.

Le cataclysme avait surgi d'un simple appel téléphonique adressé par Roselyne, vicomtesse de la Roche Brûlée, à sa mère redoutée :

– Maman, c'est épouvantable! hoquetait la voix de Roselyne au bout du fil.

– Qu'est-ce qui est épouvantable? Ton mari et toi?

132

Et pensant tout de suite au seul événement qui, selon elle, pouvait être un vrai désastre, elle continua :

– ... Vous êtes ruinés?

– C'est pire que cela, maman, nous le sommes tous!... Enfin je m'entends : moralement.

– Je préfère cela! C'est moins grave. Je t'écoute.

– Vous savez que Sosthène raffole de cinéma...

– Première nouvelle! Il ne me l'a jamais dit. Ce qui est assez normal puisque nous n'avons eu aucune raison, lui et moi, de parler de cette industrie que je viens seulement de découvrir ces derniers temps... Et, après tout, tant mieux pour lui s'il aime le cinéma!

– Il y va presque tous les jours.

– Il n'a donc rien d'autre à faire? Je croyais qu'il avait un important poste de courtier dans une compagnie d'assurances?

– C'est ce qui lui laisse pas mal de temps libre... C'est même grâce à cette situation qu'il a pu découvrir la plupart des salles de cinéma de Paris puisque c'est lui qui les assure... Parmi ces salles il y a celles que l'on appelle des salles spécialisées... Eh bien dans l'une d'elles, qui se trouve à proximité des Champs-Élysées, on projette des films interdits aux mineurs âgés de moins de dix-huit ans avec l'obligation de placarder sur toutes les affiches vantant le produit la mention « X » signalant les films à caractère pornographique. Sosthène est entré dans la salle pour voir celui qui y est projeté depuis hier...

– Mon gendre ose se complaire à regarder de telles horreurs?

– D'habitude il ne pénètre jamais dans la salle parce qu'il trouve ce genre de film grotesque... Seulement cette fois c'est le titre du film qui a éveillé son

133

attention : *les Plaisirs secrets du Grand Turc* et comme vous m'aviez dit, un jour où je vous ai téléphoné pour avoir de vos nouvelles, que l'on était en train de tourner à Verchamps un cinquième film qui portait ce titre, Sosthène a été intrigué... Quand il est ressorti du cinéma après avoir vu, il était horrifié! Je l'ai vu arriver tout pâle à la maison... Il m'a même demandé de lui servir d'urgence un verre de cognac pour surmonter son émotion... Il y avait de quoi! A un passage de ce film on reconnaît très bien la chambre royale de Verchamps avec son lit à baldaquin et, sous ce baldaquin, on voit allongé un homme tout nu, coiffé d'un turban et portant de grandes moustaches, qui se caresse où vous pensez pendant que deux filles, nues comme lui, se font des choses qui, m'a dit Sosthène, dépassent l'imagination! « Du pur porno! » a-t-il ajouté. Et savez-vous quelle est la fille qui en fait le plus? Clémence, votre femme de chambre... C'est comme je vous le dis, ma mère!

– C'est effrayant! rugit Marie-Adelaïde dans le récepteur. Me faire ça à moi après toutes les bontés que j'ai eu pour elle et pour ses parents! Quelle misérable! C'est toujours ainsi que l'on est récompensée quand on fait le bien... Sosthène t'a-t-il dit si le nom de Verchamps est mentionné sur le générique?

– Non.

– J'espère qu'il n'y a pas non plus de remerciement adressé à mon égard comme ces bandits me l'avaient proposé?

– Non plus.

– Et parmi les noms des artistes, celui de Clémence Borniquet est-il oui ou non mentionné?

– Il n'y a aucun nom d'artiste. C'est ce qui a le plus frappé Sosthène.

134

– Parbleu ! Ils redoutent tous de connaître des ennuis à cause de ce « caractère pornographique » dont tu viens de parler.

– Mais maman, Sosthène et moi avons quand même très peur que nos parents ou amis, qui venaient nombreux à Verchamps du vivant de papa, ne reconnaissent quand même la chambre et le lit de Charles X ?

– Vous avez raison : c'est épouvantable ! Tout ce que nous pouvons souhaiter c'est que ces parents ou prétendus amis ne soient pas des habitués fréquentant ce que tu appelles les « salles spécialisées » ! Mais on peut en douter ! La preuve : pourquoi Sosthène a-t-il été se repaître de telles cochonneries ?

– Il voulait se rendre compte de ce que donnait un film tourné dans notre château familial.

– Ce que ça donne ? Un scandale ! A moins que je n'y mette bon ordre ! Dis surtout à ton imbécile de mari qu'il ne parle de cette projection à personne sinon tout le Jokey-Club s'y ruerait et ça ferait tellement de bruit que ton pauvre père se courberait de honte dans sa tombe ! Le mieux en pareil cas est le silence... Et ton frère, l'as-tu mis au courant ?

– J'ai pensé que ce serait préférable...

– Tu aurais mieux fait de te taire... Qu'a-t-il répondu ?

– Qu'il irait voir le film...

– Naturellement ! Ça l'excite, ce grand benêt, de voir ma femme de chambre se prostituer dans notre plus beau lit ! Ils sont tous pareils dans les grandes familles depuis qu'un auteur néfaste, dont je ne me souviens plus du nom, a eu l'idée saugrenue d'écrire le *Journal d'une femme de chambre* ! Quant à toi Roselyne, je préfère que tu ne m'appelles plus si c'est pour me donner des nouvelles aussi désastreuses !

Elle raccrocha. Quelques minutes plus tard la famille Borniquet au grand complet était réunie dans l'office, restant debout devant une Adelaïde assise à la table de cuisine et ressemblant à un juge d'instruction en jupons procédant à l'interrogatoire du ou des coupables. Elle ne posa d'ailleurs pas de questions, ses vis-à-vis devant se contenter de demeurer humblement cois. Ce fut plutôt un réquisitoire qui commença par l'exposition des faits tels qu'ils s'étaient présentés sur l'écran de la salle interdite aux mineurs. Puis vinrent les premières conclusions formulées par la voix cinglante :

– Que peut-on ajouter à d'aussi tristes constatations? Rien, sinon qu'il faut une sanction exemplaire... Clémence, vous allez quitter immédiatement mon service et disparaître à jamais de Verchamps ainsi que de notre commune de Chemy-en-Perche où vous risqueriez d'être lynchée par la population comme la femme adultère de l'Évangile! On ne veut plus vous y voir aussi bien toute en chair comme vous l'êtes dans la réalité de la vie que sur la platitude de l'écran... Dieu ne pardonnerait à personne d'aller vous applaudir! N'avez-vous pas honte d'avoir trompé l'indulgence et la confiance dont je vous ai toujours gratifiée jusqu'à votre majorité? Et vos parents – que je décide de garder au service de Verchamps uniquement par bonté d'âme, en sachant très bien qu'ils ne sauraient pas où aller – croyez-vous que, venant d'apprendre à l'instant comment les choses se sont exactement passées quand vous avez fait vos débuts d'artiste, ils soient fiers de vous? Roselyne a bien précisé au téléphone qu'à l'entrée du cinéma, sur les affiches, cette mention infamante était imprimée : « Film à caractère pornographique »! Malgré cela vous n'avez pas hésité à vous

136

lancer dans une aventure aussi immorale en oubliant délibérément tous les saints préceptes qui vous ont été inculqués par monsieur le curé au temps où vous fréquentiez le catéchisme et plus tard quand vous avez travaillé auprès de moi qui, je m'en honore, n'ai pu vous donner que le bon exemple de la rigueur et de la chasteté... Et voilà que sur l'écran! Non... Je préfère ne plus en parler! Partez vite, Clémence, avant que je ne tombe malade par votre faute! Et n'oubliez jamais, pendant tout le restant de votre existence, que, si cette maladie m'emportait, vous auriez sur la conscience la mort de la princesse douairière de Verchamps! Ce qui serait très grave... Et puis peu importe après tout! Ce sera ma punition de vous avoir donné l'autorisation de tourner votre ridicule « bout d'essai » à la demande de ce filou de Melchior... Celui-là ne perdra rien pour attendre, le misérable! Je vous garantis qu'il aura son paquet! Vos parents et vous-même ma fille comprendrez, j'espère, que je ne vous délivre pas de certificat... Si j'en rédigeais un, ce ne pourrait être qu'un diplôme de mauvaise conduite! Maintenant retirez-vous de ma vue tous les trois... Ah! un dernier détail de service : à dater d'aujourd'hui ce sera vous, Adèle, qui aurez la charge de l'entretien de la chambre du roi puisque votre fille ne sera plus là. Et n'oubliez pas non plus, quand vous en ressortirez chaque jour après la petite aération quotidienne indispensable, de refermer les volets! Je n'ai plus rien à vous dire.

Clémence s'en alla encadrée par Adèle et Ernest telle une condamnée qui repart du cabinet du juge d'instruction entre deux gendarmes pour rejoindre le panier à salade. La seule différence venait de ce qu'on ne lui avait pas passé les menottes. Les siennes ne pouvaient être que morales... C'était du moins ce que pensait Adelaïde, mais, une fois de plus, elle se trompait lourdement... Pendant toute la durée de son homélie, les yeux pailletés de la fille n'avaient pas cessé de la fixer dans une sorte de mépris où l'ironie alternait avec le défi. Elle se moquait pas mal de toutes les remontrances que venait de faire la châtelaine sous couvert de dignité offensée alors qu'en réalité – et là Clémence n'était pas tellement dans l'erreur – ce qui ennuyait le plus Marie-Adelaïde était de perdre, sous prétexte de sauver la respectabilité de Verchamps, une servante intelligente qu'elle ne payait pas et nullement cossarde. Comme elle l'avait confié à Melchior : « C'est tellement difficile de nos jours de trouver du personnel dévoué ».

Clémence n'avait aucun regret non plus de laisser ses parents se débrouiller avec une pareille patronne. A chacun son métier ! Le leur était de servir toute leur vie alors qu'elle-même se sentait appelée à ces hautes destinées qui font les stars et, même avant d'atteindre ce stade suprême, à prêter ses charmes incandescents à des besognes aussi secrètes qu'alimentaires ! Ce soir même, dès qu'elle aurait quitté le château, elle se précipiterait au bureau de poste de Chemy-en-Perche d'où elle appellerait Melchior – ce premier échelon de sa nouvelle carrière – qui devait l'attendre, de plus en plus frémissant, dans sa garçonnière où il l'accueillerait dès demain, ému, énamouré et infiniment plus compréhensif que « la vieille ».

Après le départ du trio Borniquet, Marie-Adelaïde se retrouva une nouvelle fois solitaire, assez fière malgré tout de la courageuse décision qu'elle venait de prendre, dans son super-musée campagnard. Il restait cependant un petit détail qui la chiffonnait : l'insolence avec laquelle Clémence l'avait dévisagée pendant qu'elle mettait les choses au point. Au lieu de paraître confuse et de baisser la tête en rougissant comme la plus élémentaire des bienséances l'eût exigé, la fille rousse était sortie entre ses parents la tête haute! C'était certain : les rapports avec la domesticité sont devenus de plus en plus ingrats... Triste époque!

Sa solitude ne fut pas longue. Elle aussi courut vers le téléphone :

— Allô? C'est vous, Melchior? Je viens d'en apprendre des belles! Roselyne m'a appelée de Paris pour me prévenir que le film intitulé *les Plaisirs secrets du Grand Turc* n'est qu'une basse pornographie... Vous le saviez, n'est-ce pas?

— C'est-à-dire, chère amie...

— Ne mentez pas, Melchior!

— Comprenez-moi, Marie-Adelaïde... Vous m'avez bien expliqué que vous aviez un urgent besoin d'argent.

— Et alors?

— Alors... Mon ami Orvoli et moi avons pensé...

— Parce qu'il est dans le coup, lui aussi? Comme vous, il savait?

— Il n'a agi qu'en cherchant, si j'ose dire, à vous dépanner le plus rapidement possible...

— Me dépanner? Ah ça, Melchior, je ne suis tout de même pas une vieille guimbarde!

— Vous êtes la plus éblouissante des princesses!

— Assez de compliments! Votre plus grand défaut est d'en faire trop... Avec vous on en est submergé! Continuez : Orvoli?

— Il savait également, en intermédiaire avisé qu'il est, que d'importants producteurs...

— Votre Isaac et votre Moshé?

— Eux-mêmes! Vous avez pu apprécier leur probité en affaires...

139

– Leur probité? Dites plutôt leur vilenie!

– Si vous voulez, mais je vous conjure de conserver ce calme qui vous sied tellement bien et de m'écouter : donc Orvoli a appris que ces messieurs recherchaient de toute urgence un cadre ayant une allure « historique » où ils pourraient tourner le genre de films assez particuliers dont ils sont les grands spécialistes...

– Particuliers? Pornographiques, mon pauvre ami!

– Si vous voulez aussi... Mais ces films présentent l'avantage de pouvoir être tournés très vite, comme vous avez pu vous en rendre compte, parce qu'on néglige les détails...

– A l'exception de ceux qui flattent les sentiments les plus abjects!

– Grâce à cela vous avez obtenu un contrat de huit films en huit mois, ce qui était inespéré pour aider Verchamps à survivre...

– Melchior, vous êtes de plus en plus immonde!

– Ne suis-je pas d'abord votre ami?

– Vous ne l'êtes plus! C'est fini : vous ne remettrez plus jamais les pieds à Verchamps!

– Vous m'expulsez, moi qui ai toujours su faire preuve de la plus ardente admiration pour votre courage?

– Non seulement vous êtes un être immonde mais vous vous êtes également conduit à mon égard en traître!

– Moi, le baron de Raversac, un traître? Ce que vous dites là est très désobligeant!

– Oui, vous m'avez trahie en me cachant la vraie nature de ces films car je ne doute pas qu'ils ne soient tous inspirés par les mêmes motifs bassement commerciaux que ceux qui ont fait tourner *les Plai-*

sirs secrets du Grand Turc... Je suis affolée à l'idée de ce qui peut se passer dans *les Amours lascives du Marquis de Pompadour, les Appas de la Belle Ferronnière* et autres! Et je comprends mieux maintenant pourquoi ces fabricants d'infamies filmées ont voulu donner à leur série le titre général de *Petits mystères des grandes alcôves*! Tout s'explique! C'est à frémir...

– Chère amie, vous vous exaltez... Ce n'est pas du tout bon pour votre santé! Je reconnais que si, dans ces films, on peut trouver par-ci par-là quelques scènes un peu osées, ce n'est pas grave... Contrairement à ce que vous pouvez penser, c'est loin d'être de la pornographie! Disons plutôt que ces passages plus intimes sont teintés d'érotisme... C'est cela, voilà le mot : l'érotisme! Savez-vous que c'est très à la mode aujourd'hui, l'érotisme? Tout le monde en parle, tout le monde en veut...

– Sauf moi! Il est vrai, ne vous en déplaise, que je ne suis pas tout le monde!

– Ça, j'en ai toujours été persuadé! Alors, sincèrement, vous m'en voulez à ce point d'avoir essayé de vous aider?

– Je vous en veux d'autant plus que, sachant très bien ce qui allait se passer pour elle, vous avez délibérément encouragé ma petite Clémence à se lancer dans cette aventure où elle montre ses fesses et probablement tout le reste à des milliers de spectateurs libidineux! Cette enfant que j'ai vu grandir ici à Verchamps et que j'ai pratiquement élevée, ne cessant de lui prodiguer de bons conseils... Vous, votre Sicilien et les autres en avez fait une gourgandine publique! Mais c'est criminel! Elle qui était si pure et tellement spontanée...

– Ah, ça! Pour être spontanée...

– Taisez-vous, Melchior! C'est moi qui parle...

141

C'est pourquoi, comme je viens de le faire pour Clémence, je vous mets à la porte!

– Permettez-moi de vous faire remarquer, chère amie, qu'en ce moment je suis chez moi à Paris et non pas dans votre château... Aussi, pour me mettre à la porte...

– N'ironisez pas! Ça ne vous va pas! Considérez quand même que je vous congédie par téléphone. Ça peut se faire! Maintenant c'est fait. Adieu, Melchior! Je raccroche pour toujours.

Trois mois passèrent sans que la projection de la série des Films de l'Avenir faite dans les salles spécialisées de Paris ou d'ailleurs n'attirât particulièrement les foudres de l'opinion bien-pensante sur ce qui s'était passé dans le beau château. Mois pendant lesquels Marie-Adelaïde avait tremblé pour sa réputation de grande dame restée farouchement dévouée à l'admirable devise *Verchamps avant tout*! Malgré les craintes exprimées par Roselyne, ce fut le silence complet venu sans doute de ce que pas plus les gens dit « du monde » que la paisible population de la commune de Chemy-en-Perche ne se passionne pour les films à caractère pornographique et que ce genre de film – dans lequel tout a été fait et mis en image depuis des années – n'intéresse plus grand monde à l'exception de quelques impuissants de l'imaginative ou collégiens désœuvrés. Quant à Clémence, la téméraire, personne ne parla plus d'elle dans le pays comme si elle avait réussi à se volatiliser. Lorsqu'un curieux du village se harsardait à demander des nouvelles de la jolie disparue à ses parents, ceux-ci se contentaient de répondre :

– Elle travaille à Paris. Pour elle tout va bien.

Si les choses allaient bien? Mais elles allaient même de mieux en mieux! Pas dans le cinéma mais dans la galanterie, qui est une autre forme de cinéma se rapprochant plutôt du cinéma en relief... Après avoir accompli dans la garçonnière de Melchior le stage préliminaire lui permettant de découvrir certains secrets de la vie parisienne – stage qui dura un mois : performance qui n'était pas tellement désastreuse pour les deux partenaires, étant donné la disparité de leurs âges respectifs – Clémence eut tout le temps de découvrir les limites des possibilités amoureuses du cher baron et celui-ci de réaliser une fois de plus que les meilleures liaisons sont celles qui ne se prolongent pas trop. Ils surent se séparer avec élégance : elle partit pour se faire installer dans le somptueux appartement d'un vieil ami de Melchior qui n'était pas titré mais présentait le double avantage de chérir également les rousses capiteuses tout en possédant un solide compte en banque. Et le baron se hâta de découvrir une autre bonniche appétissante dans un autre château où il s'était fait inviter pour un week-end sans craindre d'être expulsé par une maîtresse de maison jouant les pudibondes. La seule différence pour lui fut que sa nouvelle hétaïre n'était pas rousse mais brune. Ça peut être aussi très piquant, une brune...

Pendant ces trois mois de solitude au cours desquels elle ne voulut recevoir personne et surtout pas sa progéniture, qui n'aurait fait que lui poser les questions les plus insidieuses sur son expérience cinématographique, Marie-Adelaïde eut, elle aussi, tout le loisir de réfléchir sur les dangers qu'il y a à recueillir sous son toit des gens dont on ne connaît pas exactement les origines tels que des Isaac Drey-fus, des Moshé Dupont, des Dimitri Suskoff, des Ahmed Ben Soussan, et même des Jérôme Lavalade dont la civilité n'avait été que de surface. Elle préféra attendre... Mais, hélas l'attente peut se révéler néfaste quand on est encombrée d'une bâtisse pour laquelle il faut absolument trouver un financement régulier qui pare aux vicissitudes lancinantes de l'entretien de toitures branlantes et autres ! Les deux seuls moments qu'elle regrettait de sa période ciné-matographique étaient celui où elle pouvait aller se goberger gratuitement à la cantine et l'heure du samedi après-midi, quand Lavalade lui remettait le chèque hebdomadaire.

Ils étaient rudement utiles ces chèques qui avaient tous été provisionnés ! Ce qui ne se serait peut-être pas produit si l'on avait tourné à Ver-champs des films exempts de pornographie ? Qui aller trouver pour recevoir de nouveaux subsides ? C'était ça le vrai, le seul problème... Des chèques dont l'apparence anonyme ne cacherait pas une tur-pitude éhontée ?

Le plus incroyable fut que cette attente angois-sée fut interrompue un beau matin par une nouvelle entrée fracassante dans la cour d'honneur de la Fer-rari rouge du signor Orvoli ! Marie-Adelaïde qui avait assisté médusée, du haut de sa lucarne, à cette arrivée, se précipita, dévalant le grand escalier, vers son perron pour interdire au malotru gominé, qui avait été l'instigateur de ce qui aurait pu sonner le glas de Verchamps, de gravir même les trois marches du perron seigneurial. Mais sa stupeur fut immense de constater, quand elle se trouva au sommet de ces marches sacrées, que le Sicilien n'était pas seul ! Mel-chior, le damné, avait débarqué lui aussi du bolide mal éduqué qui faisait tant de bruit comme s'il voulait absolument se faire remarquer. La réaction de la châtelaine fut immédiate. S'adressant d'abord au baron de Raversac pour respecter les règles de la préséance :

– Vous, Melchior, vous n'avez pas à paraître ici puisque vous savez très bien que vous êtes expulsé !

Puis au Sicilien :

– Vous, monsieur, sachez qu'en dépit de vos manières précieuses, vous n'êtes à mes yeux qu'un personnage indigne !

Enfin pour les deux :

– Si vous insistez pour être reçus, sachez que j'appelle mon jardinier Ernest que vous voyez d'ici en train de ratisser le gravier de ma cour dont les pneumatiques insolents de votre abominable voiture viennent de fouler la belle harmonie... Regardez-le, Ernest : il est ce que feu mon époux, le prince, appelait un costaud ! Il ne fera qu'une bouchée de deux gringalets de votre genre.

– Moi, un gringalet ? s'exclama Melchior alors que son compagnon estimait plus habile de conserver un sourire complaisant.

– Vous ne le saviez donc pas, Melchior ? Eh bien apprenez une fois pour toutes que c'est l'effet que vous me faisiez déjà jadis dans « nos » bals pour débutants ! Comme cela quelqu'un vous l'aura au moins dit depuis le temps ! Non, mais regardez-moi cet ancien crâneur qui n'est plus qu'un vieux beau se croyant devenu l'irrésistible tombeur de bonniches ! On croit rêver...

– Une nouvelle fois, Marie-Adelaïde, répondit Melchior congestionné sous l'effet de l'insulte, je vous conjure de retrouver votre calme... Nous ne sommes revenus, mon ami Bruno et moi, qu'avec la ferme intention de réparer le tort – des plus relatifs à mes yeux! – que vous croyez que nous avons fait à Verchamps alors que nous n'avons agi qu'au mieux de vos intérêts... Souvenez-vous des chèques : ils n'étaient pas si mauvais pour améliorer votre comptabilité?

– Taisez-vous, Melchior! Vous êtes un bavard incorrigible!

Mais l'évocation subtile des chèques n'avait pas été sans produire un certain effet. Après quelques secondes d'un recueillement guidé secrètement par le tendre souvenir du gain, elle reprit, un peu moins acerbe :

– Toutes ces belles phrases d'excuse ne me touchent pas. Dites la vraie raison pour laquelle vous êtes là?

– Je vous le répète, répondit le baron, monsieur Orvoli tient absolument comme moi à réparer en vous apportant une nouvelle affaire prodigieuse qui devrait renflouer Verchamps une fois pour toutes...

– Il ne va pas encore me parler de cinéma? Parce que votre prétendu 7e art, j'en ai soupé! Plus jamais de cinéma chez moi! C'est compris?

– Il a une idée lumineuse, Marie-Adelaïde... Laissez-le au moins vous l'expliquer... Nous donnez-vous l'autorisation de gravir ces trois marches pour que nous puissions nous retrouver au moins à votre hauteur?

– Montez mais je ne vous recevrai que dans le vestibule et pas dans l'un de mes salons! C'est tout ce que vous méritez.

Quand ils se retrouvèrent dans le lieu d'accueil relatif, elle dit au Sicilien :

– Parlez, monsieur. Je consens à vous écouter... mais pendant cinq minutes, pas une de plus!

– Puisque madame la princesse a l'extrême bonté de me laisser parler, commença la voix ensoleillée du signor Orvoli, je tiens d'abord à lui dire que j'ai aussi bien compris qu'elle que la noblesse de sa splendide demeure ne peut convenir qu'à une entreprise d'extrême qualité... Voilà : j'ai tout lieu de penser que ce château pourrait être le paradis idéal, avec ses pièces magnifiées par des boiseries évoquant l'élégance discrète du passé, ses portraits d'ancêtres authentifiés ou pas, ses tapisseries prestigieuses et ses tapis provenant des plus illustres manufactures royales, pour se transformer en une maison de retraite idéale...

– Quoi? Vous voudriez que Verchamps devienne une maison de retraite? Ah, ça, vous vous moquez de moi une seconde fois?

– Dans mon offre il y a une grande nuance... Madame la princesse devrait comprendre qu'il ne s'agirait nullement de maison de retraite pour petits vieux désargentés dont la famille tient à se débarrasser mais, au contraire, d'un lieu de détente et de repos heureux où des personnes richissismes – je dis bien richissimes! – viendraient passer les dernières années de leur existence dorée dans une sorte de paradis où, moyennant l'apport de leurs finances à toute épreuve, elles vivraient des jours et des nuits enchantés.

– Des nuits? Je me méfie des nuits après vos séances libidineuses dans le lit du roi!

– Comme ces personnes distinguées, poursuivit Orvoli sans se démonter, paieraient des sommes considérables pour avoir droit à l'insigne honneur de résider à Verchamps, ce serait fantastique pour la trésorerie de madame la princesse! Verchamps ne deviendrait pas une maison de

147

retraite – terme impropre – mais plutôt le seul
« palais de la retraite » existant en France et même
dans le monde! N'est-elle pas follement tentatrice,
cette appellation de « Palais de la retraite »? Qui
dit palais dit palace, dénomination convenant
admirablement à un genre de clientèle qui n'a toujours vécu que dans des palaces! Elle attirerait tous
les millionnaires du globe qui ne savent plus où
aller.

– Les millionnaires? répéta Marie-Adelaïde
dans un subit état de ravissement.

C'était là un nom qui avait toujours résonné
délicieusement dans son cœur : millionnaires...
Aussi demanda-t-elle très vite :

– Mais comment les trouver, ces crésus?

– Rien de plus facile! Il faudra même faire un
tri, tellement ils seront nombreux à se bousculer
pour être admis. Les gens fortunés ne vont que là
où il y en a d'autres aussi bien nantis qu'eux. C'est
une vérité absolue!

– En êtes-vous bien sûr?

– Voici mon plan. Si madame la princesse
veut bien consentir à l'écouter...

Et il commença à parler. Sa parole était douce
et ses mots enrobés d'or prometteur... Il parla longtemps, très longtemps, pendant beaucoup plus de
cinq minutes, pendant deux longues heures même,
devant un Melchior approbateur et une princesse
de plus en plus subjuguée. Il était fabuleux,
l'homme d'affaires sicilien! Et ceci ne se passa pas
entièrement dans le vestibule où il fallait rester
debout par manque de sièges. Après le premier
quart d'heure, la châtelaine invita ses visiteurs à
pénétrer dans le petit salon. Pas le grand, c'était
encore trop tôt... Et ce fut assis dans les fauteuils

d'époque que Marie-Adelaïde et Melchior continuèrent à écouter, extasiés. Quand Orvoli se tut enfin, la princesse douairière eut ces paroles assez encourageantes pour le nouvel avenir qui se préparait peut-être pour Verchamps :

— Je reconnais, cher monsieur Orvoli, que votre exposé ne manque pas d'intérêt...

LE PALAIS
DE LA RETRAITE

Comme toujours avec Marie-Adelaïde, il ne fallait pas perdre une seconde quand flottait dans l'air le parfum d'une espérance de profit... Elle n'avait pourtant pas déjà jeté par les innombrables fenêtres du château les récents millions accumulés grâce aux chèques bienfaisants reçus d'un Jérôme Lavalade, loin de là! Ceux-ci n'avaient pas tardé, par le truchement de l'un de ces tours de passe-passe que connaissent seuls les courtiers avisés, à aller rejoindre dans une banque discrète du Luxembourg le compte déjà douillet qui – au décès des chers parents Jubet – avait été transféré automatiquement, grâce à une habile disposition testamentaire, sur celui de leur fille aussi unique qu'adorée. Capital générateur d'une cascade de revenus qui n'avaient fait que s'accumuler par le jeu de placements judicieux. Sommes considérables dont ni le défunt prince Éric, ce dilapideur bien né, ni ses enfants ou beaux-enfants n'avaient jamais eu le droit de connaître le montant ainsi que le numéro magique qui permet de puiser dans les coffres les plus secrets. N'est-il pas normal que les grands bourgeois – les Jubet en étaient – prennent ainsi des mesures conservatoires destinées à résister contre vents et marées boursières, voire même contre guerres et invasions, aux intempéries financières qui frappent souvent les fortunes les plus stables? Sachant cela Marie-Adelaïde, qui se laissait volontiers admirer et plaindre pour s'être sacrifiée à la sauvegarde de Verchamps, avait su très bien garder son mystère bancaire. Même Melchior, le curieux et le confident retrouvé auquel la vieille amie de jeunesse venait de pardonner ses incartades à la suite de cette action d'éclat qui était le nouveau projet du signor Orvoli, ignorait tout des véritables finances de sa noble amie.

Quelques jours après le brillant exposé de l'homme à la Ferrari, Marie-Adelaïde s'était rendue incognito à Paris dans sa prosaïque Renault. Et là, en moins de temps qu'il n'en faut pour le raconter, une S.A.R.L. se nommant juridiquement la « Société d'exploitation du domaine de Verchamps » avait été constituée. Société dont le P.-D.G. était, bien entendu, Marie-Adelaïde elle-même dans toute sa féminité et dans toute son omniprésence avec pour elle 51 % des actions. N'était-ce pas équitable puisqu'elle apportait – en fonction des pouvoirs dictatoriaux qui lui avaient été accordés au cours de l'assemblée familiale réunie dès le lendemain du décès de son cher époux – le surprenant instrument de travail qui permettrait à cette S.A.R.L. de prospérer... L'instrument c'était Verchamps avec ses dimensions de caserne classée parmi les merveilles de la France et permettant d'héberger plus qu'agréablement quelques millionnaires triés sur le volet, ses dépendances mansardées, son parc idéal pour les promenades digestives et ses six fermes louées qui ne rapportaient pas grand-chose mais dont la présence, encerclant le parc, pouvait donner aux habitants du château l'impression, de plus en plus rare à notre époque, de vivre dans l'un des derniers bastions demeurés farouchement hostiles à l'invasion grandissante des touristes indiscrets.

Les 49 % des actions restants étaient répartis à raison de 46 % pour les souscripteurs trouvés par Orvoli et 3 % pour trois autres personnalités qui recevraient chacune une action gratuite en échange de leurs noms pouvant rehausser l'éclat de la société : le prince Gontran de Verchamps fils de Marie-Adelaïde, la vicomtesse Sosthène de la Roche Brûlée, fille de la même, et le baron Melchior de Raversac, l'indéfectible confident. Il fallait bien, puisque l'on constituait une société exploitant le nom de Verchamps, que les deux véritables cohéritiers et copropriétaires récoltent une petite part de consolation dans l'affaire pour qu'ils ne rechignent pas trop au moment où celle-ci prendrait effectivement vie. Quant à Melchior, son action serait une sorte de gratification déguisée. Malgré ses titres de bonne noblesse, le baron ne crachait pas sur les pourboires quand c'était lui qui les touchait comme cela venait déjà de se produire – à l'insu de Marie-Adelaïde – au cours des tractations menées avec les Films de l'Avenir.

Les seuls actionnaires qui avaient apporté de l'argent frais par l'intermédiaire du Sicilien portaient des noms totalement inconnus de la châtelaine et presque aussi bizarres que ceux d'Isaac Dreyfus, Moshé Dupont, Dimitri Suskoff ou Ahmed Ben Soussan... Marie-Adelaïde, qui n'avait pas tenu à faire leur connaissance, remarqua seulement en jetant un regard sur les actes signés en présence d'un notaire patenté que la plupart d'entre eux avaient des noms à consonance italienne... Sans doute des cousins de Bruno Orvoli ? Et puis, peu importait une fois de plus, puisqu'à eux tous réunis ils n'avaient pas la majorité et que la P.-D.G. savait depuis long-temps, comme tout le monde, que l'argent n'a pas d'odeur.

Cette société d'exploitation aurait une durée d'existence n'exédant pas douze années, à moins d'un vote de l'assemblée générale des actionnaires demandant une prolongation pour une nouvelle durée à fixer. Les douze années initiales devraient suffire pour faire fortune ou pour sombrer dans une faillite grandiose. La société louait l'ensemble du domaine aux deux copropriétaires, Roselyne et Gontran, moyennant un franc symbolique. Et comme ceux-ci étaient représentés par leur maman-aux-pleins-pouvoirs, cette dernière tenait toutes les clefs en main sans courir le moindre risque. Au cas où l'affaire immobilière s'écroulerait, la propriété foncière demeurerait intacte et, une fois de plus, Verchamps ressortirait de l'aventure meurtri peut-être mais quand même intact et nanti de nouvelles installations sanitaires ou autres qui le valoriseraient.

Orvoli, lui, n'avait reçu aucune action de l'entreprise. Sa modestie assez stupéfiante l'avait exigé. A moins qu'en bon affairiste, il n'eût pas personnellement une grande confiance dans les résultats financiers que donnerait l'affaire à la longue? Il avait préféré assumer le poste difficile et plus sûr de directeur général appointé... Des appointements qu'il avait voulu relativement modestes pour, selon son expression à l'apparence désintéressée, « ne pas trop grever les frais généraux ». Et Dieu sait pourtant les tracas constants que promettait de lui apporter une telle fonction! Soucis qui commenceraient avec la surveillance des travaux d'aménagement intérieur du château que l'on allait se trouver dans l'obligation d'entreprendre de toute urgence pour moderniser le

156

confort sanitaire, à seule fin de satisfaire les légitimes exigences de millionnaires qui ne consentiraient à payer le prix fort d'un séjour idyllique que s'ils trouvaient toutes les commodités souhaitables! Les millionnaires ont la détestable habitude d'exiger d'en avoir pour leur argent et d'être très bien servis...

Service qui serait assuré par un personnel que devrait également recruter le Sicilien, Marie-Adelaïde se refusant à se lancer dans une tâche aussi périlleuse! Mais ses instructions préliminaires avaient été sévères :

– Vous comprendrez bien, monsieur Orvoli, que je ne veux pas que n'importe qui soit engagé à Verchamps où je conserve mes propres domestiques : Ernest qui s'occupera toujours du potager et éventuellement du parc, son épouse Adèle qui assumera mon service personnel aussi bien en nettoyant ma chambre qu'en faisant la cuisine bien frugale qui me convient, et que je serai certainement contrainte de savourer à l'office puisqu'il est très probable que les repas des riches pensionnaires seront servis dans la salle à manger.

– Mais dans quelle chambre habitera madame la princesse?

– Je resterai là-haut dans ma mansarde où j'ai pris mes petites habitudes.

– Madame la princesse consentira quand même à se montrer de temps en temps aux millionnaires qui seront ravis de pouvoir rencontrer une princesse authentique... Pour le prix fort qu'ils vont payer, ne serait-ce pas assez indiqué de leur offrir une aussi radieuse présence en prime?

– Je n'ai rien d'une prime, monsieur Orvoli! Et, à propos de paiement, comment les choses se passeront-elles?

– L'une des toutes premières personnes à engager sera une caissière, c'est préférable à un caissier qui n'est presque toujours qu'un binoclard tatillon. Caissière avenante, de bonne allure et surtout aimable! Ce sera elle qui tiendra la comptabilité courante : paiements faits par la clientèle, règlement du personnel et des achats indispensables pour la bonne marche de l'ensemble. Comptez sur moi : je vais rechercher cette perle...

– Ne la choisissez surtout pas trop jeune, je vous prie! Je me méfie des belles caissières : ce sont elles qui lèvent le plus vite le pied avec un client qu'elles séduisent en emportant le fond de caisse! Cette personne tiendra l'emploi mais je me réserve, en tant que P.-D.G., de surveiller moi-même tous ses agissements. Je monterai chaque soir le livre de caisse dans ma mansarde et je me rassasierai de sa lecture avant de m'endormir... Ce sera ma Bible! S'il m'arrivait d'y déceler la moindre erreur, je vous garantis que je ne dormirai pas du tout et que je réveillerai tout le monde!

– J'en suis persuadé... Madame la princesse a raison : ne doit-on pas tout surveiller soi-même et ne faire confiance à personne? Pourtant, étant donné ma position de directeur, ce contrôle ne serait-il pas plutôt de mon ressort?

– Vous vous occuperez de tout le reste mais pas de la comptabilité qui a toujours été ma spécialité depuis le jour de mon mariage avec le prince Éric qui, lui, ne savait même pas que deux et deux ça fait toujours des histoires! Nous sommes d'accord sur ce point, monsieur Orvoli?

– Madame la princesse sait très bien que je ne pourrai toujours qu'être de son avis.

– Après tout, cette caissière n'aura pas tellement de travail, étant donné le nombre relativement restreint de nos pensionnaires... Peut-être pourrait-elle accomplir également une ou deux autres tâches plus subalternes?

– J'ai toujours été pour le cumul des emplois : c'est la seule façon d'être certain que les sous-fifres ne lambinent pas et sont bien occupés. C'est pourquoi je me suis dit que cette caissière devrait également répondre au standard téléphonique que nous allons faire installer dans le bureau de réception indispensable qui communiquera aussi bien avec l'extérieur qu'avec toutes les chambres où nous ferons placer des récepteurs.

– Vous avez cent fois raison de faire passer les communications par un standard : cela évitera que des tapeurs n'appellent pour soutirer de l'argent à « nos » clients que nous voulons conserver pour nous en exclusivité. Ça nous permettra aussi de contrôler toutes les conversations... Mais où va-t-il se trouver, ce bureau de réception? Pas dans le vestibule, j'espère? C'est très laid un standard dans une demeure du XVIIIe siècle!

– Il me semble qu'il y aurait un endroit idéal pour placer ce bureau : la pièce que madame la princesse appelle avec beaucoup d'humour « son gourbi » et qui avait été transformée en salon de maquillage pour les besoins des tournages...

– Décidément, il sera écrit que l'on ne me laissera plus jamais porfiter de ce petit coin tranquille que j'avais réussi à aménager au rez-de-chaussée... Enfin, prenez-le pour votre future caissière, ce gourbi, puisqu'on ne peut pas la cacher ailleurs! Et à moi il ne me restera plus qu'à stationner sur le perron, mon autre point de contrôle.

– Madame la princesse ne va tout de même pas

attendre toute la journée sur le perron pour surveiller les entrées et les sorties? Encore les jours où le
temps sera radieux, ça pourrait s'expliquer par le fait
que la grande dame des lieux ressent le besoin de se
bronzer un peu au soleil, mais les jours de pluie? Et
puis sur le perron il y aura obligatoirement un chasseur qui ouvrira les portières des voitures et qui les
conduira ou ira les chercher au garage aménagé dans
les anciennes remises d'attelages.

– Êtes-vous bien sûr qu'un chasseur sera nécessaire?

– Indispensable et en uniforme de préférence.
Sa casquette galonnée pourrait très bien porter les
armes des princes de Verchamps surmontées de la
fière devise en petites lettres d'or : « *Verchamps
avant tout* ». Ça produirait beaucoup d'effet et ça
rappellerait à la clientèle l'accueil dans les palaces
qu'elle a fréquentés.

– Mais ce bonhomme il faudra le payer, monsieur Orvoli! Ça augmentera les frais généraux!

– Ça ne se paie pas, un chasseur. Ça travaille au
pourboire.

– Au pourboire? Alors je préfère que ce soit
Ernest qui en profite. Depuis le temps qu'il m'est
resté fidèle, il le mérite cent fois!

– Votre jardinier? Mais s'il est en train de
piquer ses salades dans le potager quand une voiture
arrivera ou partira?

– Il se débrouillera! Il court très vite... Et que ne
ferait-on pas pour des pourboires! Si mon fils Gontran n'était pas aussi stupide, ce serait là un emploi
que je lui aurais volontiers confié pour qu'il puisse se
faire un peu d'argent de poche... Mais peut-être mon
gendre le vicomte s'en tirerait-il mieux? Il est plus
dégourdi... Et puis non! Aucun des deux! Je ne veux

160

pas les avoir tout le temps ici. Moins on les voit, ceux-là, et mieux c'est! Maintenant que vous allez dénicher la caissière rêvée et que nous avons Ernest pour chasseur, qui nous reste-t-il encore à trouver comme personnel?

– Au moins un maître d'hôtel pour le service de table, une femme de chambre pour celui du premier étage où habiteront les pensionnaires, peut-être même deux?

– Deux? Ah, ça, vous avez la folie des grandeurs, monsieur Orvoli! Disons une : ça suffit! Elle aussi il faudra qu'elle court très vite! Je reconnais que le couloir du premier est interminable.

– Celle que vous aviez semblait parfaite?

– Monsieur Orvoli ne me parlez plus de cette gourgandine sinon nous allons nous fâcher! Qui faudra-t-il encore pour assurer le service?

– Certainement un cuisinier et sans doute un marmiton ou une fille de cuisine pour l'aider.

– Je préfère le marmiton. Moins il y aura de femmes dans le personnel et plus nous serons tranquilles!

– Mais, comme je l'ai prévu dans le devis général que j'ai soumis deux jours après la constitution de la Société et sur lequel madame la princesse n'a même pas daigné jeter un regard d'approbation, si nous voulons conserver un bon chef – les millionnaires sont très gourmands et nous les retiendrons mieux avec une excellente table... que madame la princesse se souvienne de la cantine qu'elle fréquentait avec assiduité! – il faudra moderniser toute son immense cuisine datant de temps révolus.

– C'est bien pour cela que je ne l'utilisais plus! Puisque c'est prévu dans le devis, vos amis les nouveaux actionnaires paieront... Et si un jour ils nous abandonnent ce sera toujours ça d'acquis qui restera ainsi que les nouvelles salles de bain. Mes enfants ne m'en seront reconnaissants qu'après ma disparition. Quand je ne serai plus de ce monde ils pourront se laver dans tout le château! Ce que n'ont jamais connu les générations de Verchamps qui les ont précédés!

– Ils seront fiers d'avoir eu une maman qui marchait avec le progrès... Enfin, pour en terminer avec le problème du personnel, il me paraîtrait judicieux, à seule fin de ne pas augmenter le nombre de domestiques à demeure, de souscrire une sorte d'abonnement – cela se fait de plus en plus aujourd'hui – auprès d'une entreprise de nettoyage spécialisée qui enverrait chaque semaine dans une camionnette une équipe du genre femmes de ménage, hommes à tout faire, qui serait pourvue des aspirateurs les plus perfectionnés et qui ferait les carreaux... Je sais que madame la princesse attache la plus grande importance à ses carreaux et elle a raison! Sans carreaux rutilants pas de Palais de la Retraite possible! Des carreaux propres ça laisse entrer la lumière extérieure et avec elle la gaieté, alors que des carreaux douteux, ça sent la mouise.

– Je vous ferai remarquer, cher monsieur, que ceux de Verchamps sont restés nets grâce à mes efforts et à ceux de celle qui ne sera plus jamais ma femme de chambre! Alors si nous comptons bien, et vous-même le directeur général étant mis à part... A ce propos, où logerez-vous? Aux communs comme vont le faire les nouveaux employés de maison ou tout là-haut sous les toits comme moi?

– A proximité de madame la princesse? Ce serait un insigne honneur pour moi, mais je crains que ce ne soit pas possible étant également accaparé

par mes affaires à Paris... Tout en prenant régulièrement et avec le plein assentiment de madame la
princesse les décisions qui s'imposeront pour diriger
le Palais de la Retraite, je serai dans l'obligation de
faire la navette entre la Capitale et Chemy-en-
Perche... Heureusement ma voiture est très rapide...
Les lundis, mardis, mercredis et jeudis je resterai à
Paris et je consacrerai trois jours, c'est-à-dire toutes
les fins de semaine à Verchamps. Pendant les quatre
autres, ce sera la caissière qui me remplacera. C'est
pourquoi il est indispensable que ce soit une maî-
tresse-femme ayant une grande autorité.

— Mais je serai là, moi, monsieur Orvoli! Ça ne
vous paraît donc pas suffisant?

— La présence de madame la princesse sera le
label de qualité du Palais mais je ne l'imagine quand
même pas remplissant les basses besognes de la
comptabilité courante ajoutées à l'impitoyable corvée des écritures... Non! Madame la princesse doit se
contenter de superviser...

— Peut-être avez-vous raison? Comme vous le
disiez si bien tout à l'heure, je commence à acquérir
la conviction, monsieur Orvoli, que nous finirons
par bien nous entendre.

— Madame la princesse et moi ne sommes-nous
pas de la même trempe puisque nous ne pensons
tous les deux qu'aux heureux résultats?

Les travaux parurent interminables à Marie-
Adelaïde qui, telle la mouche du coche, survolait du
matin au soir les divers chantiers « intérieurs » pour
stimuler d'une parole plus ou moins bien venue
l'ardeur des maçons, des charpentiers, des électri-
ciens et surtout des plombiers qui étaient censés
avoir le plus de travail entre les canalisations, instal-

lations de la cuisine, salles de bain et w.-c... Elle se
révéla être une incomparable animatrice mais elle
n'offrit cependant jamais le « petit coup à boire » qui
stimule les énergies et alloua encore moins les gratifi-
cations supplémentaires incitant au zèle. Ceci parce
qu'elle n'avait foi que dans « sa » propre réussite et
nullement dans celle des autres – entrepreneurs ou
ouvriers – qui ne seraient toujours à ses yeux que des
exécutants à défaut d'être des manants passés de
mode.

Ça dura six mois pendant lesquels Marie-
Adelaïde ne reçut que les visites des trois intéressés
au grand projet. Une fois ce fut l'arrivée inopinée de
Roselyne et de son frère, le gendre assureur et la
belle-fille espagnole ayant préféré s'abstenir par
crainte d'entendre de nouvelles lamentations de leur
belle-mère. Sœur et frère qui furent accueillis plutôt
fraîchement :

– Quelle idée vous a donc pris de venir ainsi
m'importuner quand vous savez que je suis débor-
dée?

– Mais maman, répondit Roselyne toujours
plus courageuse que son frère, nous avons justement
pensé que ça te ferait plaisir de voir tes enfants se
déplacer pour t'encourager dans tes vastes travaux?

– Il est grand temps! Ils sont presque terminés...
Mais puisque vous êtes là, venez avec moi faire le
tour du château pour mesurer l'ampleur du courage
qu'il a fallu à votre pauvre mère pour mener seule à
bien une telle entreprise! Voyez cette cuisine rénovée : n'est-elle pas grandiose? Regardez ces salles de
bain : ne sont-elles pas dignes d'accueillir ces millionnaires qui ne peuvent pas vivre sans se laver? Et
ces w.-c. ne font-ils pas rêver? Qu'est-ce que vous
dites de ce bureau de réception doté d'un standard

164

téléphonique? N'est-ce pas là le comble du progrès à Verchamps? Et ces trois postes de télévision déjà installés dans le petit salon pour permettre à vos retraités privilégiés de se maintenir au courant de l'actualité mondiale en choisissant deux chaînes différentes?

– Vous avez même pensé à la télévision! s'exclama Gontran extasié. Moi qui croyais que vous la détestiez?

– Je n'ai toujours pas changé d'avis. Cette invention n'est pas venue jusque dans nos campagnes pour moi mais pour ces désœuvrés trop argentés que nous allons recueillir et qui ne savent plus comment s'occuper... Ne faut-il par leur laisser quelques distractions, sinon ils passeront tout leur temps à nous accabler de réclamations! Franchement, qu'est-ce que vous dites de tout cela?

– C'est formidable, maman! En dirigeant ces équipes de travailleurs acharnés, vous êtes devenue un authentique maître d'œuvre!

– Un quoi?

– C'était ainsi, expliqua rapidement Roselyne, qu'on nommait au Moyen Age les bâtisseurs de cathédrales...

– Et les bâtisseurs de châteaux?

– Sans doute déjà des « architectes »?

– Maintenant, mes enfants, laissez-moi : je n'ai pas une minute pour m'occuper de vous. Ce sera pour plus tard : quand nous serons tous devenus vraiment riches... Ton mari va bien, Roselyne? Toujours pas d'enfant?

– Toujours pas...

– Mais qu'est-ce qu'il fait donc, ce Sosthène? C'est un flemmard? Il est vrai qu'il passe le plus clair de son temps au cinéma... Et toi, Gontran, ta femme, où en est-elle?

165

– Je suis venu aussi pour vous annoncer la bonne nouvelle : elle est enceinte de trois mois.

– Est-ce bien sûr ? Note bien que les Espagnoles ont la réputation d'être des pondeuses nées.

– C'est absolument certain : on lui a fait une échographie. Nous savons déjà que ce sera un garçon.

– Enfin un autre prince de Verchamps en perspective ! Il faudra l'appeler Éric en souvenir de son grand-père paternel et Sigismond en mémoire de mon père...

– Vous croyez que Sigismond ?

– C'est très joli, Éric-Sigismond ! Et puis ce sera nouveau dans la famille où il n'y en a jamais eu... J'ai découvert ça en regardant de près l'autre jour l'arbre généalogique qui est accroché dans la bibliothèque. Voilà donc une chose réglée : il s'appellera Éric-Sigismond de Verchamps... Espérons qu'il sera aussi blond que tous les Verchamps et pas trop noir comme sa mère ! Embrassez-moi vite et partez, mes enfants... On m'attend aux écuries où l'on est en train de démolir les bas-flancs pour pouvoir y loger les voitures des millionnaires. Ils en auront sûrement, car il paraît très douteux que ces gens-là se déplacent à pied ! A bientôt ! Mais ne revenez que quand je vous appellerai par téléphone... Oui, je sais bien que vous avez le droit de venir constater la progression des travaux en tant qu'actionnaires. Mais vous l'êtes si peu !

Melchior, le troisième visiteur de la princesse, vint pratiquement chaque semaine et toujours en compagnie de l'ami Orvoli. Alors que ce dernier faisait son tour justifié de futur directeur général, le

166

baron se contentait d'approuver et de s'émerveiller. Tel un inspecteur des travaux finis, il se bornait à dire :

– C'est parfait... C'est même émouvant d'assister ainsi à la modernisation progressive de Verchamps sans qu'aucune des boiseries ni des merveilles anciennes qui le meublent n'ait été abîmée, grâce à votre vigilance, chère Marie-Adelaïde! Plus j'y pense et plus je me demande ce que serait devenue cette admirable demeure si vous n'aviez pas été là!

– Un amas de ruines, Melchior, vous pouvez en être sûr!

Et le duo de complices repartait, revigoré, dans la Ferrari symbolisant tous les espoirs.

Quand l'instrument de travail fut fin prêt et que les hordes ouvrières eurent débarrassé les précieux planchers que Marie-Adelaïde cira une dernière fois avec la collaboration d'Adèle à défaut de Clémence, partie vers des lointains plus souriants, un grand moment survint : celui où, en compagnie du Sicilien et de Melchior, qui était toujours de bon conseil, il fallut prendre la décision finale concernant l'engagement du personnel destiné à faire fonctionner les rouages intestinaux ou domestiques – ce qui revenait au même – du Palais de la Retraite.

– Cher monsieur Orvoli, j'ai décidé que nous en resterions à la liste que nous avions déjà établie avant le commencement des travaux... Si j'ai bien compté, elle concerne cinq personnes en plus d'Ernest et d'Adèle dont les emplois sont déjà fixés et qui font partie depuis toujours de ce que nous pourrions appeler le fond de commerce de Verchamps... Il nous faut la caissière, le maître d'hôtel, la femme de chambre, le cuisinier et son marmiton auxquels nous ajouterons l'équipe de l'entreprise de nettoyage hebdomadaire, à condition que celle-ci sache demander un prix raisonnable. Nous sommes toujours d'accord?

– Nous le sommes.

– Vous avez pensé au choix de toute cette troupe mercenaire?

– Je peux même annoncer à madame la princesse qu'elle attend, prête à bondir dans les couloirs du château et qu'elle correspond exactement à ce qu'il faut.

– Bravo. Pourquoi ne vous ferais-je pas confiance une fois de plus? Et les clients en or, vous les avez également trouvés?

– Il y en a même trop, madame la princesse!

– Comment diable vous y êtes-vous pris? Tout de même pas par des petites annonces?

– Par le bouche à oreille : c'est ce qu'il y a de plus efficace et de plus rentable parce que ça ne coûte rien.

– Encore bravo!

– Je me suis également permis – que madame la princesse veuille bien excuser une pareille liberté – d'adresser quelques lettres bien tournées à des personnalités de premier plan...

– Et qu'est-ce que vous avez raconté dans ces lettres?

– Tout ce qui peut faire rêver des millionnaires...

– Sincèrement, vous croyez que ces gens-là ont encore l'envie de rêver?

– Ils l'ont sans aucun doute... La preuve en est qu'ils ont tous répondu et même téléphoné pour s'enquérir des conditions.

168

– Téléphoné à qui?

– Au siège de l'une de mes sociétés spécialisée jusqu'ici dans la recherche de capitaux privés...

– Comment s'appelle-t-elle?

– « La joie de mieux vivre... »

– Vous avez de ces trouvailles!

– Comme celle que nous avons créée pour l'exploitation de Verchamps, c'est également une S.A.R.L.

– Il n'y a que cela de bien, les S.A.R.L.! opina Raversac.

– Melchior, coupa Marie-Adelaïde excédée, pour le moment on ne vous demande pas votre avis! Vous ne le donnerez que quand vous en recevrez l'autorisation... Donc, Orvoli, dans l'ensemble les réponses ont été plutôt encourageantes?

– Tellement que nous n'avons plus maintenant qu'à fixer les prix d'un commun accord.

– Les prix? Il faudra qu'ils soient les plus élevés possible sinon ces postulants à la retraite dorée ne nous prendraient pas au sérieux. J'ai remarqué que plus les gens paient cher pour avoir quelque chose que n'ont pas les autres et plus ils se croient des personnages comblés!

– Madame la princesse, souligna le Sicilien, fait ici preuve, comme toujours, d'un sens psychologique aigu... Je me suis permis de lui apporter un exemplaire de l'en-tête du papier à lettres qui sera désormais celui de sa société... Si elle voulait bien l'examiner?

Il était très décent, ce papier à lettres, et de bonne qualité. Les caractères gravés faisaient sérieux. Quant au libellé du texte... On lisait sur une première ligne, imprimée en caractères gras, les mots magiques PALAIS DE LA RETRAITE et juste au-dessous, en caractères plus modestes : *Société d'Exploitation du Domaine de Verchamps, S.A.R.L. au capital de 500 000 frs.*

– Pourquoi un capital aussi faible? demanda la châtelaine. Ne craignez-vous pas que ça ne fasse un peu mesquin et que ça n'inspire pas tellement confiance?

– Mais c'est celui qui a été fixé au moment de la constitution de la société! Il me paraît préférable que le capital de départ, qui ne veut absolument rien dire comme cela se passe pour la plupart des S.A.R.L., ne soit pas trop élevé. Ce qui nous permettra, si cela s'avérait nécessaire, de procéder ultérieurement à des augmentations éventuelles de capital...

– Et qui souscrira ces nouvelles actions? Pas moi, je vous le garantis!

– Ce seront les autres, ces actionnaires que j'ai trouvés, ou même de nouveaux actionnaires que je saurai également repérer... Mais, bien entendu, à chacune de ces augmentations, madame la princesse n'aura pas à débourser un centime. Son paquet d'actions majoritaires, représentant son apport initial foncier, sera valorisé proportionnellement.

– Dans ce cas, c'est parfait. Et ces clients qui, selon vous, doivent nous arriver le jour où nous fixerons l'ouverture, peut-on savoir dès maintenant qui ils sont?

– Rien de plus facile... J'ai établi une petite liste avec l'indication de leur profession ou plutôt ex-profession tout en précisant, avant que madame la princesse n'en prenne connaissance, que tous les renseignements indispensables ont été pris sur les disponibilités bancaires ou autres de chacun de ces élus... Mes sources sont de tout premier ordre : du vrai béton! Aucune surprise n'est à craindre, ceci d'autant plus que le jour même où ces premiers pensionnaires entreront dans le château, ils auront tous à verser la caution de garantie correspondant à leur douze premiers mois de séjour et qui est loin d'être donnée, comme le sait madame la princesse, puisque nous en avons fixé le montant d'un commun accord le lendemain de notre constitution de société. Cette somme ne leur sera remboursée par nos soins que le jour où ils s'en iront et ceci à deux conditions qu'ils ont tous acceptées : c'est qu'ils n'aient commis aucune déprédation dans les magnifiques lieux où ils auront connu l'honneur d'être logés et qu'ils nous aient informés de leur départ par un préavis recommandé de trois mois. Si, au contraire, ils ne nous adressent pas ce préavis dans les délais fixés, leur engagement de séjour sera automatiquement renouvelé pour une nouvelle durée de douze mois. Et ainsi de suite, espérons-le, jusqu'à la consommation des siècles... Amen !

– N'exagérons pas, cher Orvoli... Ne serait-il pas plus raisonnable de dire : jusqu'à leur décès ? Parce qu'enfin, puisqu'il s'agit de retraités en puissance, ces clients ne doivent tout de même plus être de prime jeunesse ?

– Pas tous ! Et c'est bien là où j'ai le regret de dire à madame la princesse – avec tout le respect que je lui dois – qu'elle se trouve dans l'erreur la plus complète ! Ce dont elle va pouvoir se rendre compte en parcourant cette liste où j'ai pris soin d'indiquer les âges respectifs de chaque client avec dates et lieux de naissance à l'appui..

– De jour en jour vous m'étonnez de plus en plus, Orvoli ! N'est-ce pas, Melchior, que notre ami est surprenant ?

– A qui le dites-vous, Marie-Adelaïde ! Il est ce

qu'on appelle « le » surhomme... Je savais très bien ce que je faisais quand je vous ai conseillé de le recevoir à Verchamps... Voyez le résultat aujourd'hui : vous allez être la présidente la plus enviée de tous les propriétaires de châteaux qui battent de l'aile ou s'en vont de la toiture!

– Charmante expression, Melchior... Voyons cette liste?

– Celle-ci se résume à neuf noms.

– Il n'y a pas plus de monde que cela? demanda Marie-Adelaïde inquiète.

– Mais ces neuf personnes correspondent exactement au nombre de chambres ou appartements disponibles! Madame la princesse ne se serait donc pas donnée la peine de les compter depuis le temps qu'elle occupe les lieux?

– Oh, si! Je les connais, monsieur Orvoli, et même par cœur! Ces pièces m'ont donné assez de soucis jusqu'à présent... Tous les matins en me réveillant et tous les soirs avant de m'endormir, je n'ai cessé de me répéter, depuis que je suis devenue l'ermite de Verchamps : « Qu'est-ce que je vais bien pouvoir faire de ces satanées chambres pour qu'elles puissent devenir rentables? »

– Eh bien maintenant, madame la princesse, le tour de magie est réussi : elles vont l'être... et de quelle façon! Ce ne sont pas neuf mais sept chambres – dotées, grâce aux travaux, de tout le confort désirable – qui peuvent être utilisées... Et comme dans le premier lot d'amateurs agréé il se trouve deux couples, ayant réclamé chacun un grand lit commun, tout sera pour le mieux... Bien entendu, selon la réserve expresse qui a été faite par madame la princesse, la chambre royale – qui pourrait certainement être la plus rentable de toutes – n'a pas été prévue pour être occupée par un hôte payant.

172

– Elle restera toujours, quels que soient les événements, la chambre attitrée de notre cher baron qui est seul habilité par moi pour remplacer dignement Charles X...

– Douce Marie-Adelaïde! s'exclama Melchior en lui baisant non pas une mais les deux mains. Quelle délicate attention! J'ose espérer me montrer toujours digne d'un tel honneur.

– Une fois pour toutes, vous devez considérer, bon ami, que vous serez toujours chez vous à Verchamps où vous allez désormais vous trouver dans l'obligation de venir résider beaucoup plus souvent au lieu de jouer les courants d'air comme vous l'avez fait jusqu'ici... D'ailleurs je vous ai pratiquement prévu dans le personnel attitré du château.

– Vraiment? Moi dans le personnel? Mais quel emploi devrai-je tenir?

– J'ai longuement réfléchi ces derniers temps à la façon dont on pourrait vous utiliser ici avec quelques chances d'efficacité. Évidemment vous seriez incapable de faire un majordome ou une sorte de chef de réception – la dignité même de votre nom m'interdit de vous classer dans cette catégorie d'individus obligatoirement mercenaires – mais je vous verrais très bien exerçant une fonction beaucoup plus souriante et exigeant de grandes qualités de civilité : celle d'animateur...

– Animateur?

– Mais oui, Melchior! Et je suis persuadée que monsieur Orvoli, qui vous connaît bien, sera de mon avis : l'animation dont ce Palais de la Retraite va avoir très vite le plus grand besoin, surtout dans les premiers temps de son exploitation, pour créer un lien indispensable entre ces gens qui vont arriver, qui ne se connaissent pas et que leur richesse insolente va condamner à cohabiter sous un même toit pendant des mois et peut-être même pendant des années! Verchamps est vaste mais enfin on est bien obligé de s'y croiser de temps en temps, ne serait-ce que dans le couloir du premier sur lequel s'ouvrent toutes les chambres maintenant rentables. Animateur? Cela veut dire aussi que si nous sentons que le moral de nos troupes payantes fléchit et qu'elles commencent à s'ennuyer dans «notre» Palais, il vous faudra tout de suite intervenir pour ranimer la flamme de la joie de vivre confortablement alors que d'autres, du même âge ou de la même génération, pourrissent lentement dans ces mouroirs déguisés que sont souvent les maisons de retraite ordinaires. Il faut absolument que nos pensionnaires pensent à cette horreur qu'ils auront la chance de ne pas connaître. Les comparaisons sont toujours salutaires. N'oublions jamais ce qu'a écrit Jules Renard qui s'y connaissait comme pas un en relations humaines : « *Le tout n'est pas d'être heureux, encore faut-il que les autres ne le soient pas!* » Eh bien ce sera vous, Melchior – avec toute votre gentillesse, avec votre affabilité et avec votre conversation tellement brillante qui vous permet de discourir sur n'importe quel sujet sans en connaître un traître mot! – qui maintiendrez ce bonheur revigorant pour de pauvres gens qui ont toujours une fâcheuse tendance à s'ennuyer parce qu'ils ne savent pas quoi faire de tout leur argent... Je sais que ce sera là une tâche très ingrate mais vous avez le moral pour réussir... Au besoin même il ne faudra pas hésiter à multiplier des distractions telles que soirées récréatives avec des numéros de cirque ou d'illusions qu'Orvoli saura découvrir à Paris puisqu'il possède la faculté de tout trouver, des matinées dansantes, des courses au trésor, des parties de croquet déchaînées, des pique-niques dans le parc, des concours de boule dans la cour d'honneur, que sais-je encore...? Verchamps devra ressembler, dans ces moments d'euphorie collective et organisée, à l'un de ces paquebots de croisière où l'on organise sans arrêt des spectacles ou concerts pour occuper les passagers condamnés à tourner en rond sur un pont circulaire... Je sais bien, hélas, que nous n'avons pas de piscine. Dites-moi, Orvoli, aucun de nos passagers déjà inscrits... Oh! Excusez-moi... Voilà que je m'imagine déjà être le commandant de ce grand navire que va devenir Verchamps! Disons plutôt aucun de nos « millionnaires » – appellation qui leur convient beaucoup mieux! – ne vous a demandé s'il y avait une piscine?

– Pas encore.

– Ça pourra venir et ce sera très ennuyeux puisque nous n'en avons pas! A moins que je ne donne des ordres à Ernest pour qu'il transforme rapidement le petit bassin de Neptune, situé au fond du parc et qui jusqu'à présent n'a eu pour pensionnaires que des grenouilles, en une baignade provisoire? Seulement je crains qu'une fois là-dedans nos clients ne s'y sentent un peu à l'étroit? Et pas question d'y plonger! La profondeur est à peine d'un mètre...

– Et le tennis? suggéra Melchior. Y avez-vous songé, Marie-Adelaïde?

– Ma foi non, cher animateur! Je n'y ai jamais joué, ça ne passionnait pas Éric et mes enfants n'ont jamais osé en réclamer un... Il n'y a pas de tennis non plus... Mais croyez-vous que des gens aussi riches jouent tellement que ça au tennis? C'est trop brutal pour leur tranquillité... Moi je les vois plutôt sur un parcours de golf... Seulement, le golf c'est surtout fait pour les parvenus qui cherchent à se créer des relations... C'est très snob, le golf, et je déteste les snobs! J'espère au moins qu'il n'y en a pas sur la liste que vous allez nous montrer, Orvoli?

– Madame la princesse sait aussi bien que moi qu'on ne peut plus être snob à partir d'un certain nombre de millions! C'est là un demi-luxe qu'il faut laisser à ceux qui se croient arrivés alors qu'ils n'en sont encore qu'à peine à mi-chemin de la vraie réussite.

– Donc comme nous n'aurons pas de snobs, pas besoin de golf! Ça fait déjà une sérieuse économie d'investissement... Et puis, s'il y a quand même dans le lot un ou deux acharnés qui veulent absolument pousser une petite balle dans un petit trou, ils n'auront qu'à aller à Chartres qui n'est pas tellement éloignée et dans les environs de laquelle se trouverait, m'a dit mon gendre La Roche Brûlée, un golf. Ce doit être charmant – et surtout beaucoup moins fatigant que sur un terrain vallonné – un parcours en pleine Beauce?

La liste établie par Orvoli était aussi intéressante qu'instructive et, à chaque fois que la douairière découvrait le nom de l'un ou l'autre des futurs pensionnaires du Palais de la Retraite le Sicilien ne manquait pas de faire un petit commentaire oral où les qualités de la personne nommée étaient exposées en quelques mots très précis.

– Alfredo Mochado, lut Marie-Adelaïde. Qui est-ce?

– Avant tout un millionnaire et ensuite un Brésilien, âgé de soixante-cinq ans, né à São Paulo, de loin la ville la plus prospère du Brésil, où il a fait une fortune colossale dans des opérations immobilières réussies. On a beaucoup construit dans cette région

176

depuis ces vingt-cinq dernières années... Monsieur Mochado a gagné tellement d'argent qu'il a estimé pouvoir prendre une retraite bien méritée en Europe, car il n'est pas assez fou pour s'attarder dans son pays où l'inflation et les dévaluations continuelles donnent de terribles secousses à la monnaie qui a de plus en plus besoin de l'aide du Fonds Monétaire International... Prudent, il a su faire transférer le gros de ses bénéfices en Suisse. Ses références bancaires sont excellentes : l'Union des Banques Suisses de Genève et la Banque Fédérale de Zurich... Financièrement, il vaut au minimum cinq millions de dollars, ce qui n'est pas si mal! Physiquement c'est un bel homme, grand, au teint halé par le soleil du Brésil et portant une abondante chevelure dont les tempes argentées s'harmonisent avec sa fortune... Son épouse Amalia, métissée comme la plupart des Brésiliennes, est encore très comestible malgré une cinquantaine passée. Belle, un peu bruyante, riant fort en découvrant une denture éblouissante, elle est assez exceptionnelle mais, ne parlant pas le portugais, je ne sais trop comment on pourrait décrire le type de beauté prolongée dans sa langue... En espagnol elle répondrait admirablement à l'expression : *una mujer interessante*... Je pense que madame la princesse voit ça d'ici?

– Je vois, monsieur Orvoli, rassurez-vous! En somme un couple de métèques?

– Je m'insurge contre une pareille appellation qui a quelque chose de péjoratif... Alfredo Mochado n'a rien du Brésilien de *la Vie Parisienne* d'Offenbach! Il serait plutôt du genre de ces planteurs de café modernes que l'on voit dans les publicités de la télévision...

– Je ne regarde jamais la télévision et encore

177

moins la publicité! Enfin, l'essentiel n'est-il pas que ces gens-là trébuchent sous leur or?

– Ce qui est déjà très réconfortant pour nous, c'est qu'ils ont versé d'avance non pas la valeur de douze mois de garantie, mais celle de deux années!

– Incontestablement, murmura le baron, ce serait plutôt là un bon point en leur faveur...

– Silence, Melchior! rugit Marie-Adelaïde. Passons au troisième personnage de la liste. Je constate qu'il se nomme Stéphane de Morane-Baisieux... Qu'est-ce qu'il fait, ce monsieur?

– Plus rien, madame la Princesse, puisqu'il est à la retraite.

– C'est vrai! Moi qui suis bien décidée à ne jamais la prendre, j'ai une fâcheuse tendance à oublier qu'il y a des gens qui ne pensent qu'à elle... Les imbéciles! Comme si c'était gai, la retraite! Enfin, ici, dans ce Verchamps que nous rénovons en palais, ce sera certainement moins pénible qu'ailleurs? Et s'il n'en était pas ainsi, ce serait que la mission conservatrice pour gens très aisés dont nous allons lancer la mode ne serait qu'une regrettable utopie! Mais je ne le pense pas... Donc ce Stéphane de Morane-Baisieux ne fait plus rien depuis combien de temps?

– A la vérité, je crois qu'il n'a jamais rien fait de toute son existence.

– Et vous trouvez, Orvoli, que c'est là pour nous une bonne garantie? Mais c'est très inquiétant, quelqu'un qui n'a jamais travaillé...

– Je ne voudrais pas impressionner madame la princesse mais il existe beaucoup plus de gens que l'on ne croit – et dans toutes les classes de la société – qui sont ainsi! Pour monsieur de Morane-Baisieux cela n'a jamais eu aucune espèce d'importance

178

puisqu'il a la chance de posséder une fortune considérable. Lui aussi est archimillionnaire... Ne s'étant jamais marié, n'ayant pas d'enfants ni même de cousins capables d'hériter, il se trouve être le dernier descendant de l'une de ces grandes familles bourgeoises ayant prospéré sous Louis-Philippe et qui ont réussi, moyennant finances sans doute, à s'offrir sous le second Empire une particule qui leur confère, à défaut de la vraie noblesse, un fond de teint de respectabilité...

– Quel âge a-t-il?

– Soixante-dix-sept ans et orphelin.

– A cet âge-là c'est fréquent. Bel homme, lui aussi?

– Il a de beaux restes, seulement il déteste les femmes...

– Vous n'allez pas me dire, Orvoli, qu'il appartient à la cohorte envahissante des homosexuels? Parce que ça je ne le tolérerai pas ici! Ce n'est pas du tout le genre pratiqué au château, ni celui des princes de Verchamps qui, depuis des générations, se sont plutôt révélés affamés de cotillons... Vous n'avez qu'à regarder leurs visages sur tous ces portraits qui nous entourent... Vous trouvez qu'ils ont des têtes de mignons du roi? Ils évoquent plutôt des favoris de la reine!

– Stéphane de Morane-Baisieux n'a rien d'un inverti. S'il n'apprécie pas trop la compagnie des femmes c'est, m'a-t-il expliqué, parce qu'il n'y en a qu'une seule à avoir vraiment compté dans sa vie : sa mère qui est morte presque centenaire l'année dernière et avec qui il a toujours vécu. Depuis la disparition de cette très respectable personne, la vie lui a semblé tellement vide de sens qu'il a décidé de prendre sa retraite loin de ce Paris dont ne pouvait se passer sa maman. C'est pourquoi Verchamps l'a attiré... Oh! Il ne sera pas gênant, préférant vivre en loup solitaire et ne désirant frayer avec personne...

– Mais croyez-vous que notre Palais de la Retraite, où nous allons être encombrés de millionnaires, soit tellement indiqué pour quelqu'un qui recherche la solitude? Je sais bien que Melchior, qui sait ne pas être trop gênant quand il le faut, saura l'aborder avec tact... N'est-ce pas Melchior?

– J'essaierai, Marie-Adelaïde, répondit l'intéressé qui commençait à se sentir un peu angoissé en pensant à ses futures fonctions d'animateur.

– Monsieur de Morane-Baisieux, poursuivit le Sicilien, m'a également confié, le jour où il est venu verser l'a-valoir de garantie exigé à La joie de mieux vivre, qu'il avait deux *hobbies* : chanter des refrains de café-concert et sucer des pastilles Valda...

– Les deux peuvent très bien se compléter : avant de chanter on s'éclaircit la voix... Mais dites-moi : j'espère qu'il n'a pas l'intention de hurler ses rengaines dans sa chambre ou même dans le couloir en empêchant ses voisins de faire une sieste qui est l'un des grands plaisirs de leur âge?

– Lui aussi est richissime! Excellentes références bancaires : Paribas, Banque Worms et Indo-Suez... Dans le genre placement de capitaux français, on ne fait guère mieux! De plus j'ai pris la précaution de lui faire comprendre qu'il pourrait chanter tout son saoul dans les allées du parc, qui sont des plus accueillantes, mais pas à l'intérieur du château.

– Pas dans le potager non plus, Orvoli! Je me le réserve...

– Madame la princesse aurait-elle également l'intention de vocaliser?

– Ah ça, Orvoli, vous êtes aussi fou que votre

180

ami le baron? Je n'ai pas de temps à perdre, moi! Quand je vais dans mon potager, c'est pour y surveiller le travail d'Ernest... Par contre votre Stéphane de je-ne-sais-pas-quoi peut très bien sucer ses pastilles partout : ça ne fait pas de bruit.

– Il m'a paru aussi être très soucieux de sa santé... Si je disais à madame la princesse qu'il m'a confié que, lorsqu'il se déplaçait, le bagage auquel il tenait le plus était sa valise-pharmacie qu'il ne confie jamais à personne et qu'il garde toujours auprès de lui... Il paraît qu'on y trouve tous les médicaments indispensables pour vaincre la grippe, les cors aux pieds, les maux de tête, les rhumatismes, la constipation...

– Assez de détails, Orvoli! A vous écouter, on finirait par tomber malade! Et passons au quatrième client de la liste... Tiens! C'est une femme... Elle se nomme comment?

– Madame Veuve Letocard... Ermeline de son prénom, âgée de quatre-vingts ans, née à Vesoul où son défunt d'époux, Maître Saturnin Letocard, possédait la plus importante étude de notariat du chef-lieu de la Haute-Saône et où il avait succédé à son beau-père, Maître Hippolyte Chaffaton, dont il avait été le premier clerc avant d'épouser Ermeline, fille unique, qui lui avait apporté ce pactole en dot.

– Tout cela est certainement très intéressant, cher Orvoli, mais ne nous explique pas pourquoi cette veuve manifeste le désir de résider dans notre Palais?

– Elle aussi a tellement d'argent qu'elle aspire à la retraite mais très loin de Vesoul... Madame la Princesse n'a probablement pas idée de la richesse de ces notaires de villes moyennes de province. Ils sont beaucoup mieux nantis que ceux des grandes villes parce que beaucoup de paysans – qui ne sont pas tous sur la paille comme ils ont une certaine tendance à vouloir le faire croire – préfèrent apporter leurs économies au notaire plutôt qu'à une banque dont ils se méfient toujours un peu... Ils n'ont peut-être pas tout à fait tort, après tout ? C'est au notaire qu'ils confient le soin de faire fructifier leurs biens.

– Cette dame n'a donc pas d'héritier ?

– Elle m'a dit avoir été stérile. Le jour où madame la princesse la verra, peut-être comprendra-t-elle pourquoi elle n'a pas dû tellement inspirer son époux ?

– Laide à ce point ?

– Si encore elle n'était que laide, ça pourrait s'arranger à la rigueur. Disons qu'elle est négative...

– Malgré le magot ?

– C'est tout à fait le genre de pensionnaire qu'il nous faut... Melchior, vous aurez la bonté de vous occuper d'elle.

– Mais...

– Ça vous changera des soubrettes trop délurées !

– Ah bon ?

– Je vois sur la liste que les cinquième et sixième personnes constituent un couple ?

– Un couple si l'on veut, madame la princesse...

– Qu'est-ce qu'il y a encore, Orvoli ? Je lis bien : M. et Mme Jules Nougat, industriels en retraite... Nougat ? Ils étaient dans l'alimentation ?

– Plutôt dans le prêt-à-porter...

– Nougat ? Ce n'est pas un nom de fournisseurs de prêt-à-porter... Ça sent Montélimar !

– Leurs ateliers, où ils employaient surtout des travailleurs tchécoslovaques et pakistanais, fabriquaient des kilomètres de vêtements en gros... Ceci pour le compte de commerçants israélites.

182

– Pourquoi, Orvoli, venez-vous d'avoir cette réserve quand j'ai prononcé le mot couple?

– C'est-à-dire que l'homme est sensiblement plus âgé que sa compagne : lui soixante ans et elle vingt...

– Ça crée en effet un sérieux écart!

– ... Et qu'ils ne sont pas mariés. Ils vivent en concubinage.

– Voilà un mot que je déteste, Orvoli! Concubinage! Pas de concubins à Verchamps! Je suis mieux placée que quiconque pour vous affirmer que ce château n'a déjà que trop souffert de ce genre de liaison... Et s'il existe entre ces deux personnes une telle différence d'âge, cela signifie que c'est lui qui a travaillé et pas elle qui doit se contenter d'essayer de dépenser tout l'argent qu'il a gagné. Lui a droit à la retraite, pas elle!

– Mais ils sont millionnaires comme les autres! Qu'est-ce que cela peut faire qu'ils ne soient pas mariés puisqu'ils éprouvent un tel plaisir à ce qu'on les appelle M. et Mme Nougat?

– Je n'en ressentirais aucun à porter un nom pareil! Et puis c'est de la tricherie, Orvoli, puisque c'est une fausse union!

– Mais si elle nous rapporte, madame la Princesse? N'est-ce pas l'essentiel?

– Ça compte, bien sûr... Seulement ça me gêne! J'aime les situations nettes... Vous ne pourriez pas leur faire comprendre que nous préférerions qu'ils s'unissent légalement avant de venir parmi nous? Et êtes-vous bien certain que cette jeune maîtresse ne se lassera pas très vite de vivre dans une atmosphère de retraite? Si elle quittait brusquement un beau matin son vieil amant, cela produirait un effet désastreux vis-à-vis de nos autres pensionnaires!

– Ça ne viendra sûrement pas d'elle... Je n'ai pas eu l'honneur de faire encore sa connaissance mais l'amant – qui m'a confié ne pas tenir tant que cela à jouer les retraités parce qu'il se sent encore très vert – m'a dit que c'était elle qui avait insisté pour qu'ils viennent ici.

– Et elle a vingt ans? Cela paraît être tellement insensé!

– Ce Jules Nougat, qui est très sympathique, a même ajouté sous le sceau d'un secret qui n'en sera plus un puisque je vous le livre : « Cher monsieur, personnellement et bien que j'ai réussi à amasser une authentique fortune, je ne me sens pas encore mûr pour la retraite... C'est mon amie qui a exigé que je la prenne le plus tôt possible en sa compagnie... Mais oui! Je crois, au fond, que, m'adorant, elle a peur qu'une autre femme ne m'entraîne dans de folles dépenses, faites au détriment de mon héritage qu'elle guigne. Ce qui est tout à fait compréhensible à son âge! Je sais qu'elle voudrait se faire épouser... Mais, ne pensez-vous pas que c'est une fantastique jouissance pour un vieux barbon comme moi que de laisser trépigner d'impatience une jeune beauté? Le jour où nous nous marierons le charme de sa fougue juvénile risquera de s'atténuer. Ce que je ne veux pas! Je ne l'épouserai que quand je renoncerai à continuer à vivre en retraité, c'est-à-dire pas avant trois années... C'est pourquoi je suis prêt à vous payer d'avance trois années de garantie. »

– Il l'a fait?

– Oui, madame la princesse...

– Ça modifie tout! Eh bien tant pis! Dans l'intérêt de Verchamps nous devrons nous résigner à subir pendant ces trois années la présence de ce faux ménage Nougat! A moins que nous ne parvenions à les faire s'épouser d'ici la fin de leur séjour? Ne serait-ce pas extraordinaire un mariage de retraités dans notre château? Non seulement ça apporterait une sensationnelle distraction pour les autres pensionnaires, qui n'en sont plus à rêver de projets matrimoniaux, mais cela nous ferait aussi une prodigieuse publicité! On convoquerait les photographes et la presse du cœur et, dans toute la France, on dirait « Allez vous retirer au Palais de la Retraite... Vous risquez d'y épouser un millionnaire! » Quelle réclame heureuse! Une fois de plus, Orvoli, vous avez eu raison d'accepter ce couple... Il n'y a pas eu de mariage à Verchamps depuis celui de mon fils avec son Espagnole. Ce sera le prochain! Melchior, vous vous en occuperez : ça fait partie de vos attributions d'animateur.

– Ces « concubins » chevronnés ne voudront peut-être pas m'écouter?

– Je vous connais : vous saurez avoir la manière... Parce qu'enfin ce Jules Nougat, qui a dépassé comme vous la soixantaine, court comme vous aussi après les tendrons! Vous n'avez qu'à le faire profiter de votre expérience!

– Mais je ne suis pas marié!

– Ça peut encore venir... Patience, Melchior! Passons maintenant au septième client de la liste... Ah! C'est une cliente : une certaine Sophie Barnel... Qu'est-ce qu'elle a fait dans la vie, celle-là, Orvoli?

– Elle a été chanteuse...

– Comme l'orphelin de soixante-dix-sept ans?

– Elle n'en a que soixante-douze... Mais c'était une professionnelle : divette d'opérette...

– Il ne manquait plus que ça!

– Une divette à qui l'opérette a rapporté beaucoup d'argent.

185

– Tout de même pas des millions?

– Hé, hé! Madame la princesse! Entre les triomphes stables qui durent des années, du genre *Belle de Cadix* ou *Violettes Impériales*, il y a eu les tournées en province – ce qui représente la France profonde, la Belgique, la Suisse, le Canada et j'en passe! – au cours desquelles mademoiselle Sophie Barnel m'a dit avoir connu tous les succès : ceux de la scène et ceux du charme avec des admirateurs de passage...

– Pour la dernière fois, Orvoli, je vous répète que je ne veux pas entrer dans les détails! Donc elle aussi en a mis à gauche?

– Probablement de tous les côtés puisque sa banque, qui est le Crédit Agricole, répond de ses possibilités financières...

– Le Crédit Agricole, c'est une excellente référence... Elle n'a donc pas réussi à se marier?

– Certainement parce qu'elle ne l'a pas voulu... Pourtant elle est encore charmante.

– De beaux restes comme le Brésilien?

– Et un de ces abattages!

– Ça fait partie de son métier. Pourquoi tient-elle à venir chez nous, elle aussi?

– Sans doute parce qu'elle est assez intelligente pour avoir compris qu'une carrière artistique, même si elle s'est passée dans une extrême légèreté, n'est pas éternelle! Elle a décidé de se retirer en pleine gloire.

– En pleine gloire? Qui a entendu parler de Sophie Barnel? Vous peut-être, Melchior, qui avez toujours été à l'affût de tout ce qui est un peu *cheap*, comme disent les Anglais.

– Sur notre longue amitié je vous jure de n'avoir jamais hanté les coulisses!

186

– Vous auriez peut-être mieux fait que de vous attarder auprès des bonniches! Dites-moi, Orvoli, j'espère que cette théâtreuse ne va pas nous imposer de temps en temps un festival fait d'une rétrospective de ses anciens succès?

– Si elle chante, ce ne sera que dans le parc, comme Stéphane de Morane-Baisieux.

– Ils pourront toujours se lancer dans un duo sous les cèdres de la grande allée! Venons-en maintenant au huitième client. Voyons... Un homme ou une femme? Ah, non! Un peu des deux puisque c'est un ecclésiastique... J'espère au moins qu'il porte la soutane et qu'il n'est pas de ces curés évolués qui déambulent en pantalon si ce n'est en short quand ils font du sport! Comment s'appelle-t-il, ce prêtre?

– C'est un chanoine... Le chanoine Poudaloue.

– Un nom qui me dit quelque chose... Ah oui : Poudaloue, Bourdaloue... Les poires Bourdaloue, la tarte Bourdaloue... Il a tant d'argent que cela?

– Beaucoup! Je ne sais pas trop si ça lui reste du denier du culte mais il me semble avoir entendu dire qu'il aurait hérité de sa sœur décédée.

– Sa sœur? Elle n'était pas dans les ordres, elle aussi?

– Il y a des communautés richissimes, madame la princesse.

– Hélas, je le sais! Pendant des siècles elles n'ont pas cessé de plumer nos familles! Quel âge a-t-il, ce chanoine?

– Quatre-vingt-quatre ans.

– Un âge qui paraît canonique.

– C'est un homme d'esprit.

– Espérons aussi qu'il est animé par l'Esprit Saint! Physiquement pas trop impotent?

– Une alerte rondeur.

– C'est ce qui manquait jusqu'à présent dans le lot. L'embonpoint, ça arrondit les angles. Qui sait? Peut-être pourrons-nous lui demander, quand le moment propice se présentera, de célébrer le mariage religieux du couple Nougat?... Qui reste encore sur la liste?

– Une seule personne : un homme – C'est un chercheur génial, le professeur Coquibus qui tient beaucoup à ce qu'on l'appelle Professeur... Quatre-vingt-huit ans.

– Plus âgé que le chanoine?

– Ce sera le doyen de l'estimable compagnie. S'il lui arrive parfois de se lancer dans de vastes et savantes élucubrations dont on ne comprend pas grand-chose parce qu'elles sont trop savantes pour le commun des mortels, le reste du temps il est à peu près lucide.

– A peu près seulement? Qu'est-ce qu'il a trouvé, ce chercheur?

– On lui doit notamment la célèbre théorie sur la relativité de la prolifération des cloportes dans l'obscurité... Et, partant de cette longue recherche, il a inventé un insecticide-miracle qui permet d'anéantir ces abominables parasites même en plein jour! Ce qui est formidable et qui a bouleversé tous les vieux procédés d'entretien ménager. Le *Tue-les vite*, cette petite bombe portative sur laquelle il suffit d'appuyer sur un bouton pour pulvériser l'adversaire, contient ce produit miraculeux...

– Ce n'est pas possible! s'exclama Marie-Adelaïde. J'ai souvent utilisé ce *Tue-les vite* pendant mes épuisants travaux personnels de propreté dans ce château! Il est réellement l'inventeur de cette poudre enchantée?

– Il l'est, madame la princesse!

– C'est un bienfaiteur de l'humanité.

– Nous pourrions même dire un grand homme qui, après avoir fait construire un laboratoire où le produit est fabriqué par tonnes selon ses directives, a gagné une fortune considérable! Cette création géniale l'ayant définitivement mis à l'abri du besoin il peut maintenant envisager de vivre une retraite de nonagénaire plus qu'aisée.

– Dès qu'il sera ici je lui demanderai quelques précisions supplémentaires pour faire un usage encore plus efficace de son produit... Nous avons terminé, n'est-ce pas, la lecture de votre passionnante liste, Orvoli?

– Personne n'a été oublié.

– Résumons avant d'en tirer une conclusion pratique. Il me semble qu'avec le couple brésilien de l'immobilier de São Paulo, l'héritier septuagénaire qui ne cherche qu'à vivre le plus longtemps possible à coups de médicaments, la veuve du notaire qui doit s'y connaître mieux que personne pour rédiger un testament, le faux couple de faux marchands de nougat qui a fait fortune dans le prêt-à-porter, la chanteuse qui ne veut plus chanter, le chanoine tout désigné pour donner sa bénédiction à notre entreprise, l'inventeur du *Tue-les vite* et notre cher Raversac réfugié dans la chambre d'honneur, Verchamps deviendra un Palais qui sera appelé à pouvoir connaître enfin un avenir sans nuages... Je suis résolument optimiste! Quel jour inaugurons-nous cette nouvelle formule d'exploitation d'une résidence aussi princière, monsieur le directeur général?

– Dans deux semaines tout au plus, madame la princesse. Aussitôt rentré à Paris je convoquerai par téléphone ou par câble le personnel prévu qui attend avec impatience de venir se dévouer à notre cause et qui arrivera derechef. Quand ces gens de maison seront à pied d'œuvre, il faudra procéder à un rodage général de l'organisation pendant une huitaine et nous serons fin prêts pour accueillir ceux qui par leur présence argentée vont contribuer à la prospérité grandissante de Verchamps.

– Qu'entendez-vous par rodage?

– Une sorte de mise en place, comme cela se pratique dans toutes les entreprises hôtelières dignes d'être gratifiées du maximum d'étoiles, concernant aussi bien le fonctionnement de la restauration que les services d'étage, sans oublier l'accueil du rez-de-chaussée ainsi que le maniement délicat du standard téléphonique.

– N'oublions surtout pas la comptabilité, Orvoli!

– Madame la princesse peut être assurée que ce sera le tout premier service qui sera mis en marche. La caisse, c'est sacré!

– J'ai connu quelqu'un qui ferait une curieuse figure aujourd'hui s'il voyait tout cela fonctionner sous mon impulsion!

– Qui cela, Marie-Adelaïde? demanda Melchior.

– Éric, mon époux défunt, dont la plus grande erreur a été de ne jamais me faire confiance.

– J'ai souvenance de vous avoir déjà dit, reprit Raversac, que vous étiez la seule personne au monde capable de sauver Verchamps... Vous allez maintenant en donner une preuve éclatante!

– Cher Melchior! Vous avez été bon prophète...

Elle eut lieu, cette inauguration, et les choses se passèrent le plus naturellement du monde. Même s'il

190

n'était peut-être pas venu au monde pour devenir le directeur d'un établissement aussi spécialisé, le Sicilien s'était révélé un organisateur des plus habiles. Le personnel était arrivé en temps voulu avec, véritable fleuron de cette brillante cohorte, la fameuse caissière-standardiste dont Orvoli avait déjà vanté les mérites à la princesse douairière... Mme Sarfato – elle se prénommait Sophia mais tout le monde, dans le Palais de la Retraite l'appela « madame » sans prénom dès qu'elle parut. Il faut reconnaître qu'elle en imposait. La quarantaine capiteuse, belle, brune, ayant une réserve naturelle de bon aloi, portant une opulente chevelure relevée en chignon sur la nuque, rappelant peut-être la dignité de l'illustre « Caissière du Grand Café » rendue célèbre par une chanson de 1910. Mme Sarfato savait avoir le geste aimable pour recevoir les gros chèques que les pensionnaires lui remettaient ponctuellement chaque mois. Il avait été établi – c'était l'un des principes essentiels de la bonne marche de l'établissement de luxe – que les règlements des pensions ne se feraient pas hebdomadairement mais mensuellement le 1er de chaque mois. Comme pour la provision de garantie exigée au moment de la réservation, on payait d'avance. C'était beaucoup plus sûr pour la stabilité des finances de l'exploitation. Pendant les trente jours qui suivaient on n'entendait plus parler d'histoires de gros sous. C'était cela la grande classe voulue aussi bien par Marie-Adelaïde que par le directeur général Orvoli. N'avaient-ils pas déjà remarqué, elle et lui, que la note ou « douloureuse » que l'on présente à la fin de chaque semaine, ceci même dans les palaces les plus réputés, laisse toujours une désagréable impression de manque de confiance de la direction à l'égard de sa clientèle ?

Mme Sarfato avait la manière et le sourire enjôleur pour ramasser la bonne monnaie. Et si par hasard, le jour de l'échéance, l'un des pensionnaires se hâtait pour se rendre au bureau qui centralisait toutes les rentrées, elle ne manquait jamais de dire de sa voix chaude :

– Vraiment, ça ne pressait pas! Nous avons confiance...

Petite phrase produisant sur le client ou la cliente le plus heureux effet.

Quand les pauses de la comptabilité lui permettaient de s'occuper du standard téléphonique, elle savait s'y montrer éblouissante pour passer les communications avec ce tact qui avait fait la réputation pas tellement lointaine, au temps où l'automatisme n'existait pas, de ces « demoiselles du téléphone » qui recevaient en remerciement de leurs bons offices d'innombrables boîtes de chocolat ou paquets de marrons glacés que leur envoyaient des abonnés anonymes dont elles ne connaîtraient pas les visages.

Mme Sarfato, qui avait réussi dès les premiers jours de sa prise de poste à se concilier les bonnes grâces de tout le monde, était même parvenue à faire la conquête de la redoutable Marie-Adelaïde! Chaque soir celle-ci venait ramasser le livre de caisse qu'elle enfouissait dans son cabas avant de l'emporter furtivement dans sa mansarde où elle se délectait d'une lecture aussi enrichissante. Mais, impressionnée par la caissière-star, elle ne s'adressait à elle qu'en termes édulcorés :

– Chère madame Sarfato, pourriez-vous avoir l'extrême obligeance de me remettre notre livre de caisse que je vous rapporterai sans faute dès demain matin?

Au bout de quelques semaines, la douairière s'était même risquée à dire :

— Vous nous êtes infiniment précieuse, madame Sarfato! Je ne sais pas ce que nous deviendrions sans vous. Vous êtes la véritable régulatrice des finances de Verchamps!

Ce dont ne se doutait absolument pas Marie-Adelaïde était que, dans le lot de tous ceux – pensionnaires, personnel et fournisseurs – qui chantaient les louanges de la belle caissière, il se trouvait quelqu'un qui la chérissait beaucoup plus que tous les autres réunis : Bruno Orvoli le brillant directeur général lui-même! Un Bruno dont Sophia, d'origine corse, était la maîtresse passionnée, la collaboratrice discrète et l'âme damnée. Quand ils s'étaient rencontrés cinq années plus tôt à Nice, la brune créature y tenait une vague officine de cartomancienne dont la clientèle masculine était plus nombreuse que la féminine grâce aux attraits tout à fait particuliers que la pythonisse savait dispenser entre deux séances de tarot tarifées. A cette époque où le bouillant Sicilien cherchait encore la voie de la grande réussite, c'était elle Sophia qui lui avait prédit :

— Toi, tu es fait pour les nobles entreprises... Tu as le succès assuré dans ton jeu... Fonce, mon Bruno adoré! Vas-y! Tout ce que toucheras fera de l'argent si tu sais ne jamais oublier que le monde est peuplé d'imbéciles, même dans les plus hautes sphères de la société!

Si elle appartenait à cette dernière catégorie, Marie-Adelaïde était loin d'être stupide! Mais pourtant elle n'avait rien décelé de la liaison sicilo-corse... Pas plus que Melchior d'ailleurs qui ne s'était jamais intéressé aux caissières, préférant se rabattre sur les charmes des soubrettes.

Précisément, celle engagée pour le service des chambres et qui était arrivée au château vingt-quatre heures après Mme Sarfato était loin d'être inintéressante... On ne l'appelait pas madame, mais mademoiselle... Mlle Doudou. Son prénom lui suffisait, sachant que ses origines camerounaises l'avaient affublée d'un nom propre assez difficile à prononcer et oscillant entre Malikoko et Malokiki... Elle aussi, dans son genre, ne manquait pas d'allure lorsqu'elle longeait le couloir du premier étage en apportant les petits déjeuners. Elle s'avançait la tête altière, parce que, dans son pays au soleil de plomb, la coutume veut que les femmes portent tout le ravitaillement sur leur tête et plus particulièrement les cruches d'eau : ce qui les oblige à marcher droit pour ne pas renverser le précieux liquide. Une femme de couleur déambulant sous les lambris dorés de Verchamps, on n'avait encore jamais vu ça! Du haut de leurs cadres les ancêtres peinturlurés devaient en rester muets de saisissement! Mais il fallait reconnaître aussi que la petite coiffe en dentelle et le tablier blanc embellissant l'Africaine à la démarche nonchalante mettaient merveilleusement en valeur l'ébène absolu de sa carnation. Poussé par ses instincts fripons, le baron de Raversac n'avait pas été long à repérer le superbe Tanagra vivant.

M. Edmond Piedelièvre était la vedette de l'élément masculin de la nouvelle domesticité. C'était le maître d'hôtel. Il se faisait appeler respectueusement « monsieur » par tous les autres membres du personnel, et familièrement Edmond par ceux dont il devait recevoir des ordres tels que la princesse douairière, le baron-animateur, les clients millionnaires et, bien entendu, le directeur général Orvoli... En vieux routier de sa profession, qui avait bourlingué de château en château quand les propriétaires avaient encore les moyens de s'offrir le luxe de sa présence cérémonieuse puis, lorsque les temps étaient devenus plus difficiles, de restaurants de palaces en restaurants tout courts, Edmond Piedelièvre, encore assez bel homme sous sa crinière léonine, savait que l'obséquiosité polie est une arme des plus efficaces autour d'une table. Ne manquant jamais, dès que l'occasion se présentait, de rappeler ses états de service passés et plus spécialement à la princesse ou au baron, il disait sur un ton qu'il savait rendre emphatique pour paraître très détaché des basses servitudes de sa profession :

– Quand j'étais au service de Madame la marquise des Emblavures-Bombon, je me permettais de lui faire remarquer qu'il est préférable dans un grand dîner de ne jamais repasser les plats pour éviter que les derniers servis ne soient vexés de n'avoir plus à mettre dans leurs assiettes que les bas morceaux... Chez Madame la comtesse de Lanvellec-Poulmir, dans son très beau château d'Ille-et-Vilaine, il existait une fâcheuse coutume allant contre toutes les règles de la bienséance à table : on servait les enfants au-dessous de dix ans avant les grandes personnes sous le fallacieux prétexte que les premiers mangeaient moins vite que les seconds! C'était déplorable pour la bonne marche du service.

Souvenirs professionnels qui ne cessaient plus! Edmond était tellement intarissable que c'était à se demander s'il n'avait pas passé toute son existence entre une fourchette et une cuiller, ou même coincé entre une pile d'assiettes et un plat à poisson. Si ses bavardages n'impressionnaient guère Marie-Adelaïde et Melchior, familiarisés avec la vie de château, ils produisaient un réel effet sur les clients cossus du

195

Palais de la Retraite qui, pour lui, n'étaient même pas des nouveaux riches – espèce en voie de disparition depuis la dernière guerre – mais seulement des « enrichis » pour lesquels il avait secrètement le plus profond mépris. Quand on a travaillé pendant des années dans « la Haute », il est difficile de ramper devant des parvenus.

Le chef était d'une tout autre espèce que « monsieur Edmond ». Plutôt jovial et d'une carrure appétissante faisant honneur à sa cuisine, Aristide Dubandu couvait des yeux son marmiton ou « aide de cuisine » auquel il avait déjà appris une foule de choses utiles telles que vider un poisson sans se souiller les mains, ébouillanter une langouste sans la laisser trop crier, assaisonner une salade ou faire sauter des crêpes... N'était-il pas charmant, cet adolescent de dix-sept ans portant crânement la toque et tout vêtu de blanc, répondant au nom séraphique d'Ange Musette? Il plaisait énormément à son patron rubicond qui parvint à lui faire comprendre que, si l'on voulait faire de la bonne cuisine moderne, il ne faut pas rechigner à subir certaines privautés diamétralement opposées à celles qu'une Clémence Borniquet n'avait pas hésité à exercer pour faciliter sa fulgurante ascension sociale. Pour rien au monde le chef Dubandu n'aurait toléré devant son fourneau la présence d'une fille de cuisine! Haïssant les jupons il ne pouvait œuvrer dans l'exaltante euphorie de ses créations culinaires que s'il opérait avec un adorable mignon à ses côtés. Le petit Ange blondinet sut s'adapter très vite à cette façon assez spéciale de travailler. Ce fut pourquoi, tant que ce duo idyllique se prolongea, les millionnaires se régalèrent. Qui ne sait que les petits plats mitonnés par la pédérastie sont succulents, les

196

homosexuels étant de loin les gens les plus gourmets du monde?

En complément de toute cette brigade – féminine grâce à la double présence de la brune Mme Sarfato et de Mlle Doudou encore plus foncée qu'elle, masculine par ce que M. Edmond donnait l'impression d'être plutôt un tombeur de clientes esseulées, asexuée enfin par la faute des roucoulades égayant la cuisine – il y avait le couple très solide d'Ernest et d'Adèle... Lui tenait, ajouté à ses fonctions déjà multiples de jardinier-valet de chambre-chauffeur le rôle de chasseur empressé qui court partout et dont aucun palace digne de porter ce nom prestigieux ne peut se passer. Ouvrant et refermant les portières claquantes des voitures devant le perron et se chargeant d'aller remiser ou chercher ces mêmes véhicules aux écuries transformées en garage, Ernest accomplissait quotidiennement une besogne surhumaine sans qu'il soit jamais venu à l'idée de sa patronne d'augmenter ses appointements. Mais, d'une nature foncièrement heureuse, l'excellent homme oubliait cette mesquinerie dès qu'il pouvait contempler le garage ou ses abords. N'était-ce pas émouvant de pouvoir admirer une telle accumulation d'automobiles les plus variées à Verchamps? N'était-ce pas la preuve que le vieux et beau navire, barré d'une façon magistrale par la princese douairière, commençait à prendre la vitesse de croisière qui aurait toujours dû être la sienne? N'était-ce pas aussi très réconfortant de constater que la Renault de la princesse n'était plus tristement solitaire mais entourée par la Cadillac au ramage « fraise écrasée » des Brésiliens et immatriculée à São Paulo, la Peugeot à la couleur assez indéfinie parce que mal entretenue de la veuve du notaire, l'amusante petite Austin vert bouteille de la théâtreuse, la voiture sans physionomie précise inventée par son génial propriétaire le professeur Coquibus et ressemblant à un volumineux scarabée qui serait grimpé sur quatre roues, la Rolls-Royce bleu turquoise du faux couple Nougat... Le chanoine Poudaloue était arrivé à bicyclette, pédalant courageusement sous sa soutane et venant d'on ne savait où! La Citroën poussive de Melchior n'avait pas eu droit, en raison du manque de place, à la protection du garage. Elle restait dehors devant les communs, bravant les intempéries et montant la garde devant les moyens de transport des millionnaires avec la même conscience que celle dont son propriétaire Melchior savait faire preuve pour donner l'impression d'approuver sous réserve les initiatives de Marie-Adelaïde.

Ce qui permettait de subodorer l'imminente réussite était le vêtement qu'Ernest portait pour exercer ses talents de chasseur.

– Pas question, avait déclaré la douairière, qu'Ernest soit vêtu de l'une de ces livrées constellée de rangées de boutons de cuivre et dont le col droit montant oblige les malheureux chasseurs d'hôtels à se tenir raides comme des piquets, ni coiffé de la calotte à jugulaire oscillant entre le livarot galonné et la chéchia! Puisque nous sommes dans un château, où la chasse fut pendant longtemps une pratique discutable mais courante, Ernest portera une tenue de garde-chasse en velours côtelé vert ainsi que la casquette dont la visière sera surmontée de « nos » armes. Nous sommes bien d'accord?

Comme toujours, à chaque fois que Marie-Adelaïde prenait la décision finale, il n'y eut pas d'objection. Le noble uniforme, évoquant les battues disparues et les sous-bois prometteurs de gibier ou de braconniers, fut évidemment payé par la société et, après un essayage réussi chez un confectionneur de Chartres, Ernest revint magnifique à Verchamps qui retrouvait ainsi, montant la garde au bas du perron, un serviteur stylé rappelant les splendeurs du prince Éric.

Adèle, fidèle épouse, restait presque calfeutrée au deuxième étage dans une longue pièce mansardée voisine de la chambre réquisitionnée par Marie-Adelaïde et qui avait été la lingerie du château depuis des siècles. C'était là où se trouvaient, rangées avec minutie sur des rayons fixés au mur, les piles de linge qu'il avait fallu acheter – également aux frais de la société d'exploitation – pour pouvoir satisfaire l'insatiable boulimie de serviettes de table, de serviettes de toilette, de peignoirs feutrés, de tapis de bain, de taies d'oreiller et de draps extra-fins exigés par une clientèle payant suffisamment cher pour avoir le droit de ne pas se soucier de ces frais de blanchissage dont la châtelaine avait horreur. Dans cet univers de blancheur éclatante – le linge était emporté chaque semaine par une camionnettte à une blanchisserie spécialisée de Chartres puis rapporté, immaculé, la semaine suivante – la brave Adèle se sentait devenue une tout autre femme que celle qui, aux périodes de misère grandiose, s'était montrée capable de remplacer à elle seule et avec des moyens archaïques – tels le battoir, la brosse et le savon de Marseille – les machines à laver perfectionnées de notre temps. Les choses avaient bien changé à Verchamps !

Il restait enfin la brigade d'entretien général arabo-pakistanaise qui, chaque samedi, venait de Nogent-le-Rotrou pour faire vrombir dans une sorte de ballet kafkaïen un escadron d'aspirateurs capables de faire rêver les conservateurs des musées les plus poussiéreux et les plus endormis.

C'est dire que tout fonctionnait à souhait quand les millionnaires appâtés commencèrent à se présenter. Ce furent monsieur et madame Mochado les Brésiliens qui débarquèrent les premiers de leur étincelante Cadillac. Ils se montrèrent polis et assez intimidés : la princesse sut les accueillir avec toute cette classe innée qui était son meilleur atout. Les arrivées ne cessèrent plus, prouvant que ce sont souvent les personnes les plus aisées qui savent respecter le jour et l'heure fixés. Dès le début la clientèle se révélait bien élevée. Orvoli ne s'était pas trompé dans son tri. Les uns ou les unes après les autres furent accompagnés, après la sublime réception de Marie-Adelaïde, jusqu'à leurs appartements réservés par un baron de Raversac qui sut égaler les meilleurs chefs de protocole du Palais de l'Élysée. Un Melchior débordant d'amabilité et de savoir-vivre.

Le plus épuisé des arrivants fut le chanoine Pouladoue qui, encore tout ruisselant sous sa soutane, avoua à Ernest en lui confiant sa bicyclette :

– Jamais je n'aurais cru, quand je l'ai attaquée, que la côte conduisant de Chemy-en-Perche jusqu'à l'entrée du parc serait aussi raide! Enfin, j'ai du jarret!

– Monsieur le chanoine vient de loin?

– J'ai pratiquement traversé les deux tiers de la France.... Par étapes, bien entendu, que j'ai faites le long de ma route dans différents presbytères... C'est très commode pour nous, ecclésiastiques, les presbytères... Au fond, ce sont des relais-presbytères : il en a un peu partout! Ce qui ne veut pas dire que le confort y soit irréprochable mais, en général, la table s'y révèle savoureuse.

Les arrivées de la veuve du notaire, de la théâtreuse et de l'inventeur passèrent presque inaperçues tellement il semblait que le personnel du Palais de la Retraite était déjà là en place depuis des années pour accueillir tous ceux qui voulaient bien apporter leur argent. Les derniers postulants au bonheur en perspective furent les Nougat, et pourtant c'était eux qui avaient la plus somptueuse des voitures : la Rolls-Royce dont l'entrée silencieuse dans la cour d'honneur apporta à Marie-Adelaïde un grand moment d'émotion. Mais quand Ernest ouvrit la portière de la limousine pour permettre à la compagne du millionnaire du prêt-à-porter d'en descendre, l'émotion de la princesse douairière se figea... Et elle ne put retenir cette exclamation :

– Ce n'est pas possible! Clémence Borniquet!

C'était bien elle dans toute sa rousseur insolente. Melchior, blanc comme plâtre, restait figé debout à droite de la princesse. Ernest, tenant toujours la poignée de la portière, était devenu plus verdâtre que son bel uniforme. Ce fut un nouveau grand moment de Verchamps... La seule personne qui donnait l'impression de se sentir tout à fait détendue était l'ancienne petite servante toujours aussi éclatante de santé, rayonnante de belle humeur et portant un tailleur Chanel qui moulait à ravir ses formes rebondies. Son homme – il paraissait malaisé d'appeler autrement le personnage qui venait de s'extraire également de la voiture – n'avait rien d'un Apollon. Trapu, les épaules carrées et court sur jambes, à peu près de la taille de sa compagne, M. Nougat portait sur son visage cette sérénité qu'ont tous ceux qui, débarrassés d'angoisses financières pour longtemps, sont bien décidés à profiter de tous les plaisirs que l'existence voudra bien encore leur offrir. Sensiblement plus âgé que Clémence, il incarnait le type parfait du bon vivant.

Un geste spontané et sympathique de Clémence mit fin à la stupeur générale : elle embrassa sur les deux joues Ernest son papa qui venait de remplir dignement ses fonctions de chasseur, et ce fut bien la première fois à Verchamps qu'une aussi jolie fille descendant d'une Rolls-Royce faisait preuve d'une telle affection pour un garde-chasse! Sa première question à l'auteur de ses jours fut :

– Où est maman?

– Là-haut dans la lingerie.

– Toujours le linge de maison! Elle n'en sortira donc jamais, la pauvre?

Puis, se tournant vers Marie-Adelaïde et Melchior qui restaient pétrifiés sur le perron, elle alla carrément vers la douairière à qui elle tendit une main chaleureuse en disant d'une voix mi-joyeuse, mi-ironique :

– Je suis enchantée de vous revoir, madame... Vous aussi, monsieur le Baron...

La châtelaine eut une hésitation avant de saisir la main qui s'offrait aussi gentiment mais, réalisant en un quart de seconde qu'elle ne se trouvait pas uniquement en présence de la fille qu'elle avait flanquée à la porte mais aussi d'une « cliente » vivant avec un homme richissime, elle prit la petite main potelée qu'elle garda le moins longtemps possible dans la sienne de plus en plus anguleuse tout en demeurant muette de saisissement. Son visage, barré par un rictus qui cherchait à être un embryon de sourire, ressemblait plutôt à une affreuse grimace!

Quand, se conformant au protocole qu'elle avait appris à la rude école de son ancienne patronne, la pseudo Mme Nougat se tourna vers Melchior, ce fut pour remarquer :

202

– Je constate avec le plus grand plaisir que monsieur le baron n'a pas changé et qu'il est toujours en pleine forme...

– Eh oui! balbutia l'intéressé. Je lutte du mieux que je le peux...

– Je suis également ravie, poursuivit Clémence de plus en plus à son aise, de vous présenter Jules Nougat qui n'est pas encore mon mari mais c'est tout comme!

Puis s'adressant au bonhomme courtaud :

– Pas vrai, mon minet?

– C'est vous, la fameuse princesse? demanda Jules Nougat à Marie-Adelaïde en lui tendant à son tour une main dont la poigne fit craquer les os de celle de la grande dame. Très honoré de faire votre connaissance.... La vôtre aussi, monsieur le baron! Ma petite femme m'a souvent parlé de vous et m'a dit que vous étiez un vrai rigolo...

– Elle.... Elle a dit ça? bégaya Melchior de plus en plus gêné pendant que Marie-Adelaïde lui jetait un regard de compassion méprisante. C'est très amusant... Si « Madame » et Monsieur son ami voulaient bien avoir l'extrême obligeance de me suivre, je me ferais un devoir de leur montrer leur chambre...

– Oh! s'exclama Clémence. Monsieur le baron n'a qu'à me dire laquelle c'est. Je connais la bâtisse par cœur...

Pendant qu'ils commençaient à gravir l'escalier en l'aimable compagnie de Melchior et suivis par Ernest ployant sous le poids des somptueuses valises de sa fille, elle demanda :

– Pourquoi n'a-t-on pas pu nous réserver la chambre royale comme je l'avais fait réclamer par Jules à votre agence de Paris? C'était celle-là que je voulais!

– Mademoiselle..., commença Melchior.

– Madame, rectifia Clémence. Oui, baron, à l'avenir ce sera toujours ainsi qu'il faudra m'appeler! Vous aurez l'obligeance de le dire à tout le monde ici, aussi bien au personnel qu'aux autres clients. Je suis madame Jules Nougat! Ce n'est pas parce qu'on n'a pas encore eu le temps de passer devant le maire ou le curé qu'on n'est pas une dame!

– Madame, reprit Melchior conciliant, comprendra certainement – connaissant aussi bien madame la princesse douairière que « sa bâtisse » – que cette dernière se soit obstinément refusée à ce que la chambre du roi Charles X puisse être louée... On peut seulement, si on en fait la demande au préalable à la réception, la visiter et encore à condition que je n'y sois pas!

– Parce que c'est vous, monsieur le baron, qui continuez à l'occuper?

– Cette chère Marie-Adelaïde l'a voulu.... Et vous savez aussi bien que moi qu'il est très difficile de résister à ses exigences!

– Finalement, quelle est notre chambre?

– La bleue, enfin celle dont les murs sont recouverts de damas bleu...

– Au bout du couloir? Je vois... Je la déteste, cette chambre! Elle est pleine de recoins qui sont de véritables nids à poussière et où on n'arrive jamais à passer le torchon!

– Madame va être surprise, continua Melchior sans se départir de son flegme. Tous ces recoins ont été supprimés et remplacés par un charmant petit boudoir, placé entre la chambre proprement dite et la salle de bain où Madame pourra procéder à ses soins de beauté. Ce n'est plus seulement une chambre mais une véritable suite comme dans les palaces...

– Une salle de bain là? Ça, c'est nouveau! Mais dites donc : elle s'est mise en frais, la vieille?

– Comment Madame peut-elle parler ainsi de Madame la princesse douairière de Verchamps qui a su se montrer tellement bonne pour elle?

– Bonne? Pas aussi sûr que vous le dites! D'ailleurs j'ai tout raconté à « mon mari »... Pas vrai?

– Elle ne me cache rien! répondit Jules toujours goguenard. Moi non plus... C'est-y pas mieux comme ça, monsieur le baron, quand on décide de se mettre en ménage?

Pendant ce temps, restée au rez-de-chaussée, la châtelaine tempêtait. Il y avait surtout une chose qu'elle n'avait pas pu digérer au moment où Clémence lui avait tendu la main : la bague! Oui, une émeraude grosse comme un bouchon de carafe et comme Marie-Adelaïde n'en avait encore jamais vue! Que cette fille soit rousse, c'était déjà gênant pour toutes celles qui ne l'étaient pas et qui rêvaient de le devenir : qu'elle eût ces yeux de chatte perverse, c'était une insulte à la moralité publique; mais qu'elle arborât en plus à l'annulaire gauche un bijou aussi insolent, c'était étouffant!

Et s'adressant à l'olympienne Mme Sarfato qui trônait dans le « gourbi » aménagé en bureau de réception :

– Où est monsieur Orvoli? Vous devriez savoir où il se trouve! N'est-ce pas votre rôle puisque vous centralisez tout ici? Je veux le directeur général! Dites-lui que son P.-D.G. exige sa présence immédiate!

Contrairement au chien de Jean Nivelle qui f... le camp quand on l'appelle, le Sicilien surgit des dessous du grand escalier en demandant de sa voix chantante :

– Madame la princesse désire me voir? J'étais dans la cave en train de vérifier avec Edmond le nombre de bouteilles de Veuve Cliquot rosé que l'on nous a livrées hier...

– Il s'agit bien de compter des bouteilles de la Veuve Cliquot en ce moment alors que vous vous trouvez devant la Veuve Verchamps à qui vous allez rendre tout de suite des comptes beaucoup plus importants! Comment, vous qui m'avez certifié avoir procédé dans votre officine parisienne à un choix rigoureux parmi les candidats au séjour dans notre Palais de la Retraite, avez-vous pu avoir l'outrecuidance d'accepter que ce monsieur Nougat et sa concubine viennent ici?

– Mais j'ai souvenance d'avoir bien précisé à madame la princesse premièrement que monsieur Nougat m'a dit lui-même, le jour où il a signé le contrat de garantie équivalent à un engagement formel de sa part et versé intégralement le montant de la réservation, qu'il n'était pas marié avec la personne qui acceptait de lui tenir compagnie dans sa retraite, deuxièmement que je n'avais pas vu personnellement cette personne! Il va de soi que si j'avais pu me douter un seul instant qu'il s'agissait de cette jeune personne à laquelle les Films de l'Avenir ont donné la chance de pouvoir tourner dans une séquence de l'une de leurs productions – et ceci, je m'empresse de l'ajouter, à la demande insistante de monsieur le baron de Raversac et avec l'autorisation formelle de madame la princesse – jamais je n'aurais accepté pour notre beau Palais de la Retraite un centime de ce monsieur Nougat dont d'ailleurs les garanties bancaires sont de tout premier ordre... Que

206

faisons-nous? Nous gardons ces clients, ou nous les renvoyons? Mais dans ce cas il va falloir leur restituer sur-le-champ l'importante somme qu'ils ont déjà versée à titre d'à-valoir... Seule madame la princesse, notre présidente, peut en décider?

– Et vous Melchior, vous n'étiez pas non plus au courant de cette manœuvre que j'estime frauduleuse à mon égard? Car c'est elle, j'en suis sûre, qui a tout manigancé pour faire sombrer dès le départ la magnifique organisation que nous avons réussi, non sans mal, à monter pour sauver enfin ce château! Une vraie garce! Vous ne vous en étiez donc pas rendu compte, quand elle vous prodiguait ses mamours, mon pauvre ami?

– Elle s'est toujours montrée tellement adorable pour moi, Marie-Adelaïde! Et vous savez ce que c'est lorsqu'on est amoureux...

– On devient idiot! De toute façon si j'étais à votre place, je serais effondré de voir l'allure du bonhomme qui vous a remplacé! Il a peut-être un gros compte en banque et une Rolls, mais pour le reste!

– J'attends toujours les ordres de madame la princesse, dit Orvoli. Je peux très bien monter avant que ce monsieur et cette jeune personne n'aient terminé leur installation dans la chambre bleu pour les prier d'en déguerpir, donner aussi à Ernest l'ordre de ramener leur voiture du garage et de descendre leurs bagages pendant que madame Sarfato préparera le chèque de remboursement?

– Les renvoyer sous quel prétexte?

– Qu'ils ne sont pas mariés légalement et qu'un concubinage, quel qu'il soit, ne convient pas à la dignité de ces lieux à tendance historique...

– Croyez-vous que cela suffira, puisque le monsieur vous avait prévenu?

– J'ai bien peur que non... Ça risque même de déclencher un procès s'ils nous attaque en rupture abusive d'engagement...

– Pas de procès, Orvoli! Je ne veux pas de procès à Verchamps où j'ai réussi à en éviter des dizaines au temps des indécentes magnificences de feu mon époux! Ce serait pire que tout, un procès, surtout si la presse s'en mêle! Imaginez ce que ça donnera quand les journaux publieront ce titre : L'OUVERTURE DU PALAIS DE LA RETRAITE DÉBUTE PAR UN PROCÈS! Ça flanquerait tout par terre!

– Peut-être n'y en aura-t-il pas puisque nous aurons remboursé?

– Et si ces marchands de fripes nous réclamaient une indemnité pour rupture abusive d'engagement? Nous aurons bonne mine! Non, il ne faut pas rembourser! D'ailleurs c'est toujours très désagréable de rembourser!

– Donc nous gardons les Nougat?

– Je me sens devenir folle, Orvoli! Laissez-moi réfléchir...

Tel le penseur immortalisé par Rodin, elle mit sa main sous son menton tandis qu'Orvoli et Melchior la contemplait perdue dans ses amères réflexions... Ils la trouvèrent presque belle, assez grandiose sous sa douleur cachée... Enfin elle releva fièrement la tête pour annoncer sur le ton faussement détaché qu'elle savait si bien prendre quand on la plaignait de supporter seule le poids écrasant du château :

– Qu'ils restent! Mais je vous jure que je vais l'avoir à l'œil, la petite putain! Et surtout qu'elle ne se mêle pas de semer le trouble parmi nos autres pensionnaires qui semblent être des gens de qualité... Enfin je l'espère! A moins que monsieur Orvoli ne nous ait caché beaucoup de choses?

208

– Moi qui suis le plus grand allié de madame la princesse! Quelles choses peuvent arriver entre des Brésiliens, un chanoine, un malade imaginaire, une veuve de notaire, un savant et une théâtreuse défraîchie?

– Tout, absolument tout, monsieur Orvoli! Allez-vous en, monsieur le directeur général... Vous aussi, Melchior! Qu'ai-je donc fait au Ciel pour qu'il m'envoie encore tant d'ennuis? J'ai besoin de me recueillir.

Quinze jours passèrent. Tout le monde était confortablement installé. Il n'y avait pas eu trop de récriminations, les clients donnant l'impression d'être plutôt satisfaits. Contrairement à ce qu'appréhendait Marie-Adelaïde, il n'y eut pas non plus le moindre incident avec Clémence qui, sans doute ravie de l'action d'éclat qu'avait été son arrivée, s'était contentée – après avoir couru embrasser sa maman dans la lingerie – de faire chaque jour des randonnées en Rolls avec son commanditaire auquel elle semblait vouloir faire découvrir toutes les beautés du pays de son enfance et dont la bonne humeur communicative était un véritable défi à la mine renfrognée que prenait la douairière à chaque fois qu'elle les croisait. Le rire permanent de Clémence et de Jules Nougat était aussi une arme absolue face à la morosité viscérale dont faisait preuve Ermeline Letocard, la veuve du notaire qui ne se montrait que vêtue de noir en portant le deuil inconsolable de la disparition de son époux... Si quelqu'un, uniquement inspiré par la compassion, se permettait de lui demander s'il y avait longtemps qu'elle vivait son calvaire de veuve, elle répondait d'une voix sèche, étranglée par l'émotion:

– Mon cher Sigismond m'a quittée il y a déjà trente ans mais je ne parviens pas encore à m'habituer à son absence!

Une telle fidélité dans le souvenir était plus qu'émouvante... Quand on regardait le visage austère de cette femme ravagée par le chagrin et que l'on ne pouvait pas imaginer autrement qu'en veuve, on se demandait quel être exceptionnel avait dû être le défunt... Son épouse tenait à rester volontairement solitaire, ne frayant avec aucun autre des occupants de Verchamps et passant le plus clair de son temps à faire de longues promenades pédestres dans le parc en égrenant son chapelet.

– Elle en fait trop! disait à l'entourage le chanoine Poudaloue que l'on ne voyait jamais lire son bréviaire et qui par contre était un fidèle lecteur de *Play-Boy* et autres magazines du même genre.

Un aussi bon vivant que Jules Nougat, le chanoine! Ils s'entendaient d'ailleurs très bien tous les deux et faisaient d'interminables parties de belote dans un coin du petit salon sous le regard émerveillé de Clémence qui profitait de ces duels acharnés pour recouvrir ses ongles de vernis devant tout le monde... Après tout, quand on paie aussi cher un séjour, on achète le droit de faire ce que l'on veut ou alors ce ne serait pas la peine d'être la petite amie d'un homme cousu de fric! Il était également très gourmand, le bon chanoine à qui des moyens financiers considérables – hérités de celle qu'il disait avoir été sa sœur, mais qui n'avait peut-être été en réalité qu'une riche bigote énamourée du charme ecclésiastique, lui ayant laissé par testament tout son avoir! – avaient permis de choisir la retraite dorée de Verchamps, infiniment plus prometteuse qu'un triste exil dans un hospice n'accueillant que les vieux serviteurs du Bon Dieu et où il aurait été plus ou moins choyé par des religieuses certes très dévouées, mais quand même moins attrayantes qu'une Mme Sarfato ou une Mlle Doudou.

Si la rondeur du chanoine s'imposait dès le premier abord, la féminité de Sophie Barnel, la théâtreuse, était beaucoup plus discrète malgré sa chevelure trop platinée, le rimmel encerclant les yeux en donnant l'impression qu'elle avait un regard immense et le charme mitigé de sa silhouette vieillissante. Elle avait le grand mérite de ne pas chercher à trop attirer l'attention de l'élément masculin du Palais de la Retraite – clients et personnel compris – à l'exception peut-être du solennel maître d'hôtel, M. Edmond, qui l'impressionnait. Mais comme ces assauts discrets de séduction ne se passaient qu'à la fin des repas et de préférence entre le dessert et le fromage, ça n'allait pas très loin! Remontée rapidement dans sa chambre après un salut circulaire et élémentaire adressé aux autres occupants de la salle à manger – le salut à la foule n'est-il pas le moment le plus important d'une vie d'artiste? – elle s'y enfermait pour écouter pendant des heures les innombrables refrains qu'elle avait rabâchés sur les planches et qu'elle transportait toujours avec elle, comprimés dans des cassettes enregistrées. Heureusement la judicieuse répartition des chambres, orchestrée par l'astucieux Orvoli, faisait que la sienne se trouvait située, après un tournant du grand couloir, dans l'aile droite du château. Ainsi personne n'était incommodé par les *Je suis la fille du Tambour-Major*, des *Poussez l'escarpolette* ou autres rengaines un peu oubliées aujourd'hui mais restées encore pétulantes de vitalité.

Les « indigènes de São Paulo » – c'était ainsi

211

que Marie-Adelaïde appelait le couple brésilien – ne cessaient pas de s'embrasser comme si cette retraite, qu'ils avaient voulue en France, n'était pour eux que le prolongement d'un interminable voyage de noces qui ne pourrait prendre fin qu'avec leur propre disparition! Adorables tourtereaux exotiques qui se montraient gentils et affables envers tout le monde... Leur allure indéniable, ajoutée à une authentique élégance qui savait être aussi bien morale que vestimentaire, leur conférait cette aura éternellement juvénile dont avait si bien su profiter, des siècles avant eux, un Philémon et une Baucis... Quand on les voyait passer dans les salons en se tenant amoureusement par la main ou marcher enlacés sous les ombrages du parc, ils étaient assez surprenants... C'était l'une des rares visions qui avait fait naître dans le cœur hermétique de Marie-Adelaïde une toute petite pointe d'attendrissement... Ne serait-ce que pour ce résultat plutôt imprévisible, leur présence se révélait bénéfique pour Verchamps.

L'avant-dernier pensionnaire restant était l'immortel inventeur de l'insecticide miraculeux. Lui aussi frayait le moins possible avec ses voisins de chambre ou de table. Poli et taciturne, le doyen errait du grand salon à la bibliothèque, revenant dans le petit salon, faisant parfois trois fois le tour de la cour d'honneur, s'enfonçant dans le parc et réapparaissant une ou deux heures plus tard, l'œil hagard, le cheveu défait, la bouche balbutiant des mots qu'il devait être le seul à comprendre, son esprit étant sans doute perdu dans la recherche de quelque élixir capable de transformer les punaises rampantes en papillons multicolores? De temps en temps – une fois par semaine tout au plus – il partait en promenade dans l'étrange véhicule qu'il avait inventé et qu'Ernest avait l'interdiction de toucher aussi bien pour aller le chercher que pour le ramener au garage. A chaque fois ces départs tenaient de la prouesse. Affirmant que sa voiture-scarabée, évoquant vaguement la « coccinelle » à peu près disparue de Volkswagen, se passait de carburant et fonctionnait grâce à l'absorption d'une poudre blanche enchantée qu'il sortait d'une petite boîte et enfouissait dans ce qui devait être le carburateur, Eugène Coquibus parvenait à démarrer au volant de son engin après une longue attente rappelant celle qui s'était révélée impérative pour réchauffer les gazogènes aux temps honnis de l'Occupation.

Ce qui est certain, la monoplace – il n'y avait qu'un seul siège, le propriétaire inventeur ayant décidé une fois pour toutes de ne jamais convier personne à ses mystérieuses randonnées – prenait le large dans le plus grand silence sans laisser la moindre trace de fumée nauséabonde, aussi dévastatrice pour les poumons de l'humanité que pour l'équilibre écologique des arbres centenaires du parc de Verchamps. A chaque fois qu'elle le voyait ainsi s'éloigner dans la cour d'honneur, Marie-Adélaïde ne pouvait s'empêcher de penser, admirative : « C'est tout de même plus agréable pour ceux qui restent à pied que les pétarades assourdissantes du bolide italien d'Orvoli ! »

Le tout dernier client était le seul à être arrivé au Palais de la Retraite sans l'aide d'un moyen de locomotion personnel automobile ou bicyclette comme le chanoine... Il s'était fait déposer prosaïquement devant le perron par un taxi parisien. Ce qui prouvait qu'il avait les moyens de s'offrir de longues courses tarifées et qu'il n'était peut-être pas aussi titulaire d'un permis de conduire ? On peut être

213

richissime et détester tenir un volant contrairement à ce que pensent le plus souvent tous ceux qui n'ont pas les moyens de s'offrir une voiture. En réalité Stéphane de Morane-Baisieux, qui tenait avant tout à sa précieuse santé, estimait non sans raison que l'on ne doit pas se cramponner à un volant si l'on ne se sent pas en pleine forme... Et il n'avait jamais été de sa vie en forme depuis le temps où sa chère maman disparue lui répétait quotidiennement « Stéphane, as-tu pris ce matin tes pilules pour éviter les maux de tête? » ou bien « Mon chéri, ce soir, avant de te coucher, tu me feras le paisir de boire ta tisane de queues de cerise qui fait uriner. » Conseils éclairés qui avaient commencé dès que Stéphane avait atteint ses sept ans et duré jusqu'à la mort de madame mère, à quatre-vingt-dix-sept... C'était pourquoi, même millionnaire, le vieux garçon ne se sentait jamais très bien.

Triste état qui l'incitait à poser à toute personne rencontrée à Verchamps l'insidieuse question :

– Comment allez-vous aujourd'hui?

– Pas trop mal, répondait l'intéressé.

– En êtes-vous bien sûr? insistait Stéphane. L'infarctus ou une pneumonie peuvent si vite arriver!

« Pourquoi diable, pensait Marie-Adelaïde, ce bonhomme a-t-il voulu prendre sa retraite ici? Il aurait été beaucoup plus à l'aise s'il avait acheté une pharmacie! Il est vrai que l'air de Verchamps est tellement vivifiant! Cela se rapproche de mon idée d'exploitation d'eau minérale : l'eau de Verchamps... Quand même il faudra que je dise à Orvoli d'insister dans ses communiqués de presse publicitaires, destinés à maintenir la bonne réputation de notre entreprise, sur le côté climatique de nos régions... »

Malgré ces menaces de maladies hypothétiques tout n'allait pas trop mal au Palais de la Retraite après les premiers mois d'exploitation. Ça fonctionnait même très bien, surtout pour le toujours fringant Melchior qui, cédant une fois de plus à ses goûts ancillaires, s'intéressait de plus en plus à la séduisante soubrette camerounaise Doudou. Ceci pour deux raisons primordiales : d'abord la belle Noire était follement désirable avec sa façon bien à elle de rouler les yeux comme des boules de billard tout en ayant, quand elle se propulsait, un dandinement capable de faire rêver n'importe quel vieux marcheur, ensuite parce que le baron devait trouver sans trop attendre une vigoureuse parade à l'affront qu'avait fait Clémence à son initiation en galanterie en venant s'installer sous le même toit que lui et sans lui en avoir même demandé l'autorisation préalable! Ceci avec un amant dont le moins qu'on pût dire était qu'il n'avait aucune classe! Comment une fille qui avait connu la chance de vivre dans l'intimité d'un Melchior de Raversac et de se familiariser avec les belles manières qu'il avait essayé de lui inculquer, avait-elle pu s'acoquiner avec un pareil rustre? C'était déprimant... Et pourtant, se disait Melchior en se souvenant des innombrables déconvenues antérieures qu'il avait connues avant l'apparition de la jolie rouquine, elles sont toutes pareilles! On se donne un mal fou pour les civiliser en pensant que ça pourra toujours leur servir plus tard, mais, dès qu'elles se sentent parées, elle vous lâchent pour aller rejoindre un quidam sans la moindre envergure! Les bonnes d'aujourd'hui réussissent trop vite et deviennent ingrates... C'était pourquoi il était indispensable de tenter une nouvelle expérience avec cette Doudou colorée qui, venant d'au-delà des mers, n'avait peut-être pas encore eu le temps de trop complètement se civiliser?

Ayant déjà pu évaluer l'efficacité de la méthode avec Clémence, il décida que les premières approches se feraient sous le baldaquin du roi au moment du petit déjeuner apporté par Doudou sur ce même plateau argenté qu'avait déjà utilisé la rousse chaleureuse. Les toasts tièdes s'y trouveraient attendant d'être beurrés, la confiture de fraises aussi... Tous les éléments de la conquête matinale seraient là. Il n'y aurait plus qu'à opérer après quelques petits déjeuners au cours desquels la conversation deviendrait de plus en plus mutine... Mais, malheureusement, le jour J... Doudou oublia un détail technique auquel Clémence avait su penser quand elle avait jugé que son grand moment de charme était arrivé : fermer de l'intérieur la porte donnant sur le couloir! Le matin même où Melchior, ayant fait semblant de sommeiller encore selon son hypocrite habitude et persuadé que l'adversaire était enfin prête à rendre les armes à défaut de son tablier, la porte s'ouvrit brusquement sous l'effet d'une poussée irrésistible et Marie-Adelaïde, portant encore ses bigoudis de la nuit, apparut telle une furie!

Une douairière déchaînée qui hurla :

– Ça suffit! Une fois ça pouvait passer... Deux, Melchior, c'est trop! Ah ça! Vous n'allez pas me débaucher tout mon personnel féminin syndiqué? Mais vous êtes un monstre lubrique! Sortez immédiatement, mademoiselle Doudou, et allez porter tous les autres petits déjeuners, qui sont en train de refroidir à l'office, dans les chambres où on les réclame à coups d'appels téléphoniques! Par votre faute le standard de madame Sarfato est submergé tous les matins à la même heure! Allez!

La nonchalance de la Camerounaise se transforma immédiatement en allure de gazelle qui s'enfuit devant le simoun venant de s'engouffrer dans la chambre d'honneur! Dès qu'elle fut loin, Marie-Adelaïde dit à Melchior qui, cette fois, donnait l'impression d'être tout à fait réveillé :

– Puisque vous êtes incorrigible, je me vois dans l'obligation de prendre une décision grave! Je ne vous mets pas à la porte comme la première fois parce que je vous connais assez pour savoir que vous me reviendriez quelques jours plus tard dans la voiture de votre complice Orvoli! Je vais faire mieux : prendre un amant!

– Quoi! s'exclama le baron brusquement dressé debout sur son lit et en pyjama rayé. Vous n'allez pas commettre une pareille folie, Marie-Adelaïde?

– Et pourquoi me gênerais-je? Je n'ai plus de mari et vous n'avez jamais été capable d'être mon amant! J'avoue que, le temps passant et le chagrin de mon deuil s'estompant, j'en étais presque arrivée à me dire : « Marie-Adelaïde pourquoi ne prendrais-tu pas – maintenant que la situation de Verchamps s'améliore – ce vieux Raversac pour amant? Il n'est plus tout jeune mais, d'après ce qu'on chuchote de ses prouesses, il semble être encore assez guilleret? Alors, celui-là ou un autre! Mieux vaut lui puisqu'il est de notre monde et qu'il doit être toujours resté secrètement amoureux de toi? Il présentera au moins l'avantage de savoir se montrer discret... » Vous ne comprenez donc pas, triple idiot, que je ne peux pas continuer à rester comme cela solitaire dans ce château où des couples commencent à répandre leurs effluves passionnés et contagieux? De quoi ai-je l'air, encerclée par ces excités qui ne pensent qu'à faire l'amour dans leur retraite? D'une vieille fille ridicule... Et ce ne sont pas les hommes libres qui manquent maintenant dans ce Palais de la Retraite! Comptons bien : Stéphane de Morane-Baisieux, le malade imaginaire que je saurai bien guérir avec quelques passes magnétiques! Le savant Coquibus qui a besoin d'une maîtresse l'incitant à découvrir un autre produit capable de supprimer les doryphores qui infestent mes plants de pommes de terre dans le potager! Le chanoine qui mange trop pour m'avoir l'air tellement catholique... Les gloutons ont besoin d'amour, c'est une vieille constatation! Et pourquoi pas monsieur Edmond, le maître d'hôtel, qui fait déjà des ravages dans le cœur de la chanteuse? Pour le moment, je laisse de côté le Brésilien qui semble être bien pourvu avec son Amalia ainsi que l'ignoble Jules Nougat qui n'est bon, comme vous Melchior, que pour les bonniches... Vous voyez que l'embarras du choix ne manque pas!

– Marie-Adelaïde, je suis consterné de vous écouter parler ainsi! Si Éric vous entendait de là où il se trouve aujourd'hui, il ne me pardonnerait pas de ne pas vous faire taire! Toujours au nom de notre amitié, je suis prêt à vous jurer que j'abandonnerai complètement Doudou aux obligations de son service d'étage si vous me promettez à votre tour de ne pas rechercher obstinément un amant! Ceci en mémoire de tous les Verchamps!

– Je verrai... Mais vous avez tort d'évoquer mon époux! Dites-vous bien que s'il avait pu, de son vivant, me flanquer dans les bras d'un autre, il n'aurait pas hésité une seconde, trop content que je lui fiche la paix! C'est bien parce que je ne l'ai jamais trompé que ma présence perpétuelle a fini par lui paraître insupportable! Moi, je l'aimais...

– A votre manière...

– Vous connaissez deux manières d'aimer? Moi pas! On aime quelqu'un parce qu'il peut vous être utile – dans le cas d'Éric c'était surtout son nom qui me convenait – et nullement parce qu'il ne cherche qu'à grignoter votre dot!

– Vous avez de ces théories, Marie-Adelaïde!

– Des théories vraies! Et maintenant que vous m'avez juré de ne plus reluquer la négresse, vous allez retourner à vos occupations qui consistent, je vous l'ai déjà expliqué, à mettre de l'animation dans ce château, à l'exception cependant d'histoires de couchage! Cela aussi, Melchior, c'est bien compris?

– C'est compris.

– Vous devriez organiser un tournoi de bridge pour ce soir... C'est parfait, le bridge, pour ceux qui n'ont plus l'âge de se lancer dans des compétitions sportives... Je sais bien que le chanoine et l'amant de la Clémence jouent déjà à la belote... Seulement ce n'est pas très distingué, la belote, à Verchamps! Parlez-moi plutôt des échecs ou, à la rigueur, des dominos : ce sont des jeux plus nobles. Vous ne trouvez pas?

– Les dominos...

– Oui, vous ne parvenez jamais à trouver, Melchior, parce que vous n'êtes qu'un affreux égoïste ne pensant qu'à la bagatelle alors que maintenant votre devoir est de vous pencher sur l'ennui profond qui se dégage de trop de richesse! Je compte absolument sur vous.

Il se multiplia. Sa première grande réussite fut une tournée de visites en voitures des châteaux et églises anciennes des environs en évitant cependant

Chemy-en-Perche dont la population, selon Marie-Adelaïde, était trop médisante. Tous les véhicules y participèrent, y compris la monoplace d'Eugène Coquibus mais pas la bicyclette du chanoine Poudaloue qui, ne pouvant suivre le train de la caravane, la laissa au garage. Acceptant l'offre de son complice en belote, il eut droit à bénéficier du confort de la Rolls-Royce des Nougat.

De plus en plus dévoué, Melchior s'octroya la corvée de prendre à bord de sa Citroën, tenant lieu de voiture-pilote, Stéphane de Morane-Baisieux avec lequel il échangea entre deux arrêts et tout le long de la randonnée d'aimables propos de thérapeutique courante. A la fin de la journée, au retour à Verchamps, le baron se sentait beaucoup plus mal en point que son passager. Tous les autres conservèrent leur autonomie routière pour se déplacer, à l'exception cependant de Marie-Adelaïde qui consentit exceptionnellement – et parce qu'elle en mourait d'envie – de tenter l'exaltante expérience de monter dans la Ferrari rouge d'Orvoli qui clôturait le brillant défilé, telle la voiture-balai du Tour de France, pour ramasser les retardataires. Ce fut une chance : il n'y en eut pas.

Une autre des heureuses initiatives de l'animateur à particule fut de lancer, chaque semaine et à condition que le temps se révélât clément, des pique-niques champêtres dans le parc. Tout le monde partait avec des paniers-repas soigneusement préparés par le chef et son marmiton, et l'on revenait à la tombée de la nuit après avoir pris bien soin, selon les ordres formels de la châtelaine, de ne pas laisser traîner ces horribles papiers gras qui auraient défloré la virginité du parc entretenu fébrilement par Ernest le serviteur-protée.

220

A ces pique-niques succédèrent, quand le temps se fit plus maussade, les soirées dansantes... Mais oui! Cela se passait dans le vestibule dont les carrelages étaient des plus indiqués pour permettre aux danseurs d'évoluer avec une grâce de patineurs. Il n'aurait su être question que l'on se lançât sur les précieux tapis du grand et du petit salon! Le buffet, tenu par M. Edmond assisté d'une Doudou de plus en plus nonchalante, avait été installé dans la bibliothèque où l'on se régalait devant les innombrables rayons de magnifiques ouvrages reliés dont personne n'avait même envie de lire les titres et qui restèrent endormis dans leur léthargie anti-culturelle. Marie-Adelaïde ne manqua pas une seule de ces soirées remuantes auxquelles elle participa fébrilement. Melchior ne fut pas sans remarquer que ses préférences de danseuse allaient plus particulièrement vers le Sicilien qui, il fallait bien le reconnaître, savait se montrer irrésistible dans les slows et les tangos. Le rock and roll, considéré comme une danse trop essoufflante pour le troisième et surtout le quatrième âge de certains membres de l'assistance, se trouvait proscrit. Melchior, toujours lui, fit preuve d'une extrême délicatesse en se dévouant pour inviter à danser Ermeline, la veuve du notaire qui aurait risqué, sans ce geste charitable, de « faire banquette » : ce qui est toujours assez désagréable dans ce genre de manifestation. Le Brésilien dansait évidemment avec sa Brésilienne et Jules Nougat ne quittait pas son incandescente Clémence dont le regard moqueur observait avec ravissement un Melchior en train de s'acharner à faire valser la veuve Letocard. La chanteuse défraîchie paraissait avoir trouvé en Stéphane de Morane-Baisieux un cavalier tout à fait à la hauteur de ses aspirations artistiques et ceci sous les regards soupçonneux d'Edmond le maître d'hôtel qui, derrière son buffet de la bibliothèque, pouvait apercevoir par une double porte grande ouverte le vestibule-dancing où semblaient se nouer de surprenantes intrigues. Eugène Coquibus enfin n'avait pas de cavalière mais avait préféré, en inventeur-technicien qu'il était, surveiller très consciencieusement la rotation du microsillon répandant l'harmonie indispensable. Incontestablement cette formule de soirées dansantes plaisait.

Un nouveau mois passa avec son alternance de fêtes organisées et d'ennui progressif qui n'était pas sans inquiéter Marie-Adelaïde. Aussi n'attendit-elle pas longtemps avant de dire à son confident :

– Melchior, il faut absolument trouver autre chose pour occuper nos pensionnaires qui commencent à se regarder en chiens de faïence et qui finiront par se chamailler ! C'est toujours ainsi que ça se termine dans les maisons de ce genre, même les plus somptueuses, quand les gens ne peuvent plus se voir... Pourquoi ne pas revenir à l'idée que j'avais eue d'organiser une représentation théâtrale ? Le fin du fin serait de demander à chaque pensionnaire de participer à cette soirée où chacun jouerait la comédie, réciterait des monologues, chanterait, ferait même au besoin un numéro de prestidigitation et pourquoi pas de jonglage ou d'acrobaties s'il est doué ? La préparation d'une telle soirée demanderait trois ou quatre semaines pendant lesquelles tout le monde serait occupé et, le grand soir venu, nous donnerions une sorte de gala au profit, par exemple, des œuvres du curé de Chemy-en-Perche qui, comme tous ses confrères, doit avoir besoin d'une aide financière. Ne pensez-vous pas que ça ferait très bon effet dans le village où les gens ont assez critiqué notre entreprise ? Ça les calmerait...

222

– Mais où serait présenté ce spectacle?

– Ici, dans le grand salon. On servirait les rafraîchissements de l'entracte dans la salle à manger.

– Mais vous croyez vraiment, chère amie, que les gens de la région paieraient pour venir assister à ce spectacle interprété par des amateurs? N'oubliez pas qu'ils ont tous chez eux la télévision où des professionnels de grand métier se bousculent du matin au soir! Parce qu'enfin, si vous voulez qu'il y ait une recette pour les œuvres paroissiales, il faudra bien que l'on paie à l'entrée? Et qui paiera?

– Nos pensionnaires eux-mêmes! Ils paieront pour s'exhiber et n'auront pas le droit de faire les guignols s'ils ne sortent pas au préalable leur porte-monnaie. Vous n'avez pas idée du nombre d'amateurs qui rêvent de monter sur les planches! Ce doit être encore plus vrai pour des millionnaires auxquels on ne l'a jamais demandé! Nous pourrions aussi, en fin de spectacle, organiser un jeu avec loterie et distribution de cadeaux comme cela se passe quoditiennement à la télévision? Nous poserions des questions très ardues aux participants parmi lesquels certains seraient sans doute ennuyés d'étaler leur ignorance!

– Mais qui seront les spectateurs?

– Également nos millionnaires: ceux qui ne seraient pas en représentation applaudiraient les autres et ainsi de suite à tour de rôle... Peut-être pourrions-nous adjoindre à ces spectateurs le personnel du Palais? Ernest, Adèle, le maître d'hôtel, la Camerounaise, le chef, son marmiton, madame Sarfato qui serait toute désignée aussi pour tenir la caisse. Ça ferait déjà un peu de monde... Car il n'est pas question, bien sûr, de convoquer les gens du village! Ce sont des culs-terreux qui ne comprendraient pas et qui saliraient mes parquets ou mes tapis rares avec leurs gros souliers... Je ne veux pas de ça à Verchamps!

– Si je comprends bien, les mêmes – c'est-à-dire nos pensionnaires – joueraient et applaudiraient ensuite en se succédant?

– Exactement. Mais ils auraient payé pour jouer! Pour ces gens, qui sont trop riches, ne serait-ce pas une façon de faire la charité : ce qui n'a pas dû leur arriver bien souvent! Il n'y a pas plus pingres que les millionnaires! Moi-même, en tant que P.-D.G., je verserai dans la caisse une petite somme au nom de notre société...

– Vous feriez cela, Marie-Adelaïde?

– Je le ferai! Il faut donner l'exemple... Et comme l'argent entraîne l'argent...

– Envisagé sous cet angle, ce gala pourrait peut-être s'affirmer comme devant être une réussite?

– C'en sera une! Vous allez l'organiser avec la collaboration d'Orvoli qui est toujours bourré d'idées... Tous les deux vous n'avez plus qu'à passer à l'exécution. C'est mon ordre!

– Une dernière question, chère grande mécène : après que nous aurons fait part de votre généreuse idée à nos pensionnaires, que se passera-t-il s'ils nous répondent tous qu'ils ne savent rien faire d'autre que de vivre très confortablement de leurs rentes?

– Ils savent sûrement faire autre chose! Quand on a mis autant d'argent de côté, c'est que l'on n'est pas un imbécile! Allez vite vous renseigner auprès d'eux. Vous verrez que je ne me trompe pas... Au travail, mon cher animateur! Surtout ne perdez pas de temps! Le curé Galopin a besoin d'une aide urgente...

224

Elle n'était pas tellement dans l'erreur. L'idée enthousiasma les pensionnaires. Ce fut à qui s'ingénierait à accomplir les prouesses artistiques dont il avait souvent rêvé dans le secret de ses pensées mais qu'il n'avait encore jamais pu exécuter en public.

Les répétitions commencèrent, fébriles, sous l'animation de Melchior qui encourageait de ses conseils les bonnes volontés et surtout sous la direction du Sicilien, qui prouva qu'à ses qualités d'homme d'affaires et de directeur général s'ajoutait une vocation cachée de metteur en scène. Le grand soir arrivé, le programme s'annonça copieux et des plus éclectiques. Marie-Adelaïde put en juger en lisant l'affiche placardée à l'entrée du bureau de réception et superbement illustrée par le chanoine Poudaloue qui révéla là ses dons de dessinateur. Le texte annonçant les différents numéros fut rédigé en magnifiques caractères de ronde dus à la main experte de la belle caissière Mme Sarfato, familiarisée depuis longtemps avec l'alignement des zéros sur des factures.

La présentation de chaque artiste improvisé, mais conscient de son inexpérience, fut faite par le baron de Raversac en personne qui se surpassa. Portant un habit de bonne coupe qu'il n'avait pas hésité à aller chercher dans sa garçonnière parisienne où il l'avait exhumé d'une penderie, il fut éblouissant de brio. S'avançant avec son élégance naturelle sur le plancher – posé délicatement au préalable par Ernest sur le grand tapis pour qu'on ne l'abîmât pas – Melchior sut trouver les mots percutants qui donnent envie d'applaudir un artiste avant même qu'il n'ait commencé son numéro. Marie-Adelaïde, assise au

225

premier rang des fauteuils qui avaient été déplacés et reculés pour créer une ambiance de salle de spectacle, buvait de ses lèvres sucrées les annonces toutes plus brillantes les unes que les autres.

– Et voici pour débuter, commença Melchior, celle qui a accepté avec beaucoup d'abnégation de tenir le rôle ingrat d'accompagnatrice musicale de cette prestigieuse soirée : madame Ermeline Letocard...

Assise derrière le piano à queue qui avait été transplanté du petit salon dans le grand et accordé pour la circonstance après ses années de notes discordantes, la veuve du notaire, encore plus raide que d'habitude, eut un petit salut sec à l'intention de ceux qui l'applaudissaient avant d'entamer, en guise de prologue, la tonitruante ouverture du *Guillaume Tell* de Rossini. Et à elle seule – ce qui semblait à peine croyable si l'on regardait les doigts décharnés courir sur le clavier – elle réussit à faire plus de bruit que tous les exécutants des Concerts Colonne réunis. Ce fut prodigieux! Jamais le grand salon de Verchamps n'avait résonné d'un tintamarre pareil. Abasourdie, l'assistance éclata en applaudissements après que Melchior se fût à nouveau présenté pour constater après l'accord final :

– Avec sa trop grande modestie, notre amie nous avait caché à tous qu'elle avait un pareil talent. Je demande un triple ban pour madame Letocard!

Ce qui fit encore plus de bruit que le piano tout en réchauffant l'atmosphère qui est toujours un peu guindée au début d'un spectacle.

– Sa virtuosité, reprit Melchior déchaîné, a créé l'ambiance pour l'entrée du charmant Stéphane de Morane-Baisieux qui va vous offrir en gerbe son joyeux répertoire...

226

Surgissant de la bibliothèque Stéphane parut, vêtu d'un smoking gris perle à revers de velours noir du plus heureux effet. Et il éternua deux fois sans doute pour s'éclaircir la voix avant d'attaquer la première chanson. Par bonheur il avait pris la précaution d'enfermer dans sa poche droite une providentielle boîte de pastilles d'où il sut extraire, avec la dextérité de quelqu'un qui ne se sent jamais en très bonne santé, deux spécimens qu'il avala prestement. Et le miracle se produisit. Sa voix toujours un peu enrhumée – ce qui d'ailleurs lui ajoutait un charme supplémentaire – commença à détailler les innombrables couplets de *la fille du Bédouin*. A ce succès consacré succéda un fabuleux *On lui fait Pouêt Pouêt et puis ça va!* avant que le récital ne se terminât par une tendre mélodie tout à fait indiquée pour quelqu'un qui se sent empoigné en permanence par la phobie des maladies : *Ça vaut mieux que d'attraper la scarlatine*. Ce fut un triomphe. La représentation se poursuivit de succès en succès pour les autres artistes. Devant lequel s'extasier le plus? Le couple prestigieux d'Alfredo et Amalia Mochado dans une parfaite exhibition de pure samba brésilienne, ou l'extraordinaire numéro de pickpocket mondain mis au point par Bruno Orvoli déambulant au milieu de l'assistance pour subtiliser, à l'insu de leurs propriétaires et tout en occupant leur attention par un bagou intarissable, des bagues, quelques portefeuilles et beaucoup de montres. La seule à laquelle il ne put rien prendre fut Marie-Adelaïde qui avait pour principe absolu de ne jamais porter sur elle une chose de valeur – objet ou somme d'argent – et qui avait même laissé son fameux cabas enfermé dans sa chambre. Une femme précautionneuse en diable! Mais plus elle voyait autour d'elle les autres se faire

spolier, plus elle donnait l'impression d'être satisfaite. Parce qu'il se trouvait dans l'obligation de se
montrer honnête dans un gala d'une telle qualité, le
Sicilien rendit en souriant, à la fin de son numéro,
leurs biens à tous les propriétaires, sinon la réputation de sérieux s'attachant généralement à la fonction d'un directeur général d'établissement hôtelier
eût été quelque peu ternie.

Le chanoine Poudaloue connut un franc succès
en racontant de savoureuses histoires belges. Il avait
beaucoup de talent, l'ecclésiastique, débitant un
répertoire de belle humeur d'où toute grivoiserie
était exclue et ayant le bon esprit de ne pas parler de
religion devant un auditoire qui n'avait jamais pris
le temps ou même eu l'idée d'assister à une messe.

L'un des clous fut certainement l'extraordinaire
numéro de strip-tease interprété par Clémence Borniquet, alias pseudo-madame Jules Nougat. Venue
du vestibule, emmitouflée de la tête aux pieds, coiffée d'une casquette pourvue d'une visière toute en
vison pastel d'où s'échappait le flot turbulent de ses
boucles rousses, vêtue d'un ample manteau également de vison pastel descendant jusqu'aux chevilles
cachées sous des bottes en cuir noir et à hauts talons
rehaussant sa silhouette, les mains enfouies dans un
manchon de vison aussi foncé que les bottes, le
regard intrépide selon son habitude et le nez poin-
tant de plus en plus contre la cavalerie – l'arme favo-
rite de l'aristocratie française et même des noblesses
d'autres pays – la jeune femme était étourdissante...
Apparition qui laissa toute l'assistance bouche bée et
Melchior de plus en plus baba. Profitant du premier
effet de surprise et pendant que madame Letocard
accompagnait ses gestes sur un fond musical de slow
incitant à toutes les langueurs, Clémence commença

228

à se dévêtir lentement en se débarrassant peu à peu de tous ses atours qu'elle jeta négligemment sur le plancher posé par son père le jardinier-chauffeur-chasseur. Jamais, de mémoire d'ancêtres, on n'avait encore vu une telle exhibition dans le grand salon de Verchamps ! Ce fut un autre de ces grands moments qui apportent la ponctuation indispensable à l'engourdissement d'un passé qui s'obstine à ne pas vouloir disparaître.

Strip-tease qui sut, autre miracle, se révéler presque pudique ! Quand il se rapprocha du moment final – que tout le monde et principalement Melchior attendait anxieusement dans le secret de ses désirs refoulés, sauf peut-être la princesse douairière qui écarquillait de plus en plus ses yeux globuleux – et, après que le manteau, le manchon, les gants et le soutien-gorge eussent atterri sur terre, il ne resta plus sur le corps nacré et solidement charpenté de l'intéressante créature que la casquette, un cache-sexe en dentelle noire ajourée et les bottes montant jusqu'à la naissance des cuisses... De robe sous le manteau, il n'y en avait point ! Pourquoi s'encombrer de vêtements inutiles quand le vison possède à lui seul la qualité suprême de savoir mieux protéger que n'importe quel corsage, jupe ou tailleur, la splendeur d'une nudité contre les intempéries de salon ou d'ailleurs... Et ce fut très partiellement masquée par la toque, le cache-sexe et les hautes bottes rappelant celles des filles ravageuses qui hantent le faubourg Saint-Denis que Clémence disparut dans le vestibule pendant que la veuve du notaire plaquait sur son clavier les derniers accords indiquant que le numéro était terminé.

Dire que cette sortie fut suivie d'un flot d'applaudissements serait exagéré. Il y eut tout d'abord une minute de silence comme si Verchamps estomaqué se recueillait, puis un timide battement de mains cherchant probablement à déclencher le mécanisme de l'enthousiasme. Il fut bientôt accompagné d'un autre plus affirmé. Le premier provenait de Melchior, qui avait pris ce risque après avoir jeté un regard consterné vers Marie-Adelaïde restée de glace et figée sur son fauteuil présidentiel. Le second, qui ne cessait pas de s'amplifier, exprimait la reconnaissance émue de Jules Nougat pour sa jeune maîtresse qui n'avait pas craint d'étaler l'opulence de ses appas et la robustesse de ses contours devant tous ces vieux millionnaires s'amusant à jouer les rigolos dans une fête de patronage. Un Jules très fier de sa compagne et qui trouvait que la plaisanterie était excellente! Le chanoine n'avait pas applaudi mais son visage couperosé restait imprégné d'un sourire indéfinissable se rapprochant de celui de l'illustre ange de la cathédrale de Reims qui semble éperdu de béatitude devant la mystérieuse contemplation des élus. Clémence n'était-elle pas une élue en chair et en os – plutôt en chair d'ailleurs! – méritant toutes ces récompenses décernées par les jurys plus ou moins compétents qui siègent un peu partout dans les concours de beauté? Le personnel, par contre – depuis le maître d'hôtel Edmond jusqu'au chef flanqué de son marmiton, Adèle la maman justement fière des exploits de sa progéniture et Doudou un peu jalouse mais acclamant quand même celle qui l'avait précédée au premier étage dans les transports de petits déjeuners – applaudit chaleureusement. Accueil compensant la tiédeur du bloc capitaliste de l'assistance qui, demeurant statique, fit que la strip-teaseuse rousse abandonna le plancher de ses prouesses sur un demi-succès.

Un numéro aussi particulier n'avait eu besoin d'aucune présentation de l'animateur. Il avait suffi à Clémence de se montrer dans toute sa simplicité, alors que l'attraction suivante avait besoin de l'aide précieuse de Melchior qui, abandonnant son fauteuil, annonça :

— Et maintenant monsieur le Professeur Coquibus va nous faire une démonstration stupéfiante de sa géniale faculté d'invention en nous faisant assister à un extraordinaire numéro de dressage...

Ernest, qui ajoutait à ses multiples emplois celui d'accessoiriste de la soirée, apporta le matériel : une table recouverte d'un drap blanc sur lequel fut posé un bocal en verre.

— Devinez, mesdames et messieurs, commença le Professeur, ce qu'il y a dans ce bocal. Eh bien ce sont les animaux les plus féroces de la terre : ceux qui vous attaquent sournoisement après s'être fait déposer tout près de vous par des chiens qu'ils utilisent comme moyen de transport... Oui, ce sont des puces ! Mais pas des puces savantes... Des puces totalement sauvages ! Je demande à l'aimable assistance de bien vouloir se lever pour voir de plus près...

Ce que tout le monde, empoigné par une intense curiosité, fit.

— Merci ! dit l'inventeur. Approchez autour de cette table : il n'y a aucun risque... Voyez ce que je fais : d'une main je soulève le couvercle de ce bocal et de l'autre je tiens cette bombe remplie de *Tue-les vite*. Que se passe-t-il ? Je lâche les bêtes en les répandant sur la blancheur de cette nappe. Elles courent, elles se précipitent, elles gambadent et pan ! j'appuie sur le bouton de la bombe... Toutes s'immobilisent aussitôt, paralysées... A partir de cet instant elles cessent d'être nocives et deviennent douces comme des bêtes à Bon Dieu... J'en prends une délicatement sur mon index pour ne pas lui faire peur... Aimeriez-vous, princesse, que je la dépose maintenant dans votre paume?

Et comme Marie-Adelaïde, horrifiée, reculait, il reprit :

– Sincèrement, vous ne voulez pas? C'est dommage pour elle qui aurait connu l'honneur de pouvoir rêver sur une main aussi aristocratique! Personne n'a envie d'une petite puce somnolente? Dans ce cas je ramasse avec cette cuiller à dessert ces demoiselles et je les remets, anesthésiées, dans le bocal... Je n'ai plus, avant de refermer le couvercle, qu'à appuyer sur le bouton de cette deuxième bombe dirigeant le jet de poudre dans le bocal. Cette fois ce n'est plus du *Tue-les-vite*, mais du *Réveille-moi-donc* un autre produit de mon invention. J'appuie et ça y est! Je referme vite le couvercle. Regardez ces mignonnes maintenant à travers la paroi du bocal : elles sautillent, elles batifolent, elles sont réveillées et font des bons de puces! Mesdames et messieurs, vous pouvez reprendre place dans vos fauteuils... Le but de cette démonstration pratique est de vous prouver que, me conformant strictement aux nouvelles lois de protection de la nature et aux vigoureuses campagnes menées par l'infatigable Brigitte Bardot, j'ai inventé un produit qui ne tue pas les animaux mais qui les endort pour un temps déterminé, juste celui qu'il faut pour les empêcher de nuire à l'homme! N'est-ce pas prodigieux?

Ce l'était tellement que l'assistance – qui avait quelque peu boudé la nudité dépouillée de Clémence – applaudit frénétiquement le sauvetage des puces. Le cœur de l'homme est toujours prêt à se montrer sensible pour la défense des infiniment petits. Ce

232

numéro n'eut pas d'accompagnement musical parce que Mme Letocard ne sut trop que jouer sur son piano pour accompagner les sauts de puce...

– N'est-ce pas fantastique? demanda Melchior. Vite! Un triple ban aussi pour monsieur le Professeur Coquibus!

L'inventeur l'eut, mais les puces, véritables triomphatrices de cette exhibition acrobatique, enfermées à nouveau dans leur bocal, n'entendirent pas les applaudissements.

Numéro hors du commun qui laissa Marie-Adelaïde rêveuse... La châtelaine méticuleuse pensait : « C'est presque dommage qu'au cours de mes innombrables séances de nettoyage dans Verchamps, je n'ai pas trouvé de puces! Mais, après tout, elles pourront encore y faire leur apparition si l'un de ces millionnaires avait l'idée saugrenue de faire l'acquisition d'un chien ou même d'un chat! Et je regrette beaucoup qu'il n'y ait pas eu l'une de ces bestioles grimpant le long des cuisses de Clémence quand elle les montrait à tout vent! Sa sortie de scène aurait sans doute été moins glorieuse... »

Le tout dernier numéro – il avait été judicieusement placé par Orvoli en fin de programme parce qu'étant le seul à être présenté d'une manière exquise par une authentique professionnelle des planches – fut annoncé par le galant Melchior :

– Pour terminer en beauté ce festival, nous ne pouvions pas trouver mieux que l'audition de quelques-uns des succès du répertoire de mademoiselle Sophie Barnel qui, comme chacun de nous le sait, a triomphé pendant des années sur toutes nos scènes lyriques dans les rôles de grisettes.

Elle apparut, exquise de blondeur fanée et de minauderie commandée, maquillée comme une poupée de demi-luxe, portant les boucles de ses cheveux roulées en anglaises et fagotée d'une robe de taffetas rose bonbon dont l'ample décolleté n'était plus de mise à son âge. La seule chose qui n'avait pas vieilli, quand elle annonça le titre de l'air qu'elle allait chanter, était la voix restée étonnamment jeune : *Rêves de Vienne*... Annonce assez anodine qui eut cependant un étrange résultat sur le comportement de Mme Letocard toujours assise derrière le piano sur lequel elle était déjà prête à plaquer les premiers accords du prélude musical. Ce ne furent pas des notes légères qui vinrent de l'instrument, mais une effroyable cacophonie : la très digne veuve du notaire venait de s'écrouler, inanimée, sur le clavier, presque cramponnée au piano. Il y eut un moment de panique. Toute l'assistance s'était levée pendant que Melchior, toujours à la pointe du dévouement, se précipitait pour venir au secours de la pauvre femme, bientôt suivi dans ce geste humanitaire par Orvoli qui, lui aussi, avait bondi. La chanteuse, elle, restée debout et plantée à la droite du piano avait la bouche grande ouverte mais aucun son mélodieux n'en sortait. Elle était comme paralysée par l'émoi. Il y avait de quoi !

Il fallut transporter au plus vite l'évanouie pour la remonter dans sa chambre : ce que firent Edmond le maître d'hôtel et Ernest le polyvalent des emplois, précédés de Melchior qui ouvrait le convoi comme un maître de cérémonie funèbre et suivis d'une Marie-Adelaïde trottinante qui confiait toute essoufflée aux deux pensionnaires l'accompagnant dans ce triste parcours :

– Je sais ce que c'est... Elle a dû avoir des vapeurs ! Il faudrait placer un flacon de sels sous ses narines comme cela se faisait du temps de nos

234

grands-mères... Malheureusement c'est là une pratique qui est passée de mode... Ce qui est bien dommage! Rien ne vaut les vieux remèdes!

– J'ai quelques médicaments dans ma chambre, avoua Stéphane de Morane-Baisieux qui se trouvait être l'un des deux suiveurs.

– Courez vite en chercher une poignée... Ça pourra servir... Peut-être même qu'une piqûre?

– Mais je ne sais pas les faire, princesse!

– Comment? Depuis le temps que vous vous croyez malade? C'est une grave lacune!

– Moi je sais! s'écria l'autre accompagnateur qui n'était autre que le savant inventeur Eugène Coquibus. Au cours de mes recherches scientifiques, pour vérifier l'efficacité du *Tue-les vite*, j'en ai tellement fait à des rats, souris et cochons d'Inde que j'ai pu acquérir une certaine expérience...

– Nous verrons quand nous l'aurons allongée sur son lit, dit la douairière. Ne perdons pas de temps! Ce qui m'inquiète c'est qu'elle n'a plus son teint jaune! Elle est devenue toute blanche...

Orvoli, le manager de la soirée, resta en bas pour calmer l'agitation de ceux qui n'avaient pas bougé du rez-de-chaussée. Sa fulgurante présence d'esprit lui fit trouver la phrase clef apte à ramener la sérénité :

– Mesdames, messieurs, allons tous au buffet qui nous attend dans la salle à manger... Pour le service je remplacerai monsieur Edmond avec l'aide de mademoiselle Doudou.

On se rua. Le claquement réconfortant des bouchons de champagne réchauffa les cœurs et le liquide pétillant ramena des couleurs sur les visages d'où toute consternation disparut.

– Vous aussi, mademoiselle, dit Orvoli en

retournant chercher Sophie Barnel qui était demeurée solitaire dans le grand salon, figée comme si elle avait été transformée en statue. Il l'entraîna vers le buffet salvateur en prenant ses mains graciles encore toutes tremblantes et en ajoutant :

– Plus que nous tous ici vous avez besoin de retrouver vos forces... Croyez bien que je comprends votre émoi ! C'est vrai, pouvoir reparaître en public alors que l'on a décidé de prendre sa retraite et se trouver brusquement aphone par la faute d'un accident imprévisible au moment précis où cette voix allait pouvoir démontrer une fois de plus ses indéniables qualités, c'est bouleversant pour une véritable artiste ! Mais rassurez-vous : ce n'est que partie remise, une sorte d'incident secondaire dans votre carrière... Je vous promets que, quand les esprits seront calmés dans quelques jours, nous organiserons une nouvelle soirée de bienfaisance où vous serez la seule à paraître ! Ce qui vous donnera la possibilité de chanter la totalité de votre répertoire pendant toute une soirée ! Bien sûr l'accompagnatrice défaillante sera remplacée... Moi-même je ne me débrouille pas trop mal devant un piano... et je me sens encore en excellente santé !

La chanteuse eut un pauvre sourire avant de balbutier :

– Merci, monsieur le directeur. Vous, au moins, vous êtes un homme de cœur qui comprend la vie d'artiste...

– Je suis prêt à comprendre toutes les vies, mademoiselle ! Surtout les plus douloureuses...

On attendit longtemps pour savoir ce qui se passait au premier étage dans la chambre de Mme Leto-

236

card... Heureusement le buffet était là, copieusement garni, permettant de galvaniser les énergies. Mais le fait que Mme Sarfato, restée stoïquement devant le standard de la réception, n'ait reçu aucun appel angoissé provenant de là-haut et lui enjoignant de mander de toute urgence le docteur Chantemerle – médecin traitant dont la réputation était grande à Nogent-le-Rotrou – pouvait laisser espérer que le malaise de la veuve du notaire était peut-être moins grave qu'on aurait pu le penser en la voyant affalée et exsangue sur les touches du piano...

La première personne qui redescendit, apportant quelques nouvelles rassurantes, fut la princesse.

– Alors? questionna Orvoli au nom de toute la collectivité de retraités et de ceux qui assuraient leur service.

– Cela aurait pu être pire! dit Marie-Adelaïde. Grâce aux soins énergiques que nous venons de lui prodiguer, madame Letocard semble être en train de retrouver sa lucidité.

– Tant mieux! s'exclama avec satisfaction le Sicilien qui continuait à exprimer l'opinion de tous. Quels soins lui ont donc été prodigués?

– A vrai dire aucun... A peine l'avions-nous étendue sur son lit qu'elle a rouvert les yeux... Ce qui a achevé de la ranimer est la question que je lui ai posée :

– Peut-être est-ce la partition ouverte sur le pupitre du piano qui vous a semblé trop ardue?

– La partition de *Rêve de Vienne*? m'a-t-elle répondu. Mais je la connais par cœur depuis plus de trente années... Et je la hais!

– A ce point?

– L'opérette d'où elle est extraite a été la cause de tous mes malheurs... Et l'horrible femme qui la chantait, où se cache-t-elle?

237

En entendant ces mots, Sophie Barnel se fit immédiatement servir par Doudou une nouvelle coupe de champagne.

– Pourquoi la haïssez-vous? ai-je encore demandé, continua Marie-Adelaïde. Mademoiselle Barnel est une personne charmante appréciée de tous et qui, contrairement au qualificatif plutôt désobligeant que vous venez d'employer, est tout sauf horrible! Nous pouvons même affirmer qu'elle a même dû être très jolie... N'est-ce pas votre opinion à tous, mesdames et messieurs? ajouta-t-elle en s'adressant au groupe qui faisait cercle autour d'elle.

Des « oui, oui » d'approbation unanime répondirent aussitôt.

– Vous voyez, reprit Marie-Adelaïde en se tournant vers la chanteuse, que tout le monde vous adore ici! Je crains que cette pauvre madame Letocard, se trouvant encore sous le choc du malaise qui l'a fait défaillir, n'ait déliré? Maintenant il lui faut du repos. Après une bonne nuit de sommeil il n'y paraîtra plus. Elle ne se souviendra même pas des paroles insensées qu'elle vient de prononcer dans son lit et auxquelles il ne faut prêter aucune attention!

La chanteuse ne répondit pas mais Orvoli, qui avait l'œil à tout, remarqua que son visage était décomposé. C'était comme si un nuage d'angoisse recouvrait le fond de ses pensées. Marie-Adelaïde reprit :

– De toute façon, il nous a paru – à moi-même, au baron de Raversac et à ces messieurs qui ont bien voulu nous accompagner jusque dans la chambre – complètement superflu de téléphoner au docteur Chantemerle en qui j'ai la plus grande confiance et auquel j'ai décidé, avant l'ouverture de notre Palais,

238

de confier une fois pour toutes le contrôle sanitaire de notre grande maisonnée... D'ailleurs voici ces messieurs auxquels nous pouvons adresser un grand merci pour la célérité dont ils ont su faire preuve en prodiguant les premiers secours... Nous pourrions presque dire qu'ils ont été le SAMU de Verchamps... Un peu de champagne, messieurs?

Quand les coupes furent pleines, elle leva la sienne en disant :

– Au rétablissement de la santé de madame Ermeline Letocard et à une santé qui nous est encore plus chère à tous : la nôtre!

Ce fut le toast final d'euphorie bienfaisante après lequel Marie-Adelaïde se dirigea en compagnie de son directeur vers le bureau de réception où se trouvait Mme Sarfato à qui elle demanda :

– Avez-vous fait la recette de cette soirée de bienfaisance?

– Oui, Madame. La voici...

Ayant jeté un rapide regard sur le chiffre du total, la douairière ne put s'empêcher de constater à haute voix.

– Ce n'est pas très brillant!

Puis à mi-voix, à l'intention d'Orvoli :

– J'ai pourtant donné l'exemple avant que le spectacle ne commence en mettant ostensiblement dans le panier placé à l'entrée du salon un gros billet accompagné de ma carte de visite de P.-D.G. sur laquelle j'avais pris soin d'inscrire ces quelques mots de ma propre main : « de la part de la société d'exploitation du Palais de la Retraite ». Cinq cents francs c'est déjà un gros billet, ne trouvez-vous pas?

– C'est-à-dire que Madame la princesse n'a peut-être pas réalisé que cinq cents francs d'aujourd'hui ça n'en fait que cinquante mille d'il y a quelques années...

239

– Et alors, Orvoli? Vous n'étiez donc pas satisfait quand vous gagniez à cette époque cinquante mille francs par semaine sans payer d'impôts? Moi je n'ai jamais connu une pareille pléthore du temps du prince mon époux et j'aurais été très contente de pouvoir profiter d'une aubaine aussi inespérée! Mais voyez ce qu'ont laissé tous les autres dans le panier : quelques billets de cent francs, et surtout des cinquante! Une misère! Quand je vais faire porter le tout par Ernest au presbytère, pour les œuvres du curé, il va se demander si nous ne nous moquons pas de lui? Les gens sont abominables, Orvoli! Plus ils ont d'argent, plus ils le gardent!

– Peut-être notre société pourrait-elle arrondir la somme en rajoutant cinq mille francs d'aujourd'hui?

– Cinq mille! Ah ça, monsieur le directeur général, vous voulez donc notre faillitte? C'est trop! Vous passez d'un extrême à l'autre... Ajoutez encore cinq cents prélevés sur le fond de caisse. Ça suffira.

Puis, après un temps de réflexion – l'une de ces fameuses pauses courtes qui avaient toujours permis à son esprit de gestionnaire de mesurer la mesquinerie des gens – elle reprit :

– Ce maigre résultat prouve que nous avons commis une erreur monumentale en organisant ce gala : les gens riches détestent s'applaudir eux-même! Aussi paient-ils leurs places le moins cher possible! Savez-vous ce qu'ils attendent? Que ce soient les pauvres qui les acclament... Voilà le fond de l'affaire, Orvoli! Bonsoir quand même.

Elle ne fut pas la seule à rejoindre ses pénates. Tout le monde l'imita. On n'avait plus faim, le buffet avait été tellement copieux! et tout le monde remonta le grand escalier. Avant de clore cette nouvelle procession, Melchior, dont la courtoisie restait toujours entière, dit rapidement à Marie-Adelaïde :

– Ne vous inquiétez pas trop cette nuit pour l'état de santé de la veuve du notaire... Puisque sa chambre est voisine de la mienne, je trouverai le courage d'abandonner de temps en temps mon lit à baldaquin pour aller voir discrètement si tout se passe bien chez elle...

– Ne la réveillez surtout pas, Melchior! L'apparition d'un homme dans sa chambre la ferait hurler et elle ameuterait le château! Ceci d'autant plus qu'un personnage de votre espèce a tout du noctambule et du viveur! Je ne veux plus d'histoires à Verchamps par la faute de votre inconduite!

– Marie-Adelaïde! Moi connaître une aventure avec un pareil monstre? Jamais!

Elle le laissa furibond pour continuer à monter vers sa tanière mansardée... Mais lorsqu'elle arriva devant sa porte, quelle ne fut pas sa surprise de se trouver en présence d'Orvoli qui l'attendait dans le couloir!

– Qu'est-ce que vous faites là? La chambre que vous occupez ici pendant vos fins de semaine se trouve au rez-de-chaussée.

– Que madame la princesse veuille bien me pardonner : c'est elle que j'attendais...

– Moi? Ah ça, vous êtes dans votre état normal, monsieur le directeur?

– Je ne sais pas, puisque je suis amoureux...

– Vous aussi? Ça vous prend brusquement comme le baron de Raversac? Et puis, après tout, vous avez bien le droit d'être amoureux... C'est encore de votre âge et ça ne me regarde pas!

— Mais si! Ça regarde madame la princesse, puisque c'est d'elle seule dont je rêve...

— Vous divaguez?

— Si madame la princesse voulait bien m'écouter? Je reconnais que ce couloir assez obscur n'est pas le lieu le plus indiqué pour faire une déclaration, mais enfin tout peut se produire n'importe où!

— Vous ne voudriez tout de même pas que je vous reçoive dans ma chambre?

— Ne serait-elle pas préférable à celle que madame la princesse a eu la bonté de me faire réserver en bas pour les trois jours que je passe ici chaque semaine? Il y a également beaucoup de monde au premier et le couloir y est très fréquenté par les pensionnaires... Si l'un d'eux voyait madame la princesse entrer ou sortir d'une chambre, cela pourrait être très remarqué et plutôt mal compris?

— Ça c'est certain, mais ce n'est pas une raison suffisante pour que ça se passe à cet étage-ci où il n'y a que moi et la lingerie dans laquelle il n'y a personne la nuit.

— La lingerie? répéta Orvoli brusquement illuminé par une merveilleuse idée. Si nous allions dans la lingerie? Ce serait beaucoup plus correct... Madame la princesse a raison, on n'entre pas aussi vite et sans y avoir été invité dans la chambre d'une grande dame! Alors que dans la lingerie...

— Vous êtes encore plus fou que votre ami Melchior!

— C'est la présence obsédante dans ce château de madame la princesse qui me rend ainsi...

— C'est terminé? Qu'est-ce que vous voulez en fin de compte?

— Avoir avec madame la princesse un tête-à-tête

242

que je n'ai jamais pu encore obtenir jusqu'à ce jour parce qu'il y a toujours eu quelqu'un entre nous et spécialement monsieur le baron... J'ai besoin d'être absolument seul avec madame la princesse.

    – Seul? Alors allons dans la lingerie et finissons-en!

Dès qu'elle eut tourné le commutateur permettant d'allumer l'unique lampe du plafonnier dont les faibles reflets éclairaient les piles de drap bien alignés, elle dit après avoir rapidement refermé la porte et en dévisageant le Sicilien avec une curiosité teintée de stupeur grandissante :

    – Je vous écoute...

    – Je pense que ça va paraître aussi simple que bête à madame la princesse... Voilà : je l'aime!

    – Et moi je n'aime pas beaucoup qu'on se moque de ma personne, monsieur Orvoli! Vous m'aimez, comme ça?

    – Oui... Depuis le premier jour où j'ai eu l'honneur d'être présenté l'année dernière à madame la princesse par son cousin monsieur le baron de Raversac...

    – Pour la dernière fois je vous répète que Melchior n'est pas mon cousin! Un vieil ami, c'est tout! Lui aussi m'aime... Tout le monde m'aime, figurez-vous!

    – Mais personne autant que moi!

Il s'était agenouillé et la regardait suppliant. Interloquée, elle dit :

    – Savez-vous que vous devenez parfaitement grotesque?

    – On ne l'est jamais quand on aime! Lorsque ça nous arrive, à nous les Siciliens, nous allons jusqu'au bout! Puis-je demander humblement à madame la princesse, qui maintenant est libre puisqu'elle n'a plus d'époux, si elle consentirait à m'accorder sa main?

– La main de la princesse douairière de Verchamps à un aventurier de votre espèce! Mais comment osez-vous, misérable?

– J'ose... Madame la princesse ne peut pas se rendre compte de ce qui se passe en moi.

Et, toujours agenouillé, il parla pendant un temps dont Marie-Adelaïde ne put même pas mesurer la durée tellement elle était fascinée. Elle écoutait une musique de mots qu'elle n'avait pas entendue depuis des années, peut-être même de toute son existence! Elle ne savait plus... Mots que personne au monde, à commencer par son époux disparu, n'avait jamais prononcés devant elle... C'était une féerie, une orgie même de paroles exaltantes se succédant sur un rythme ensoleillé... Elle n'était plus dans l'austère lingerie de Verchamps mais quelque part en Sicile au bord d'une plage ou sur les versants de l'Etna... Orvoli parlait... parlait et la mélodie était délicieusement douce! Ce n'était plus le directeur général ni l'affairiste qui était agenouillé devant une Marie-Adelaïde médusée, mais un homme au teint basané et au regard luisant de désir qui se prénommait Bruno...

– Madame la princesse, continua la voix enjôleuse qui semblait ne plus vouloir se taire, ne sait certainement pas ce que c'est que de se pâmer d'amour en silence parce que celle qu'on aime – et à qui on n'ose pas révéler ses sentiments par timidité – ne vous remarque même pas! Oui, malgré une apparence extérieure assez trompeuse, j'ai toujours été un grand timide... Déjà à l'école, à Palerme... Mais passons l'école! Ça nous ferait remonter trop loin... Et venons-en tout de suite à l'âge de ma puberté... Je n'avais qu'un seul rêve : devenir le chevalier servant d'une princesse, mais d'une princesse aussi authentique que l'est madame! J'ai également l'âme chevaleresque... Madame la princesse a pu le constater quand j'ai accouru à deux reprises différentes à son aide pour lui permettre de sortir des difficultés qui l'assaillaient. Ce furent la brillante série de films historiques et la création du Palais de la Retraite! Je me suis dit : « Mon petit Bruno, ton devoir est de ne pas laisser une aussi grande dame dans le pétrin » et j'ai agi... C'est au cours de ces expériences passionnées, où j'ai pu mesurer l'envergure et la classe de celle qui avait bien voulu se rallier à mes conseils, que ma flamme a grandi! Je peux bien l'avouer au point où nous en sommes dans cette pièce où, mieux qu'ailleurs, on peut laver son linge entre amis! Jamais, avant ma venue à Verchamps, je n'avais connu la chance – un obscur tel que moi! – de m'approcher de celle qui était la dame de mes pensées depuis des années sans que j'ai pu réellement lui donner un visage! Visage qui est celui, tellement intéressant, de la princesse Marie-Adelaïde de Verchamps! Depuis que j'entends le baron de Raversac appeler familièrement madame la princesse par son double-prénom qui lui va si bien, Marie-Adelaïde, je suis devenu jaloux... Il a trop de chance, ce Melchior! Ah! Si madame la princesse me disait tout de suite qu'elle me donne à moi aussi l'autorisation de l'appeler par son prénom, ce ne serait pas à genoux que je resterais! Je me courberais encore davantage pour lui baiser les pieds... Ces pieds qui, comme les mains et les bras, comme le nez légèrement aquilin, sont toute finesse! Et ces yeux gris-bleu qui me dévisagent en ayant l'air de dire « Cause toujours, Bruno, j'adore recevoir des hommages... Je suis née et faite pour ça! » Je suis certain également – si madame la princesse voulait bien me laisser un petit espoir, le plus frêle fût-il! - que je serais le plus heureux des mortels... Mes capacités créatrices décupleraient et Verchamps regorgerait de nouvelles richesses! Ensemble, cette princesse et moi, nous pourrions faire des choses admirables dont la réussite fabuleuse clouerait le bec de tous ces détracteurs de la noblesse qui prétendent qu'elle ne sert plus à rien aujourd'hui! La noblesse? Mais c'est l'un des rares fruits défendus qui nous reste, à nous les roturiers, pour nous permettre de continuer à croire que le sentiment de grandeur n'a pas complètement déserté notre misérable planète! La noblesse? Oh, si moi-même j'étais noble, je ne m'appellerais pas stupidement Orvoli tout court et ça faciliterait ma tâche qui est bien difficile en ce moment : faire la cour à une princesse! Le marquis d'Orvoli s'agenouillant devant la princesse douairière de Verchamps, ça rappellerait le motif de cette merveilleuse tapisserie qui se trouve dans la salle à manger et où l'on voit – c'est le baron qui me l'a expliqué – un prince de Verchamps revenant de la Croisade, et remettant son épée, un genou à terre, à la dame de ses pensées qui a attendu avec une patience méritoire pendant des années dans son grand château le retour de son beau paladin... Mon épée à moi ne peut encore être pour le moment que ces chèques que je suis parvenu à soutirer à ces mécréants de producteurs de films et ces actions souscrites par des truands ignares qui ont permis au Palais de la Retraite de trouver les liquidités qu'il lui fallait absolument pour prendre son essor! Mais ceci n'est rien en comparaison des autres grands projets que je caresse pour consolider l'avenir de ce domaine et pour permettre à son incomparable animatrice de continuer à observer la fière devise « *Verchamps avant tout* ». Ceci si madame la princesse ne se rebute pas devant l'audace impétueuse dont il m'a fallu faire preuve ce soir...

Il s'arrêta brusquement de parler, à bout de souffle. Le flot des mots magiques devait être tari et il attendit, muet et transi, la réponse qui allait jaillir sur les lèvres aristocratiques en les débarrassant de cette moue un peu dédaigneuse qui n'était pas le moindre de leur charme. Le silence lourd de conséquences qui suivit lui parut interminable... Enfin Marie-Adelaïde daigna parler ou, plus exactement put placer quelques mots. La voix nullement émue et toujours aussi sèche lâcha les paroles tant attendues qui firent au soupirant l'effet d'un couperet de guillotine s'abattant sur son rêve pour le cisailler :

– D'abord relevez-vous, monsieur le directeur...

Ce qu'il fit pour se retrouver debout, aussi raide que le maître d'hôtel Edmond quand il annonçait, avant un dîner aux chandelles dans la salle à manger auquel la châtelaine avait bien voulu consentir à assister pour en intensifier l'éclat : « Madame la princesse est servie... »

Elle était bien servie, en effet, la douairière dans la lingerie... Ce qui l'incita à poursuivre sur un ton de plus en plus aigre :

– Tout ce que vous venez de me dire, monsieur Orvoli, pourrait peut-être impressionner et – pourquoi pas ? – même émouvoir une femme esseulée d'amour, mais voyez-vous, ce n'est nullement mon cas ! Comme vous venez de le rappeler j'aime Verchamps avant tout... Avant n'importe quel homme, fût-il un Apollon – ce qui est loin d'être votre cas ! –

et même avant un archimilliardaire! L'utilisation indirecte et chaste de ce genre d'individu n'est pour moi qu'un moyen, pas un but! Je veux sauver ce château, rien de plus! Le reste m'indiffère... De plus je suis persuadée, ayant eu ces derniers temps la possibilité de mieux vous connaître, que ce ne doit pas être la première fois de votre vie que vous accablez une dame de ce genre de déclaration... Je ne vois d'ailleurs pas l'intérêt qu'il pourrait y avoir pour vous, qui n'êtes qu'un homme intéressé, à vous sentir agréé dans mon intimité. Si c'était le cas vous auriez tout du pantin ou du fou de la reine! Moi je me couvrirais de ridicule... N'oubliez pas que le ridicule tue encore plus vite que les dettes! J'ose espérer que vous allez retrouver maintenant votre calme, sinon je serais, à mon grand regret, dans l'obligation de me passer de vos services de directeur général... Un directeur, ça peut toujours se trouver quand une affaire est placée sur ses rails : il n'y a qu'à parcourir les demandes d'emploi dans les petites annonces des journaux bien-pensants... Et si le calme revient en vous pour toujours – j'ai bien dit « pour toujours »! – personne ici ne sera mis au courant d'un incident aussi insensé! Ce sera mieux pour vous et pour moi... J'ai votre parole, je n'ose pas dire de « gentleman », mais d'homme intelligent qui ne soufflera mot à qui que ce soit de cette audience que j'ai consenti à vous accorder dans une lingerie?

– Madame la princesse a ma parole mais elle me verra de plus en plus malheureux!

– Ça je m'en moque éperdument, me doutant bien que vous saurez trouver rapidement des consolations ailleurs!

– C'est très possible mais, hélas, ce ne sera pas avec une princesse!

248

– Maintenant, monsieur, sortons d'ici en souhaitant que personne ne nous ait vu y entrer... Passez devant.

Quand ils se retrouvèrent dans le couloir, elle referma à clef la porte de la lingerie avec le passe dont elle ne se séparait jamais et qui trônait toujours dans son cabas, en disant :

– Il faut prendre des précautions : même les gens les plus riches ne sont pas très honnêtes et ça coûte tellement cher aujourd'hui, le linge de maison !

Ce fut à ce moment précis qu'un événement fantastique et encore plus imprévu que la déclaration enflammée dans la lingerie se produisit... Événement se traduisant par un hurlement suivi de cris angoissés qui se répandirent dans la nuit du château, et provenant d'une voix que Marie-Adelaïde connaissait depuis des années :

– Au secours ! hurlait la voix. A l'assassin !

– Ça vient de premier étage, dit Orvoli.

– Oui. C'est la voix du baron de Raversac ! Qu'est-ce qui lui arrive ?

Ils se précipitèrent, dévalant l'escalier de service. Dans le grand couloir du premier, sur lequel toutes les portes des appartements loués s'étaient ouvertes sous l'effet des cris déchirants, et où les millionnaires en pyjamas et leurs compagnes en déshabillés couraient affolés, la châtelaine se trouva devant un spectacle hallucinant... Melchior, en robe de chambre à ramages de cacatoès continuait à hurler :

– Elle l'a tuée ! C'est épouvantable ! Venez voir, Marie-Adelaïde ! Vous aussi, Orvoli ! Il faut appeler tout de suite un médecin et la police !

Ils le suivirent, s'engouffrant dans la chambre occupée par Sophie Barnel la chanteuse.

Elle était bien là, l'exquise divette, mais dans quel état, la malheureuse! Allongée les bras en croix sur l'un des tapis préférés de la châtelaine, elle gisait, les yeux exorbités et fixés sur une vision d'horreur, un couteau à gros manche planté en pleine poitrine. Et le sang, continuant à couler de la blessure, inondait le sol. Ce qui fit hurler à son tour Marie-Adelaïde.

– Mon tapis d'Aubusson! Ces gens n'ont plus le respect de ce qui est beau!

Pour elle la femme ne comptait pas, ce qui importait c'était le tapis.

Le professeur Coquibus, qui s'était agenouillé pour écouter les battements du cœur, se releva au bout de trois minutes angoissantes, disant:

– C'est fini... Morte!

Le plus extraordinaire de cette scène grand-guignolesque était que Mme Letocard, elle aussi, se trouvait là assise sur le lit en répétant, hébétée:

– Je l'ai eu, la salope! Enfin! Depuis que j'attendais cette minute... Trente années! Le Ciel a exaucé mes vœux... Merci saint Christophe qui fait récupérer les objets perdus: je l'ai retrouvée, la chanteuse! Seulement elle a changé de nom: au temps de mon mari elle se faisait appeler Étiennette de Saint-Varnier... Elle devait trouver que ça faisait mieux sur les affiches comme nom de théâtre! C'est pour cela que j'ai mis autant de temps à l'identifier... Merci aussi, sainte Rita!

– Vous rendez-vous compte de ce que vous dites? demanda Marie-Adelaïde.

– Parfaitement! répondit la veuve du notaire. Je l'ai tuée et ce n'est que justice! Elle m'avait volé mon mari, le cher Saturnin, sans me demander ma permission! On n'a pas le droit de faire ça à une honnête femme! Elle n'a rien dit! Ça s'est passé tout seul : le couteau est entré dans le mou de sa chair et elle s'est affaissée en me regardant, les yeux grands ouverts et les bras ballants comme ces poupées auxquelles j'ouvrais le ventre quand j'étais enfant pour voir ce qu'elles avaient dedans... Avec les poupées, c'était toujours du son qui se répandait, avec elle ça s'est transformé en sang qui a giclé... Vous voyez : j'en ai encore sur moi... Elle a osé me tacher une dernière fois, moi une épouse irréprochable! Ça non plus, je ne le lui pardonnerai jamais!

– Vite, Melchior! rugit Marie-Adelaïde. Allez chercher le chanoine Poudaloue!

Il courut, le bon Melchior dévoué, et revint quelques instants plus tard suivi de l'ecclésiastique qui, par bonheur, avait conservé toute son onction parce qu'il ne s'était pas encore débarrassé de sa soutane – s'il avait été en pyjama ou en caleçon, c'eût été très choquant! –, le chanoine qui demanda, ahuri :

– Qu'est-ce qui se passe? Un accident?

– Un meurtre, répondit la princesse. Jugez...

Imitant sans s'en douter le professeur Coquibus, le chanoine s'agenouilla pour écouter les battements du cœur, mais, comprenant qu'il arrivait trop tard comme tout le monde, il resta à genoux pour bénir le corps en marmonnant en latin une prière que personne ne comprit et qui apporta cet apaisement dont ont besoin les pauvres vivants condamnés à contempler le sepctacle brutal de la mort. Le silence avait envahi la chambre. Même Orvoli, qui s'était montré tellement bavard quelques minutes plus tôt au deuxième étage dans la lingerie, se taisait. Ce fut le recueillement collectif.

Se relevant, le chanoine – qui avait tout compris

251

sans demander la moindre explication – se dirigea vers la veuve Letocard, toujours assise sur le lit, en lui disant de la voix la plus canonique qu'il pût trouver :

– Je pense, madame, qu'il serait grand temps de vous confesser. Le Bon Dieu est prêt à vous écouter...

– Le Bon Dieu? répéta Ermeline. Eh bien puisque c'est vous qui le représentez, dites-lui de ma part que j'ai bien agi!

Étrange début de confession en vérité...

– Mesdames, messieurs, dit la voix de Marie-Adelaïde avec une douceur qui ne lui était pas coutumière, je crois que le mieux maintenant serait que nous quittions tous cette chambre pour permettre à monsieur le chanoine Poudaloue de recevoir la confession...

On se retira à l'exception du prêtre et de la criminelle et on referma la porte. Tout le monde se retrouva dans le couloir : les hommes bien sûr mais les femmes aussi, se réduisant à la princesse et à une Clémence ravissante en déshabillé vert mettant en valeur sa rousseur, qui n'avait pu se séparer de son Jules... Clémence qui vint vers la douairière pantelante pour lui murmurer :

– Venez, Madame... Je comprends mieux que quiconque ici, moi qui vous connais bien, tout ce que vous pouvez ressentir... C'est terrible pour votre château, ce qui vient de se passer! Mais je sais aussi que vous êtes la plus courageuse des femmes... « *Verchamps avant tout!* » n'est-ce pas?

– Vous êtes très gentille, ma petite Clémence... Ça ne me surprend pas de vous... J'ai pu mesurer, quand vous étiez à mon service, que vous étiez une femme de cœur... Si! Si! Je sais ce que je dis... Et ne

252

m'en veuillez pas surtout si, depuis votre arrivée dans cette demeure transformée en Palais, je vous ai paru conserver quelques distances à votre égard. Mais avouez que c'était un peu normal : votre retour imprévu m'a fait une telle surprise! N'en parlons plus... Il est très important que vous disiez à votre ami qu'il ne faut absolument pas qu'il se frappe et qu'après tout ce n'est qu'un incident dans l'existence séculaire de Verchamps qui en a vu d'autres! Vous devez rester ici tous les deux le plus longtemps possible et continuer à faire dans le pays ces randonnées dans votre belle voiture qui sera la meilleure preuve roulante, vis-à-vis des sceptiques et des envieux que tout continue à très bien se passer à Verchamps... Nous sommes d'accord?

– Oui, Madame. Je vais essayer d'expliquer ça à Jules...

– Un dernier conseil : évitez le plus possible de frayer avec le baron de Raversac! C'est un vieux satyre! Je l'ai surpris en train d'essayer de circonvenir la négresse... Vous vous rendez compte? Une Noire après votre rousseur, c'est honteux! Et pour rien au monde je ne voudrais qu'une mésentente ou des soupçons de jalousie puissent s'immiscer dans votre faux ménage... Puisque vous semblez être heureuse en concubinage, continuez, mon enfant! Ah! voici monsieur Orvoli... Alors que faisons-nous, monsieur le directeur général?

– A vrai dire je ne sais pas trop quoi conseiller à madame la princesse...

– Mais il faut appeler tout de suite la police et comme elle sera sans doute longue à venir parce qu'elle ne foisonne pas dans nos régions, en l'attendant nous nous contenterons des gendarmes.

– Les gendarmes? répéta le Sicilien de plus en

plus perplexe. Croyez-vous que ce soit bien nécessaire?

– Si c'est nécessaire? Mais enfin un crime vient d'être commis ici, monsieur Orvoli!

– Je n'aime pas beaucoup les gendarmes...

– Moi non plus! Ils ne sont jamais venus à Verchamps depuis que j'en assure les destinées, mais il va bien nous falloir quand même passer par eux! Dites à madame Sarfato de leur téléphoner à Nogent-le-Rotrou où ils ont une brigade en permanence.

– Madame Sarfato?

– Quoi, madame Sarfato? Elle aussi a peur des gendarmes?

– Ce n'est pas cela...

– Ma petite Clémence, allez vite rejoindre votre faux époux et écoutez un deuxième conseil: sonnez Edmond pour qu'il vous apporte une bonne bouteille de champagne, Veuve Cliquot rosé de préférence. Vous la boirez dans votre chambre... Il n'y aura rien de tel pour vous faire oublier la veuve Letocard! Bonne nuit et à demain!

Melchior s'était approché.

– Vous voilà, vous! Quelle histoire, Melchior! Où étiez-vous?

– Je montais la garde devant la porte de la chambre du crime pendant la confession qui m'a l'air de se prolonger...

– La confession! Rendez-vous plus utile: c'est vous qui allez appeler les gendarmes... Cela aussi ça fait partie de vos attributions d'animateur.

– Ça, pour de l'animation, nous venons d'en avoir...

– Taisez-vous, Melchior! Et exécution!

– Je cours au standard... Mais qu'est-ce que je vais bien pouvoir dire aux gendarmes?

– Qu'ils viennent! Je les attendrai sur le perron : il n'y a que là où je peux accueillir le tout-venant, et même eux!

Melchior ne s'était pas trompé : la confession d'Ermeline Letocard au chanoine Poudaloue fut longue. Bribe par bribe, le représentant de Dieu, questionnant debout celle qui restait toujours assise sur le lit de la défunte, parvint à arracher à la veuve du notaire – qui soliloquait plutôt qu'elle ne répondait à son interrogation – d'étranges révélations...

– Voyons madame, avait commencé doucement le prêtre, puisque vous venez de reconnaître vous-même dans cette chambre et devant plusieurs personnes présentes être l'auteur du meurtre de cette pauvre demoiselle – dont le corps est là, attendant l'arrivée d'un médecin légiste qui accompagnera sûrement les gendarmes – votre devoir de chrétienne, et même de femme sans religion si le malheur voulait que vous n'ayez pas la foi, est de me dire si, oui ou non, vous regrettez votre geste?

– Si elle était encore vivante je recommencerais!

– Mais pourquoi, madame?

– Pourquoi? Cette créature de Satan a brisé ma vie il y a de cela plus d'un quart de siècle... Sachez qu'étant la fille unique de Maître Hippolyte Chaffaton, le plus grand notaire de Vesoul, et ayant épousé son premier clerc Saturnin Letocard, qui reprit l'étude à la mort de mon cher papa, mon existence aurait dû se dérouler sans heurts, paisible, digne, dans notre belle maison familiale. Évidemment après cinq ans de mariage nous n'avions pas d'enfant, mais un couple peut très bien être heureux et se suffire à lui-même sans être encombré d'une progéniture troublant le calme indispensable à une étude notariale... Et notre bonheur conjugal aurait pu continuer pendant des années s'il n'y avait pas eu au théâtre municipal de Vesoul le passage d'une troupe d'opérette venue y jouer *Valses de Vienne*... Détestant les opérettes j'avais préféré rester à la maison et laisser mon mari, qui lui en raffolait, aller seul au théâtre ce soir-là où la représentation était à vingt heures trente... Il n'en est revenu qu'à quatre heures du matin! J'étais folle d'inquiétude, marchant de long en large dans notre grande maison, prête aussi à téléphoner à la police... Si je ne l'ai pas fait, c'est que tout se sait très vite... La nouvelle aurait couru de bouche en bouche – et elles sont loin d'être toutes tendres! – répandant le bruit que madame Saturnin Letocard, l'épouse du notaire, avait perdu son mari au cours de la nuit! Des ragots semblables sont déplorables aussi bien pour l'honneur d'une dame de bonne naissance que pour la réputation de sérieux qui s'attache à la profession de son époux... Eh bien, si ça s'était dit, c'eût été vrai, monsieur le chanoine! J'ai bel et bien perdu mon mari cette nuit-là! Quand il est rentré il m'a trouvée l'attendant en chemise au bas de l'escalier. Il m'a paru très bizarre... Il était tout exalté! Presque gai, lui qui ne riait jamais! Ce n'était plus le même homme qui m'avait quittée après que nous eussions dîné tôt pour qu'il ne manquât pas le lever du rideau...

— Sans doute, madame, s'était-il laissé aller à quelques libations en s'attardant avec des amis après la représentation?

— Même pas! Saturnin ivrogne? Jamais! Non, c'était pire: cette nuit-là il est rentré – et comment aurais-je pu m'en rendre compte? – amoureux fou de

256

la gourgandine qui interprétait le rôle principal. C'était cette Étiennette de Saint-Varnier qui est allongée en ce moment sur le tapis et qui continue à me fixer avec ses yeux libidineux grands ouverts... Il faut croire que, depuis l'époque où ces événements se sont passés, elle a changé de nom! Ces femmes de théâtre n'en sont pas à un nom de scène près, alors que moi je suis toujours restée madame veuve Letocard! Et je suis fière, au contraire, de porter le nom d'un homme aussi admirable...

– Vraiment, il l'était autant que cela?

– Je précise : il l'a été jusqu'à cette représentation de *Valses de Vienne*... Ensuite ce fut terminé : il devint indigne! Que s'est-il passé exactement? Je l'ignorerai toujours et personne, en ville, n'a consenti à me l'expliquer. Tout ce que j'ai su, c'est que Saturnin, qui jusque-là avait été l'homme le plus rangé de Vesoul, est tombé follement amoureux de celle qui ne cesse pas de nous fixer... Regardez-la vous aussi, monsieur le chanoine, elle vous fixe! Elle nous hait tous les deux!

– Il est évident, madame, qu'il eût été préférable que quelqu'un se dévouât pour fermer les paupières de cette malheureuse, seulement je pense que nous devons attendre l'arrivée du médecin-légiste qui s'en chargera après avoir fait toutes les constatations nécessaires...

– Et si j'allais les lui fermer, moi, les yeux à celle qui a volé mon Saturnin! Comme cela elle ne pourra plus faire de l'œil à personne!

– Je vous en prie, madame Letocard... Un peu de dignité!

– J'en ai suffisamment fait preuve dans mon malheur pendant mes interminables années de solitude! Car Saturnin m'a abandonnée ainsi que

« mon » étude – n'a-t-elle pas été d'abord la mienne puisqu'elle fut celle de mon père et que je l'ai apportée en dot à mon mari ? – et il est parti pour Paris où il a vécu les dix dernières années de sa vie dans la débauche et la corruption avec cette femme ! J'ai pris tous mes renseignements... Mais comme j'ai énergiquement refusé de divorcer – c'est là une pratique devenue assez courante aujourd'hui mais que les convictions religieuses d'une Ermeline Letocard, née Chaffaton, réprouvent – Saturnin n'a pas pu épouser l'intrigante qui n'en voulait qu'à son argent alors que moi j'ai toujours aimé mon mari d'amour... La preuve en est que c'est moi qui ai apporté l'immense fortune dont il a pu disposer partiellement pour ses fredaines avant que je n'y mette le holà ! J'ai d'ailleurs bien fait et mon père, en notaire très avisé qu'il était, avait pris la sage précaution d'établir un contrat de mariage où il était spécifié que son premier clerc et moi convolions sous le régime de la communauté de biens réduite aux acquêts... Ce qui, en cas de catastrophe matrimoniale, permet de limiter les dégâts. Les dégâts furent cette chanteuse vorace qui se fit entretenir sur un pied de star, alors qu'elle n'avait pas l'ombre de talent, par ce benêt de Saturnin qu'elle avait complètement envoûté pendant leurs dix années de liaison scandaleuse ! Pour vous donner une petite idée, monsieur le chanoine, apprenez que mon mari ne revint jamais à Vesoul pendant cette période d'orgie, préférant mener la grande vie à Paris ou à Plombières, où sa maîtresse allait régulièrement faire une cure chaque année pour soi-disant améliorer la qualité de ses cordes vocales !

– Oh ! Vous savez, madame, la grande vie à Plombières doit être des plus limitées...

– Tous les endroits sont bons quand il s'agit de tromper sa femme! Évidemment, vous qui avez fait vœu de célibat, vous ne pouvez pas être au courant de ces turpitudes...

– Si nous en arrivions au fait, madame?

– Quel fait?

– Mais... Votre crime!

– Vous feriez mieux de dire mon « acte de justice ». Tout s'est déroulé logiquement... Quand la chanteuse a compris, après dix années d'obstination de ma part, que je ne céderais jamais sur la question de divorce et qu'elle ne toucherait donc pas le gros paquet... Vous vous rendez compte : tous les biens mobiliers ou immobiliers et les bonnes valeurs sûres de la succession de mon père passant entre les mains de cette dévoreuse d'hommes! Eh bien quand elle a vu qu'elle n'aurait pas gain de cause, elle a joué un rôle qui lui convenait tout à fait, celui des « filles de l'air », et elle a abandonné ce pauvre Saturnin tout seul dans un deux-pièces cuisine situé dans un quartier des plus quelconques de Paris où, désespéré, il a fait une chose horrible : il s'est suicidé au gaz!

– Pas possible? Au gaz?

– Oui, monsieur le chanoine, c'est comme je vous le dis... Après avoir été informée de cette mort ignominieuse, j'ai fait rapatrier discrètement son corps en cachette dans son pays natal où je l'ai fait incinérer encore plus secrètement au petit matin au columbarium de Vesoul pour qu'il reste de lui le moins de traces possible. Les gens sont si méchants en province qu'ils auraient été capables d'aller ricaner sur sa tombe! J'ai bien fait, n'est-ce pas?

– L'incinération, madame, n'est pas encore très bien vue par le catholicisme... Enfin, pour vous ce n'est qu'une faute vénielle par rapport au reste! Mais cette personne qui, selon vos explications, semble avoir été la cause majeure de l'acte regrettable que vous venez de commettre aujourd'hui, vous ne l'aviez donc jamais revue avant de la retrouver ici dans cette retraite privilégiée?

– Je ne l'ai pas revue pour l'excellente raison qu'il ne m'est jamais arrivé de la voir! Je vous ai déjà dit que détestant le monde de l'opérette, il ne m'est pas venu à l'idée d'aller l'applaudir dans un théâtre, même un autre que celui de Vesoul! Et cette misérable ne m'intéressait pas! Comment aurais-je eu l'envie malsaine de tenter de rencontrer ou même simplement de découvrir le visage de celle qui avait brisé l'unique amour de ma vie? La seule chose d'elle que je n'avais pas oubliée était son nom, Étiennette de Saint-Varnier, et qu'elle était persuadée de triompher dans *Rêve de Vienne*, un titre de pièce que j'ai pris en horreur! Les années ont passé, trente exactement! Pendant l'absence vagabonde de Saturnin j'ai confié la gérance de l'étude au premier clerc, un homme en qui je pouvais avoir entière confiance parce qu'il était très laid et pouvait resté penché pendant des journées entières sur les dossiers qui encombrent les officines des tabellions. Il fallait bien ne pas décevoir la vieille clientèle et surtout tenter de la conserver malgré le scandale du manque de patron en titre! Ensuite, après le suicide de Saturnin, j'ai vendu l'étude et j'ai décidé de me retirer dans une retraite très loin de Vesoul où il m'arrivait, quand je passais dans une rue, d'entendre des gens qui me montraient presque du doigt en disant : « Regardez-la! C'est elle que son mari, le notaire, a abandonnée pour s'enfuir avec une chanteuse d'opérette. » Ce n'était plus supportable!

– Et ayant quelques moyens, vous avez choisi –

comme moi d'ailleurs et tous ceux qui sont venus échouer ici – ce Palais de la Retraite... Vous ne le regrettez pas, au moins?

– Tout aurait dû continuer à très bien se passer pour moi s'il n'y avait pas eu cette représentation de gala au cours de laquelle j'ai brutalement réalisé, alors que je m'apprêtais à remplir une fois de plus mon rôle d'accompagnatrice au piano, que cette soi-disant Sophie Barnel n'était autre qu'Étiennette de Saint-Varnier, ma pire ennemie! C'est au moment où elle a annoncé le titre de l'air qu'elle allait chanter *Rêve de Vienne* et que j'ai vu la partition – déposée sur le pupitre du piano par monsieur de Raversac – que le déclic s'est produit dans mon esprit : cette femme outrageusement maquillée et se croyant encore un doux péril malgré son âge ne pouvait être que l'abominable créature qui m'avait volé mon Saturnin le soir où il l'avait vue et entendue chanter l'opérette des Strauss sur la scène du théâtre munici-pal de Vesoul! Plus tard elle aussi a pu prendre sa retraite ici dans cet endroit de rêve, non pas parce qu'elle a eu du talent ou parce qu'elle avait hérité de son père comme moi, mais grâce à tout l'argent qu'elle avait réussi à soutirer à des niais du genre de Saturnin aveuglés par le démon de midi! Car je suis persuadée qu'il n'a pas été sa seule victime! Avant ou après lui elle a sûrement grugé beaucoup d'autres imbéciles! Des femmes pareilles, monsieur le cha-noine, sont des dangers publics pour la bonne société! Il faut les éliminer! C'est ce que je viens de faire... Tout le monde et surtout les femmes odieuse-ment bafouées – qui sont hélas, trop nombreuses! – devraient me remercier...

– Chère madame, peut-être allons-nous un peu loin?

261

– Jamais assez loin quand il s'agit de châtier le péché!

– Tuer est également un gros péché, madame Letocard! Quand donc vous est venue l'idée d'utiliser un couteau de cuisine? Comme cela, tout bêtement, alors que vous vous trouviez devant le clavier?

– Non! A ce moment-là, sous le choc de ma hideuse découverte, j'ai été tellement suffoquée que je me suis évanouie... C'est seulement après quand, mes sauveurs ayant quitté ma chambre où l'on m'avait transportée, je me suis retrouvée seule dans mon lit avec mon chagrin...

– ... Avec également votre haine rentrée depuis tant d'années et pas encore assouvie! C'est bien cela, n'est-ce pas?

– Je crois...

– Pourtant on prétend que la vengeance est un plat qui se mange froid... J'ai l'impression que la vôtre a plutôt été dévorée à chaud! Vous n'avez pas perdu de temps!

– Je n'avais pas le droit d'en perdre! Attendre eût été une insulte à la mémoire de mon cher époux! Mon devoir de femme légale exigeait que j'agisse tout de suite... Mais comment supprimer cette affreuse ennemie? Je n'avais pas d'arme... L'étrangler, peut-être? Jamais je n'en aurais eu la force... Voyez mes vieilles mains, monsieur le chanoine: décharnés par l'âge, mes pauvres doigts sont perclus de rhumatismes... J'avais déjà dû faire un gros effort pendant toute la représentation pour me remettre gracieusement au piano... Et dire que j'ai failli, par ignorance de sa véritable identité, accompagner ma tortionnaire! Mais c'est épouvantable! J'en ai encore des nausées... Je devais trouver un autre moyen de

262

faire justice... Une arme à feu? Où la dénicher? Et je n'en avais jamais utilisé de ma vie! Il faut savoir tirer et surtout viser juste! Pas question de la rater, la méchante! Ce fut alors que je me souvins d'avoir remarqué – un jour où monsieur de Raversac avait eu l'amabilité de nous faire visiter l'immense cuisine – qu'il s'y trouvait, alignés à proximité de la grande table à découper la viande, de splendides couteaux... Je me suis relevée et j'ai attendu le calme de la nuit pendant laquelle personne ne passe plus dans le couloir et où il ne doit plus y avoir âme qui vive dans la cuisine. Je suis sortie de ma chambre en chemise de nuit et chaussée de mes pantoufles pour qu'on ne m'entende pas marcher... Ayant bien repéré la porte de la chambre occupée par la fausse Sophie Barnel – qui, elle non plus, n'avait sûrement pas établi de rapprochement entre la veuve très discrète que je suis et l'ex-épouse de l'une des victimes de ses charmes monnayés – je suis descendue au sous-sol pour prendre le couteau et je suis remontée... Je me suis approchée à pas de loup de la porte de la chambre où la maudite devait déjà être en train de dormir... Un miracle a voulu – ce qui prouve qu'il existe un destin favorable aux honnêtes gens et que le Ciel approuvait ma courageuse décision – que la gourgandine n'eût même pas éprouvé la nécessité de fermer sa porte à clef! Peut-être parce qu'elle souhaitait secrètement qu'un homme faisant partie de la clientèle ou du personnel, attiré par ses invites sournoises, n'éprouve le violent désir d'aller la rejoindre? Les hommes sont de tels cochons, monsieur le chanoine! Pas vous, bien entendu... J'ai poussé tout doucement la porte... Comme je l'avais subodoré, la théâtreuse était allongée sur son lit, presque aussi nue que l'autre petite grue qui a osé faire devant un public

263

aussi distingué son ignoble numéro de déshabillage!
La lampe de chevet posée sur la table de nuit était
allumée. Ce qui prouve qu'elle devait attendre un
mâle en chaleur... Me voyant au lieu de l'homme
dont elle s'apprêtait à faire la conquête fulgurante, sa
surprise fut extrême... Je l'ai lu dans son regard...
Elle a bondi de son lit et s'est précipitée vers moi...
Je n'ai pas attendu et j'ai enfoncé dans sa poitrine
indécente le couteau jusqu'à la garde... Je suis encore
toute surprise de la facilité avec laquelle il est entré...
C'était aussi tendre que du mou de veau! Aucune
résistance! Elle n'a même pas eu le temps de dire
ouf! Le sang a giclé, ses yeux se sont écarquillés
comme ils n'avaient jamais dû pouvoir le faire
lorsqu'elle lançait des œillades conquérantes, ses bras
ont battu l'air et elle s'est effondrée sur le tapis tel un
pantin désarticulé... C'était fantastique pour moi! La
contempler ainsi étendue avec le couteau en pleine
poitrine... Il avait dû être rudement aiguisé par le
chef, ce couteau! C'était fini.

— Mais elle a pourtant crié? Ce hurlement terrifiant que tout le monde a entendu dans le château?

— Ce n'est pas elle qui a crié, mais moi! J'étais
tellement heureuse! Un cri de joie et de satisfaction!
Épuisée par l'effort qu'il m'avait quand même fallu
faire mais ivre du bonheur retrouvé, je me suis assise
sur ce lit où j'ai attendu, incapable de faire un autre
mouvement et savourant mon juste triomphe...
Combien de temps a duré cette extase? Je n'en sais
rien... Mes pensées étaient assez confuses... Il y en
eut cependant une dont je me souviens maintenant
en vous racontant tout, qui fut quand même infiniment consolante... Oui, monsieur le chanoine, je
revoyais le visage serein de mon cher Saturnin qui
était empreint d'un sourire indéfinissable, sourire

264

venant sûrement de l'au-delà, pendant que sa voix grave, que j'aimais tant parce qu'elle avait tout le sérieux d'une voix de notaire lisant un testament, me répétait : « Tu as bien agi, mon Ermeline... Cette femme s'est conduite d'une façon scandaleuse avec moi, ne pensant qu'à prendre mes sous et m'abandonnant dans un deux-pièces cuisine comme un pauvre chien qui n'a plus qu'à hurler à la mort! Merci pour ton cri : tu as hurlé pour nous deux! Maintenant elle ne pourra plus jamais venir nous tourmenter : toi sur terre et moi au purgatoire... Tu ne t'en es peut-être pas rendue compte, mon adorée légale, mais je t'ai aimée... » Car Saturnin ne peut être qu'au purgatoire pour m'avoir trompée... N'est-ce pas, monsieur le chanoine, que cocufier son épouse, ce n'est pas un péché mortel?

– Qui peut en être sûr, madame?

– Moi! Évidemment, le Bon Dieu ne doit pas aimer beaucoup cela! Lui, qui voit tout, sait aussi châtier ceux ou celles par qui le scandale arrive... C'était elle la vraie fautive! Saturnin n'a été que sa victime.

– Qui est entré en premier dans votre chambre alors que vous vous trouviez encore assise, prostrée sur le lit de cette malheureuse après avoir lancé votre cri de triomphe?

– Le baron de Raversac.

– Ça ne m'étonne pas de lui! C'est un remarquable second rôle : il sait toujours être là quand la situation se complique... Avez-vous encore quelque chose à me dire, madame Letocard? Je ne sais pas, moi... Par exemple que vous ressentez peut-être quelque remords de votre acte?

– Je regrette de n'avoir pas pu abattre cette traînée plus tôt!

– Comme remords c'est un peu court, et il m'est très difficile de vous accorder l'absolution...

– Je ne vous l'ai pas demandée! Maintenant je n'aspire plus qu'à la paix...

La porte de la chambre s'ouvrit et deux gendarmes parurent.

– Rassurez-vous, madame, vous allez la trouver... Ces messieurs vous l'apportent. Ils vont vous demander de bien vouloir les suivre et de les accompagner dans une voiture spéciale... Mais je me permets de vous conseiller de vous vêtir plus chaudement : vous ne pouvez pas partir en chemise de nuit ni en pantoufles! L'endroit où vous allez être accueillie a la réputation, bien fondée ou pas, d'être plutôt frais.

La veuve Letocard, encore toute épanouie des moments exaltants que sa rancune assouvie venait de connaître, sortit de la chambre mortuaire encadrée des représentants de l'ordre qui l'accompagnèrent jusqu'à sa propre chambre où, aidée par Doudou qui avait été mandée de toute urgence par Marie-Adelaïde, elle se vêtit sans précipitation. Quand elle se sentit parée pour entreprendre la nouvelle promenade, n'ayant pas été organisée – pour une fois – par un Melchior qui la regardait consterné, elle eut ces quelques paroles :

– J'ai suivi les judicieux conseils de monsieur le chanoine Pouladoue : je prends mon manteau de ragondin... A cette heure-ci les nuits sont fraîches... A bientôt, monsieur le baron.

– Mes hommages, madame...

Puis elle suivit le long couloir, toujours accompagnée par son escorte en uniforme pendant que les portes donnant sur les différentes chambres s'entrouvraient discrètement sur le passage de

266

l'étrange cortège. Les ancêtres Verchamps, accrochés aux murs du couloir, n'eurent aucune réaction. Sans doute horrifiés par le spectacle de la première arrestation pour meurtre perpétré dans leur noble demeure, ils ne bougèrent pas de leurs cadres.

A la descente dans le grand escalier succéda l'arrivée dans le vestibule où monsieur Edmond, raide dans son habit de maître d'hôtel stylé, n'osa pas dire à la veuve du notaire « Madame est servie... »

Sur le perron – devant lequel stationnait l'une de ces voitures équipées de gyrophares émettant des rayons tourbillonnants qui répandent une gaieté assez spéciale – il n'y avait qu'une seule personne : la châtelaine, digne et compassée, donnant l'impression de dominer une fois encore les événements... Et alors que la portière du véhicule – sur la banquette arrière duquel Ermeline Letocard venait de prendre place toujours encadrée par ses deux candélabres galonnés et moustachus – était encore maintenue entrouverte par un Ernest bien décidé à jouer correctement son rôle de chasseur jusqu'au bout, la princesse douairière, P.-D.G. de la société exploitant le Palais de la Retraite, dit de sa voix suave à celle qui allait s'éloigner pour un laps de temps indéterminé :

– J'espère, chère madame, que vous nous reviendrez !

Quand les feux du gyrophare cessèrent d'éclairer la cour d'honneur parce que le carrosse policier s'en était éloigné, Marie-Adelaïde se retourna vers Melchior, attendant respectueusement à un mètre derrière elle, pour lui demander en désignant deux personnages sans âge, vêtus l'un et l'autre d'imperméables douteux, qu'elle n'avait encore jamais remarqués aussi bien dans la clientèle que parmi le personnel de Verchamps :

– Qui sont ces messieurs, Melchior?

– Ils sont arrivés en même temps que les gendarmes mais dans une autre voiture plus discrète. Le plus grand est un officier de police et le plus petit le médecin légiste.

– Déjà? s'étonna Marie-Adelaïde. Ils ont fait vite!

Les nouveaux venus s'étaient avancés, polis, pour se présenter :

– Inspecteur Bontournant, de la brigade criminelle...

– Docteur Traindupuis...

– Enchantée de vous rencontrer, messieurs... Mais vous devez bien vous douter que j'aurais préféré que ça se soit passé dans d'autres circonstances! Tout ce qui vient d'arriver est tellement épouvantable pour Verchamps! Qu'en pensez-vous?

– Encore rien, madame, répondit le policier. Il nous faut d'abord procéder aux premières constatations.

– Mais bien sûr! Je suis tellement troublée par tout ça! Mon conseiller et grand ami, le baron de Raversac va se faire un devoir de vous accompagner jusqu'à la chambre où les événements ont eu lieu... Vous ne m'en voudrez pas si je vous attends ici au rez-de-chaussée... La vue de cette malheureuse étendue les bras en croix et un couteau enfoncé dans la poitrine sur l'un de mes plus beaux tapis est pour moi la chose la plus atroce que j'aie jamais vue dans ce château où n'ont toujours régné que l'ordre et la sérénité.

– Nous nous en doutons, madame, acquiesça l'inspecteur Bontournant. Ce genre de vision n'est jamais très agréable... Monsieur le baron, nous vous suivons.

268

Le trio commença à gravir l'admirable escalier dont les marches seigneuriales n'avaient encore jamais été foulées par de tels visiteurs! Restée debout et figée de stupeur sur le marbre du vestibule, la douairière réalisa une fois de plus qu'elle ne devait pas se laisser abattre par les coups aussi sournois qu'imprévisibles de l'adversité. Retrouvant son courage indomptable, elle dit à Edmond et à Ernest demeurés eux aussi immobiles mais pour les obligations de leur service :

– Venez me tenir tous les deux compagnie dans la bibliothèque. Edmond, apportez un plateau avec trois verres... Mais pas de champagne! Ce serait déplacé : nous aurions l'air de fêter la disparition de cette pauvre mademoiselle Barnel... Il vaut mieux du porto : ce sera plus discret et, personnellement, ça me remontera mieux parce que ça réchauffe le cœur.

Ils burent leurs verres en silence et sans trinquer, ce qui eût été d'un goût discutable. Ils ingurgitèrent même chacun trois verres, ce qui les réconforta trois fois plus pendant l'attente qui fut longue... Aussi bien la châtelaine que ses deux serviteurs s'abandonnèrent, durant ce recueillement un peu sucré, à leurs pensées qui étaient assez éloignées les unes des autres. Marie-Adelaïde se demandait, angoissée : « Quel bruit va faire dans le pays et même dans la France entière – parce que la maudite presse ne va pas manquer de s'en emparer avec délices! – cette nouvelle qui sera l'un des meilleurs scoops de la saison : UN CRIME AU PALAIS DE LA RETRAITE! Une publicité désastreuse! » Alors qu'Edmond, le maître d'hôtel, pensait : « J'ai bien peur que l'établissement ne ferme par manque de clients peu enclins à y venir ou à y rester et que l'on ne nous flanque tous à la porte. VERCHAMPS, LE CHÂTEAU OU L'ON TUE, ce sera déplorable!» et qu'Ernest ruminait : « C'est encore une chance que ma petite Clémence ne soit pas dans le coup! Mais quelle histoire, quand même! Je risque de ne plus toucher ces pourboires qui m'arrangeaient si bien. »

Enfin, après une heure dantesque de patience crispée, le trio du constat redescendit. L'officier de police donnait l'impression d'avoir pris une décision, le médecin avait le calme de celui qui a l'habitude de gagner sa vie en se penchant sur des macchabées et Melchior – le pauvre Melchior qui avait été mis à toutes les sauces depuis le jour où il avait eu la funeste idée de venir rendre visite à la chère Marie-Adelaïde en revenant de Dinard – avait le visage décomposé du bon viveur qui n'aura plus jamais envie de sourire.

Pour la première fois de sa vie peut-être Marie-Adelaïde ne posa pas de question. Ce fut l'inspecteur qui parla :

– Dans quelques minutes, madame, le service spécial va arriver pour chercher le corps et l'emporter à l'institut médico-légal de Chartres. Le docteur Traindupuis et moi-même ne repartirons que lorsque cette formalité aura été remplie. Nous avons pensé qu'il était préférable d'agir cette nuit pour que demain matin, à leur réveil, vos pensionnaires – qui ont dû évidemment être assez perturbés par ce qui s'est passé à l'issue de votre gala de charité – n'aient plus l'exécrable impression de cohabiter avec une défunte... C'est là une situation assez peu en harmonie avec les prix que vous devez leur demander pour avoir la possibilité de profiter d'une aussi luxueuse retraite!

270

– Monsieur l'inspecteur, répondit Marie-Adelaïde, je vous sais un gré infini de comprendre la fâcheuse situation dans laquelle moi-même et tous mes dévoués collaborateurs nous nous trouvons par la faute d'incidents dont nous ne sommes nullement responsables!

– Ça je l'ai compris, madame.

Ce fut à ce moment que la providence divine, qui n'abandonne jamais ses vrais serviteurs, se présenta dans le vestibule sous l'apparence arrondie du chanoine Pouladoue qui venait de descendre lui aussi le grand escalier, mais avec l'allure du prélat *in partibus* qui sait se montrer au moment précis où la solennité des circonstances l'exige... Un ecclésiastique admirable d'onction déguisée et ensoutanée qui parla à son tour avec cette facilité inestimable que possèdent ceux dont la vocation est de convaincre les foules :

– Pardonnez-moi, monsieur l'officier de police, si j'ai eu l'indiscrétion – que je ne considère pas du tout comme étant un péché – d'écouter vos dernières paroles et si j'en commets une nouvelle en vous exprimant, en présence de madame la princesse douairière de Verchamps, mon opinion qui pourrait peut-être vous être précieuse pour vos investigations... En toute honnêteté de prêtre, je puis vous certifier qu'il s'agit bien là d'un crime passionnel...

– Que voulez-vous dire, monsieur le chanoine?

– Ayant refusé d'accorder les bienfaits de l'absolution à la criminelle, j'estime de mon devoir d'éclairer la justice sur la réalité des faits... Si vous voulez bien avoir l'obligeance de m'écouter, j'ai tout lieu de penser que l'enquête, dont vous êtes le responsable désigné, sera rapidement close...

Et il continua à parler, le bon chanoine,

racontant tout ce que la veuve Letocard lui avait expliqué sans éprouver le moindre besoin de se confesser. Ses dires furent tellement d'or que l'inspecteur Bontournant n'hésita pas à conclure après que l'exposé fût terminé :

– Merci, monsieur le chanoine. Grâce à vous tout me paraît clair... Il y a d'abord le motif, sans lequel un meurtre s'explique difficilement, qui est la jalousie sénile. Il y a aussi l'exécution de l'acte, qui fut pratiquement spontanée et donc irréfléchie : ce qui pourra être pour la veuve, exaspérée par des années de rancunes inassouvies, une circonstance atténuante le jour où elle devra comparaître en cour d'assises... Au fond, tout cela s'arrange plutôt bien !

La porte donnant sur le perron s'ouvrit à son tour et la brigade de l'institut médico-légal, toute vêtue de blouses blanches assez crasseuses, fit son entrée dans le vestibule... Évidemment ce n'était pas le genre exact de clientèle que Marie-Adelaïde souhaitait pour rétablir les finances de Verchamps !

Il n'y avait plus maintenant qu'à tirer les rideaux et à ouvrir l'un des tiroirs de la morgue de Chartres, où l'inoubliable interprète de *Valses de Vienne* serait casée provisoirement... La brigade, après avoir gravi seule l'escalier et l'avoir redescendu en emportant le corps sur un brancard recouvert d'un drap, s'engouffra dans une voiture ayant la teinte grisâtre des matins sans lendemain... Brigade bien entraînée et respectueuse dont les blouses défraîchies et maculées de taches noires portaient déjà les marques du demi-deuil de la divette, à laquelle se joignit le chef d'orchestre du récital d'adieu : le médecin légiste.

Il ne resta plus dans le vestibule que Marie-Adelaïde, l'officier de police et l'inévitable Melchior, les deux serviteurs Édouard et Ernest ayant jugé opportun de s'esquiver...

S'adressant de nouveau à la châtelaine, l'inspecteur lui demanda presque à mi-voix :

– Auriez-vous l'extrême obligeance, madame, de bien vouloir m'accorder un entretien?

– Mais que pouvez-vous avoir encore à me dire après tout ce qui vient déjà de se passer? Vous ne comprenez donc pas, monsieur le policier, que vous êtes en présence d'une femme anéantie?

– Il faut absolument vous ressaisir, madame, parce que c'est loin d'être fini!

– Qu'y a t-il?

– Peut-être pourrions-nous nous asseoir?

– Ça va être aussi long que ça?

– Je le crains, madame... Et à mon humble avis, pour vous c'est infiniment plus sérieux que le règlement de comptes passionnel dont vous venez d'être le témoin indirect.

– Plus sérieux? Alors installons-nous dans le bureau de réception... Ça ne vous ennuie pas que le baron de Raversac assiste à la conversation?

– Au contraire! Il pourra peut-être même nous être d'un grand secours!

– Moi? s'écria l'intéressé.

– Taisez-vous, Melchior! rugit Marie-Adelaïde. Vous avez le talent de toujours prendre la parole quand on ne vous la donne pas! Venez avec nous dans le bureau de réception.

Marie-Adelaïde s'installa devant le standard sur le siège laissé vacant par l'absence de Mme Sarfato, l'inspecteur se contenta du tabouret qui devait servir à Ernest quand il se reposait de ses longues stations sur le perron et Melchior, toujours sacrifié, resta debout.

Une conversation surprenante commença :

– Puis-je vous demander, madame, où se trouve en ce moment votre directeur général ? Parce qu'enfin, quand un événement de l'importance de celui que nous venons de connaître se produit dans un hôtel ou même dans une maison de retraite, ne vous paraît-il pas normal que le directeur de l'établissement soit présent ?

– C'est vrai ! s'exclama Marie-Adelaïde. Où est donc monsieur Orvoli ? Nous ne l'avons revu depuis l'arrivée des gendarmes...

– Et la mienne ! ajouta Bontournant.

– Melchior ! Où se cache-t-il, cet Orvoli ? Vous devriez le savoir puisque vous êtes l'animateur du Palais et en plus son ami intime !

– Je... Je ne sais pas, Marie-Adelaïde... Vous avez raison : il devrait se trouver ici comme nous. J'avoue être assez surpris.

– Il n'est pas là, enchaîna tranquillement l'officier de police, parce qu'il a fichu le camp dès qu'il m'a vu ! Et il ne s'est pas enfui seul ! Sa belle amie, madame Sarfato, l'a accompagné... La Ferrari est déjà loin !

– Qu'est-ce vous dites ? suffoqua la châtelaine. Pourquoi est-il parti ?

– Il faut croire qu'il m'a repéré. Ce truand et moi sommes de vieilles connaissances ! Il n'est pas un enfant de chœur, madame... Ce serait plutôt un vieux cheval de retour malgré son apparence encore juvénile. Je m'étonne même qu'il ait eu le toupet de s'attarder aussi longtemps dans ces parages, étant activement recherché par la brigade des stupéfiants... Vous dites qu'il s'appelle Orvoli ? C'est là une identité d'emprunt... Son véritable nom est Antoine Montana...

– Il est sicilien, n'est-ce pas?

– Lui Sicilien? Simple Marseillais, madame...

– C'est dommage. Ça lui allait tellement bien d'être sicilien! Avec ses yeux de velours, ses cheveux noirs, sa voix chantante...

– Marie-Adelaïde! dit Melchior en coupant court au panégyrique physique de l'absent, ce n'est pas à vous de vanter les charmes d'un personnage que monsieur l'officier de police connaît certainement depuis plus longtemps que vous...

– ... et que vous, Melchior, m'avez imposé grâce à votre incroyable don de persuasion!

– Ce qui vous a fait commettre la légèreté, madame, reprit Bontournant, de lui offrir le poste de directeur général? Avant de lui confier une fonction aussi importante, il ne vous est donc pas venu à l'idée de jeter un regard sur ses papiers d'identité?

– Vous ne me voyez pas, monsieur l'officier de police, en train de demander ce genre de renseignements à un homme que j'estimais parfaitement capable de tenir l'emploi d'un directeur général! Ceci d'autant plus que Bruno Orvoli ou « comme-vous-dites » m'avait été chaudement recommandé par mon ami de toujours le baron de Raversac ici présent, en qui j'ai la plus grande confiance... Mais à ce propos, Melchior, vous vous doutiez de ce que nous révèle monsieur Bontournant?

– Absolument pas!

– Vous ne saviez même pas que Bruno Orvoli n'était pas son vrai nom, ni qu'il était recherché par la brigade... Au fait, la brigade de quoi, monsieur l'inspecteur?

– ... des stupéfiants, madame. Elle est assez connue et on parle de plus en plus d'elle chez nous depuis que nous sommes menacés de l'invasion du *crack*.

– Qu'est-ce que c'est que ça?

– Une spécialité dont la découverte est assez récente et qui est très dangereuse parce que son prix d'achat est à la portée des petites bourses.

– Le «crack»? Drôle de nom! Quel rapport a notre homme avec ce produit?

– Il en est l'un des plus gros importateurs... Ce qui lui fait gagner beaucoup d'argent.

– Beaucoup d'argent? répéta Marie-Adelaïde saisie. Mais alors, Melchior, ces liquidités apportées aussi rapidement par les actionnaires de notre société qu'a trouvés votre détestable ami et dont les noms, à consonance plus ou moins italienne, m'avaient paru très bizarres – proviendraient-elles d'une source aussi coupable?

– Sans aucun doute, répondit l'officier de police en se substituant à un Melchior de plus en plus écrasé par la tournure que prenaient progressivement les événements.

– Alors c'est terrifiant pour moi! confia Marie-Adelaïde. Et madame Sarfato se serait également envolée? Vous venez bien de me dire qu'elle serait la maîtresse de l'aigrefin?

– Depuis longtemps, madame... Ils se sont connus à Nice. C'est un couple d'escrocs chevronnés qui travaillent ensemble...

– Et dire qu'il m'a conseillé de la prendre pour caissière! C'est effarant! Melchior, je sens que nous sombrons... Verchamps coule!

– Mais non, chère amie! Vous savez bien que Verchamps est insubmersible comme la ville de Paris : *fluctuat nec mergitur*... Et puis n'oubliez pas : *Verchamps avant tout*!

– Pour peu que ces catastrophes continuent, bientôt ce sera Verchamps *au-dessous de tout*! Ce qu'il y a de plus dramatique pour moi, c'est que je n'ai plus de caissière! Même si celle-ci n'était qu'une aventurière, c'était tout de même mieux que rien! Que vais-je devenir?

– Ayant pu apprécier depuis longtemps vos dispositions instinctives pour le maniement des fonds, répondit Melchior, je ne suis pas trop inquiet de ce côté-là! Vous n'aurez qu'à remplacer madame Sarfato provisoirement.

– Provisoirement? Moi la princesse douairière de Verchamps doublant une standardiste? Ah ça, Melchior, auriez-vous perdu subitement toute notion de grandeur? Et qui remplacera Orvoli le fuyard?

– Si vous vouliez bien m'accepter, Marie-Adelaïde, j'ai l'impression que je ne me débrouillerai pas tellement plus mal que lui dans ses fonctions.

– Vous Melchior, directeur général du Palais de la Retraite? Mais vous êtes de plus en plus fou, mon pauvre ami! Vous qui, n'ayant jamais rien fait, ne sait absolument rien faire? Le baron-directeur, ce serait le bouquet!

L'officier de police qui venait d'assister, muet et plutôt amusé, à cet échange de propos concernant le maintien de l'exploitation de Verchamps malgré tous les avatars qui tombaient sur l'illustre demeure, abandonna son tabouret en disant à la maîtresse de maison:

– Excusez-moi, madame, si je vous laisse poursuivre cette intéressante conversation avec monsieur de Raversac, mais je dois rejoindre ma voiture qui m'attend pour y donner déjà par téléphone des instructions destinées à bloquer toutes les frontières, tous les postes de police routiers, tous les commissariats, tous les aéroports, toutes les gares, tous les ports, ceci pour empêcher la Ferrari et ses occupants de se réfugier sous des climats plus cléments pour leur liberté.

— Ça va faire en effet beaucoup de monde à prévenir! opina Marie-Adelaïde. Et ce ne sera pas moi qui vous retiendrai à Verchamps en vous empêchant de faire votre devoir! A bientôt j'espère, monsieur Bontournant... Enfin je me comprends : pas trop tôt quand même! Ça voudrait dire que mes affaires vont de plus en plus mal! Nous vous aimons bien, Melchior et moi, mais je vous en supplie, ne revenez pas trop vite!

Elle se retrouva seule avec Melchior dans le bureau de réception.

— D'abord je ne veux pas rester devant ce standard : si l'un de nos pensionnaires, immodérément curieux, avait l'idée intempestive d'appeler de son appartement pour demander où nous en sommes de nos catastrophes, je serais bien incapable de lui répondre! Et vous?

— Moi? Peut-être dirais-je prudemment que les événements suivent leur cours...

— Espérons qu'ils ne le suivront pas, Melchior! Sinon ce sera la culbute finale... Pour le moment ce que nous avons de mieux à faire, vous et moi, c'est de rejoindre nos chambres et d'essayer d'y prendre quelque repos si c'est possible! Je crains que, dès demain matin, nous n'ayons besoin de toutes nos forces pour recevoir le coup de grâce que ne va pas manquer de nous assener l'adversité!

— Le coup de grâce?

— La fuite massive de nos pensionnaires avec demandes de remboursement immédiat des à-valoir

278

déjà versés... L'horreur, quoi! Comment pourrions-nous imaginer une seule seconde que ces richards vont continuer à séjourner dans ce qui va sûrement être appelé sous peu « le château du crime »? Et encore ils ne savent pas le reste que vient de nous révéler ce flic de malheur... Oui, Melchior, c'est peut-être un peu trivial dans ma bouche, mais maintenant qu'il n'est plus là, ça me soulage rudement d'appeler « flic » ce policier au nom ridicule : Bontournant! C'est plutôt un très mauvais tournant qu'a pris Verchamps dès qu'il y est entré...

Les sombres pressentiments de Marie-Adelaïde s'avérèrent prophétiques. En moins de quarante-huit heures le Palais de la Retraite se vida complètement de ses pensionnaires. Les uns après les autres annoncèrent leur départ à Melchior qui avait abandonné la chambre royale pour installer le P.C. de sauvetage dans le bureau de réception déjà prêt à redevenir le « gourbi ». Un baron sublime qui se multipliait pour tenter de limiter les dégâts engendrés par la fuite collective mais qui, hélas, ne put endiguer le flot! C'était une Bérézina, un Waterloo, un Dien-Bien-Phu de Verchamps! Les premiers à donner le signal du départ avaient été les Brésiliens qui n'avaient même pas pris la peine, après s'être fait rembourser par Melchior qui leur remit le chèque signé la mort dans l'âme par une Marie-Adelaïde réfugiée dans sa mansarde, de prendre congé ou même d'avoir une phrase aimable à distance pour la châtelaine devenue la femme invisible.

Ils furent imités par Stéphane de Morane-Baisieux emportant sa valise de médicaments, qui fit mander un taxi de Chartres, – « le taxi de la honte » déclara Melchior à Ernest qui ferma la portière au moment du départ. S'il y avait eu jadis en France les glorieux taxis de la victoire de la Marne, il s'y trouvait aujourd'hui le triste taxi de la défaite du Palais de la Retraite...

Le Professeur Coquibus suivit, s'échappant de l'horreur du crime dans sa monoplace-scarabée avec la bombe géniale du *Réveille-moi donc* qui lui avait valu un immense succès dans son numéro d'anesthésie de puces. Il n'eut même pas la délicatesse de laisser en hommage à la princesse douairière un flacon de ce *Tue-les vite* qu'elle avait su tellement apprécier à l'époque où elle faisait le ménage... « La muflerie des gens n'a aucune limite ! » pensa Melchior.

Il ne put être question, bien sûr, de départ pour Sophie Barnel et Ernestine Letocard. La première était partie beaucoup plus tôt qu'elle ne l'avait prévu et la seconde avait bénéficié du transport gratuit qui lui avait été offert par la maréchaussée de Nogent-le-Rotrou. Leurs effets personnels ajoutés à leurs voitures respectives – l'Austin verte de la chanteuse et la Peugeot incolore de la veuve du notaire – furent emportées sur des camions-remorques ressemblant étrangement à ceux qui débarrassent les rues de la Capitale des véhicules gênant la circulation.

L'avant-dernier millionnaire à partir fut le chanoine Pouladoue qui eut quand même le tact de dire à Ernest, au moment où il allait enfourcher sa bicyclette que ce dernier lui avait amenée du garage :

– Vous aurez l'obligeance, mon ami, de dire à madame la princesse douairière de Verchamps que je regrette de ne pas lui présenter mes respects et que je suis très sincèrement navré de n'avoir pas pu lui donner une ultime bénédiction destinée à la réconforter dans tous ses malheurs... Vous direz

280

aussi à monsieur le baron de Raversac que je suis profondément navré de voir qu'un homme de sa qualité ait été relégué dans un standard téléphonique! Sachez enfin que, si je pars, c'est parce que je ne vois pas très bien à quoi je pourrais servir désormais ici, n'ayant plus aucune confession à y recevoir... Veuillez également, en remerciement de votre dévouement, accepter cette modeste aumône.

Et il lui glissa dans la main une nouvelle pièce de dix francs qu'Ernest reçut en faisant la grimace.

Les tout derniers à déserter les lieux furent Clémence et Jules Nougat. La rousse Clémence qui avait donné à sa remplaçante Doudou, venue l'aider à boucler ses valises, ce judicieux conseil :

– Surtout ne reste pas ici! Ça sent le roussi...

Un Jules qui s'était fendu d'un billet de cent francs pour Ernest, au moment ou celui-ci allait fermer la portière de la Rolls-Royce, en lui disant :

– Prends, mon vieux... Ça sera toujours ça de gagné avant qu'il ne pleuve!

Quand, du haut de la lucarne mansardée, Marie-Adelaïde vit la belle voiture s'éloigner de la cour d'honneur, elle eut deux larmes – une par œil... pas plus! – prouvant que son chagrin était immense de voir s'écrouler, avec le départ de la Rolls-Royce, le beau projet d'un Verchamps transformé en Palais de la Retraite qui aurait dû lui rapporter la fortune.

Tous « les payants » étaient partis.

Ernest retourna tristement vers les écuries-garage où il ne restait plus, à nouveau solitaire, que la Renault de la princesse et, toujours dehors, continuant à attendre les intempéries auxquelles elle avait droit, la Citroën cabossée du baron. Tout en refermant lentement les portes du garage il se dit, le brave Ernest : « Adieu Cadillac, adieu Rolls-Royce, adieu scarabée, adieu bicyclette de chanoine et surtout adieu aux pourboires!»

Il revint vers le vestibule où Marie-Adelaïde avait réapparu, ayant cessé de ruminer son infortune sous les combles du château... Une châtelaine semblant avoir récupéré quelques forces vives et qui dit à Melchior :

– Maintenant que nous sommes débarrassés de tous ces gens sans la moindre envergure, il est grand temps de liquider le personnel superflu.

Ce qui fut fait dans les vingt-quatre heures : plus de maître d'hôtel Edmond, plus de cuisinier rondouillard, plus de gentil marmiton, plus de Doudou nonchalante... Les seuls qui restèrent furent Ernest et Adèle, les « titulaires » de Verchamps auxquels leur patronne annonça :

– Désormais, il faudra nous débrouiller comme nous le faisions avant cette période d'euphorie douteuse... Ernest, vous cessez d'être chasseur en uniforme pour ne plus conserver que l'entretien du potager ainsi que celui de ma voiture et du parc comme vous le pourrez... Vous, Adèle, vous retournerez dans la journée à la lingerie où vous commencerez par compter soigneusement le linge accumulé. Je me méfie des gens aisés qui partent aussi vite! C'est rare qu'ils n'emportent pas, camouflées dans leurs bagages, quelques serviettes de toilette, des taies d'oreiller ou même une paire de draps... Le soir, à dix-neuf heures, vous préparerez mon dîner que je partagerai dans l'office avec monsieur de Raversac...

– Dès ce soir, Madame?

– Dès ce soir! Le menu habituel : le potage aux légumes, l'œuf à la coque, les sardines en boîte et votre pain perdu à la gelée de groseille... C'est-à-dire que tout recommence comme si rien ne s'était passé... C'est bien compris?

282

– Oui, Madame... Mais qu'est-ce qu'on va faire de la cuisine et du reste du château?

– On ferme!

Restée seule avec son vieux confident, elle demanda :

– Et vous, Melchior, quels sont vos projets?

– Mes... J'avoue que vous me prenez un peu de court et qu'avec tout ce qui vient de se passer ces derniers jours et qui a été si rapide, je n'ai guère trouvé le temps d'y penser...

– Vous restez, ou vous partez?

– Ce sera selon votre désir, Marie-Adelaïde... Je ne voudrais surtout pas vous encombrer!

– Vous n'êtes pas encombrant, Melchior... Vous ne servez à rien!

– Dans ce cas j'ai l'impression que je ferais peut-être mieux de m'en aller?

– Vous êtes la seule personne de toutes celles qui ont défilé ici ces derniers temps que je regretterai.

– C'est déjà quelque chose... Je partirai demain matin après le petit déjeuner, comme le jour où je vous avais retrouvée en train d'astiquer avec tant de ferveur... A propos, pendant que j'étais au standard, j'ai reçu un appel téléphonique mais je n'ai pas voulu vous déranger, sachant que vous étiez absorbée là-haut dans des pensées infiniment plus importantes.

– Qui a téléphoné?

– Votre fille Roselyne.

– Qu'est-ce qu'elle voulait encore?

– Mon Dieu, comme beaucoup de gens à Paris et ailleurs, elle est déjà au courant... Il est certain que ce crime dans le château familial l'a bouleversée.

– Et mon fils, a-t-il appelé lui aussi?

283

– Non.

– Ça ne m'étonne pas! C'est un crétin qui apprend toujours les nouvelles en dernier... Qu'a-t-elle dit, Roselyne?

– Qu'elle et son mari étaient prêts à venir vous aider.

– M'aider en quoi? Ils ne l'ont jamais fait jusqu'à présent! Ce n'est pas quand je me retrouve dans les trente-sixièmes dessous qu'ils pourraient commencer! Je ne veux pas les voir, ni personne! Je tiens à rester seule, Melchior, face au problème de Verchamps.

– Qu'allez-vous faire?

– Réfléchir...

– Je sais bien que de la réflexion jaillit la lumière... Mais cependant?

– Cependant quoi? Venez avec moi sur le perron... C'est mon vrai poste de commandement.

Quand ils y furent, alors que la nuit commençait à atténuer les contours des arbres séculaires et à rosir les pierres de la façade immuable, elle retrouva une voix presque douce pour confier:

– Il y a une chose que vous ignorez, mon bon Melchior: c'est que cet Orvoli ou monsieur quelque chose s'est conduit à mon égard d'une façon infâme! Savez-vous ce qu'il s'est permis de me faire quelques heures avant de s'enfuir à l'arrivée des gendarmes? La cour... Oui, Melchior, ce voyou a osé me faire une déclaration là-haut dans la lingerie!

– Dans la... Ce que vous me révélez-là est insensé! Lui, le pseudo-Sicilien mâtiné de Marseillais, se permettre une pareille audace vis-à-vis d'une princesse de votre rang? Mais c'est fou! Dès que je serai de retour à Paris je lui enverrai mes témoins!

284

– Vous voulez rire? D'abord vous ne le trouverez pas parce qu'il sera caché quelque part, et si par miracle vous y parveniez, il vous pulvériserait! Mon pauvre vieil ami, vous n'avez plus l'âge de ce genre d'exploit! Vous battre en duel?

– Pour défendre votre honneur, Marie-Adelaïde, je me sens prêt à tout!

– C'est déjà très gentil d'en avoir l'intention... Mais vous resterez bien tranquille, continuant à vous goberger de temps en temps d'amours ancillaires... Ceci parce que vous pouvez être certain, connaissant ma droiture et mes principes, qu'il ne s'est rien passé! Je l'ai éconduit vertement comme il le méritait!

– Il ne vous a pas effleurée, au moins?

– Il s'est contenté de paroles prometteuses... C'est plus dans sa manière!

– Je respire... Le mufle!

– Vous avez raison : d'autant plus mufle qu'il vivait, nous a appris l'officier de police, depuis des années déjà en ménage avec la Sarfato... Ce que je lui pardonne le moins c'est de m'avoir mis en concurrence avec une caissière! Franchement, ai-je l'allure d'une caissière?

– Que non pas, Marie-Adelaïde!

– Avouez que cette cour imbécile ajoutée à un crime et à la découverte que l'argent permettant à Verchamps de tourner financièrement provenait de la vente de cette drogue dont je n'avais jamais entendu parler, ça fait beaucoup pour une seule et même nuit!

– C'est trop!

– Une fois de plus, qu'ai-je fait au Ciel pour qu'il continue à s'acharner ainsi sur une pauvre veuve telle que moi, une femme ayant déjà été copieusement trompée par son époux au temps où il vivait et dont les enfants sont des nullités!

– Je vous le dis, c'est trop, beaucoup trop! Il n'est pas possible que cette avalanche de malédictions continue!

– Verchamps est à l'agonie, Melchior...

– Pas d'agonie! Avec vous veillant sur lui, Verchamps ne peut pas mourir! Même si la situation paraît assez desespérée ce soir, j'ai confiance dans l'avenir.

– Vous êtes bien le seul! Personnellement j'ai perdu tout espoir...

Elle avait tort. A peine venait elle de prononcer ces paroles désespérées que la sonnerie du téléphone retentit provenant du standard et traversant le vestibule :

– J'y vais? demanda Melchior.

– Si c'est pour une réservation éventuelle répondez que c'est trop tard puisque le Palais de la Retraite vient de fermer définitivement ses portes.

– Rien n'est définitif!

La sonnerie insistait.

– Qui sait? reprit Melchior. Peut-être est-ce le salut qui se présente au bout du fil? J'y cours...

La châtelaine resta sur son perron où le baron vint la rejoindre deux minutes plus tard, essoufflé et transfiguré.

– Marie-Adelaïde, c'est Orvoli!

– Encore lui? Il ne manque pas d'aplomb après ce qui s'est passé entre nous! Où est-il?

– Je ne sais pas mais il veut absolument vous parler... Il dit qu'il a une nouvelle idée formidable pour sauver Verchamps!

– Ah, non! Ça suffit : les films pornographiques et l'argent de la drogue avec pour inter-

286

mède l'assassinat de la veuve Letocard! Non! Je ne veux même pas l'écouter! Et comment se fait-il qu'il ne soit pas déjà en prison?

– Peut-être y est-il?

– Il pourrait téléphoner de là?

– Pourquoi pas? Le confort des prisons s'est beaucoup amélioré ces derniers temps... On y trouve la télévision, on y reçoit des permissions de sortie... C'est le rêve! Alors vous prenez Orvoli à l'appareil?

– Non, mille fois non!

– Je crois que vous avez tort, Marie-Adelaïde... Il me dit qu'il a trouvé pour vous une possibilité inespérée de vendre Verchamps à un prix défiant toute concurrence...

– Vendre Verchamps?

– Oui, mais avec une réserve qui vous permettrait, tout en ayant touché une somme considérable, de pouvoir continuer à y vivre jusqu'à la fin de vos jours... Une sorte de viager de grand luxe...

– Et mes enfants, qui en sont les véritables propriétaires?

– Eux aussi s'ils en manifestent le désir...

– Jusqu'à leur mort?

– Ça, c'est un détail qui sera l'objet d'un codicille que l'on pourra rajouter plus tard sur l'acte de vente... Et s'ils ne voulaient pas de Verchamps après votre disparition, peut-être seraient-ils très contents d'encaisser chacun tout de suite un gros paquet?

– Melchior, vous êtes terrible! Le pire c'est qu'ils accepteraient! Je les connais... Tandis qu'avec moi cet acheteur éventuel ne doit se faire aucune illusion! De mon vivant, je resterai à Verchamps jusqu'au bout! Ce qui autorisera ceux qui

se permettent de vous juger de dire plus tard :
« Tout a été perdu, fors l'honneur ! »

— C'est donc que vous voulez bien parlez avec Orvoli ?

— Une princesse de Verchamps ne parle pas avec un personnage passible de prison, Melchior ! Dites-lui qu'il m'écrive. Je verrai...

LA GEISHA DU PERCHE

La lettre écrite par Bruno Orvoli fut apportée par Melchior. La princesse douairière avait maintenu sa résolution de ne pas recevoir celui qui n'était plus pour elle qu'un forban doublé d'un malappris. N'avait-il pas commis le double crime de l'entraîner, sous le couvert de la société d'exploitation du domaine de Verchamps, dans une entreprise fonctionnant grâce au blanchiment des bénéfices laissés par le vente du crack et d'oser lui demander sa main à elle, Marie-Adelaïde Jubet, qui s'était déjà donnée tant de mal pour devenir puis rester princesse de Verchamps! Comme si, après cette ascension sociale, elle pouvait perdre un titre aussi prestigieux et devenir une quelconque Mme Orvoli qui n'était même pas le vrai nom de l'aventurier! Le plus vexant, dans cette deuxième vilenie du Sicilien à l'égard de celle qui était convaincue d'être une grande dame, n'était-il pas qu'il vivait – comme une Clémence Borniquet avec son Jules Nougat – en concubinage prolongé avec la capiteuse Mme Sarfato? Liaison qui n'aurait certainement pas pris fin s'il était devenu l'époux morganatique d'une princesse! Éric, lui, avait eu au moins l'élégance, en la trompant copieusement, de changer souvent de partenaire : conduite moins grave qui pouvait être attribuée plutôt à un excès de tempérament qu'à une machination calculée. Il est certain qu'ayant réussi à devenir une sorte de prince consort de Verchamps, le faux Orvoli aurait sûrement couru moins de risques d'être inquiété pour son trafic. Plus les noms sont grands et plus la couverture qu'ils offrent est épaisse.

Malgré son courroux ajouté à une blessure d'amour-propre, Marie-Adelaïde ne put résister à la curiosité de lire la lettre que Raversac venait de lui remettre en disant :

– Vous verrez... L'offre qui s'y trouve pour l'achat de Verchamps à un prix que personne d'autre ne pourrait jamais vous proposer me paraît d'autant plus digne d'intérêt que votre propre situation de gardienne vigilante de cette noble demeure resterait inchangée... Lisez et nous en parlerons ensuite, si vous le voulez bien.

Elle lut et relut. Évidemment, l'idée était loin d'être sotte. Ce qui la faisait secrètement enrager – sentiment qu'elle cacha à ce bavard de Melchior – était qu'une fois de plus l'aventurier transalpin voyait assez juste. Il était certain que, dans la situation où elle se trouvait maintenant, il lui serait très difficile d'exploiter à nouveau un domaine qui, aux regards de tous, resterait pour longtemps encore celui du crime... Quel destin maléfique avait voulu qu'une veuve Letocard et une chanteuse aux multiples noms d'emprunt – deux créatures faites pour ne jamais se rencontrer – aient pu échouer au Palais de la Retraite? C'était fou et tellement injuste pour elle, Marie-Adelaïde, qui s'était dévouée corps et âme en respectant toujours la fière devise de la famille.

La teneur de la lettre était aussi claire que nette. Une milliardaire japonaise – là-bas ce ne sont pas des millionnaires qu'ils ont, mais des milliardaires dont ils ne savent trop que faire et qu'ils exportent le plus possible à l'étranger – offrait d'acheter immédiatement Verchamps, ce qu'il contenait d'objets d'art ou de mobilier, le parc clôturé de murs ainsi que les six fermes attenantes pour un prix dépassant toute concurrence et susceptible de faire rêver n'importe quelle princesse dans le besoin! Ce qui d'ailleurs n'était pas tout à fait le cas de Marie-Adelaïde, déjà bien pourvue au Luxembourg grâce à la succession Jubet et s'acharnant par calcul à faire croire qu'elle était complètement ruinée... Cela lui permettait aussi de justifier tous les risques qu'elle prendrait sous prétexte de sauver le château des ancêtres et de continuer à se faire plaindre par tous ceux qui admiraient son courage : ce qu'elle adorait... Ceci à un tel point que l'on pouvait se demander ce qu'elle serait devenue dans l'existence si elle n'avait pas eu la chance que la charge de Verchamps lui soit tombée sur les épaules.

Le premier avantage de l'offre japonaise était que le paiement colossal se ferait sur un compte suisse. « On ne peut pas, se dit Marie-Adelaïde, avoir toute sa fortune cachée au Luxembourg, pays dont la puissance financière est relativement récente... Il faut bien en mettre un peu de côté aussi dans cette vieille et accueillante Helvétie. »

Le deuxième était que l'acheteuse, peut-être déjà très satisfaite d'être loin des tremblements de terre secouant périodiquement l'équilibre de son pays, était pleinement d'accord pour que l'occupante actuelle des lieux, Marie-Adelaïde, continuât à résider au château dans une partie de la vaste demeure qui serait bien délimitée mais qu'elle pourrait choisir elle-même et ceci jusqu'à la fin de ses jours. Clause fantastique que la douairière estimait parfaitement juste après les efforts inouïs qu'elle n'avait cessé de faire pour essayer de sauver les meubles!

Pour elle ce serait un peu comme si elle bénéficiait d'une sorte de viager de grand luxe.

Sa deuxième lecture terminée, Marie-Adelaïde demanda à Melchior transformé en messager d'Orvoli :

– Comment s'appelle cette femme ?

– Elle a un nom charmant digne de ceux des héroïnes de Paul Loti : Kikou Namata.

– Il y a un mari ?

– Personne ne parle de lui...

– Veuve elle aussi ?

– Je ne le pense pas... Plutôt fille unique d'un magnat de l'industrie japonaise qui, comme vous le savez sans doute, est l'une des premières du monde ! Veuve ou pas, elle a beaucoup d'argent. N'est-ce pas l'essentiel ?

– Disons que ça aide... Kikou Namata... Ces gens-là ont des noms auxquels il faut s'habituer... Est-ce au moins une personne respectable ?

– C'est l'impression qu'elle donne...

– Vous l'avez donc vue ?

– Orvoli a absolument tenu à me la faire rencontrer avant de me confier cette lettre qui vous était destinée.

– Melchior, vous êtes incorrigible ! Comment osez-vous encore fréquenter cet escroc qui a fait tant de mal à Verchamps ?

– Il lui a aussi fait pas mal de bien, Marie-Adelaïde ! Souvenez-vous : les chèques des producteurs de films, les à-valoir plus que substantiels payés par les pensionnaires du Palais de la Retraite...

– Parlons-en, de ces à-valoir ! Ceux qui les avaient versés sont partis précipitamment sous prétexte qu'ils ne voulaient pas être assassinés par l'un ou l'une des pensionnaires, et ont tous exigé d'être remboursés! Je n'ai pas pu faire autrement que de leur céder, sinon la nouvelle se serait répandue que nous étions une nouvelle « auberge des Adrets » où l'on tuait les voyageurs pour les dépouiller! Quant aux paiements mensuels, ils n'ont servi qu'à faire tourner l'entreprise sans laisser le moindre bénéfice!

– Et tout le liquide apporté par la souscription de 47 % des actions?

– L'argent de la drogue? C'est de lui dont vous voulez parler?

– Drogue ou pas, cela a quand même fait pas mal de millions...

– Engloutis dans les travaux d'aménagement des appartements, des salles de bains, des sanitaires, de la cuisine, etc. Mon pauvre Melchior, avez-vous seulement idée de ce que coûte aujourd'hui ce genre de travaux? Une fortune! Évidemment les modernisations faites resteront et peuvent être considérées comme une plus-value du capital foncier, mais que faire maintenant de tout ce progrès?

– C'est pourquoi la vente, vous apportant une véritable fortune, vous mettrait à l'abri du besoin jusqu'à la fin de vos jours qui, j'en suis certain, n'est pas encore pour demain. Ceci tout en vous permettant de continuer à profiter de la splendeur du château! Ne serait-ce pas la solution rêvée?

– Mais vous qui avez parlé avec cette désenchantée – pour moi toutes les Japonaises le sont depuis que Pierre Loti nous les a fait découvrir – auriez-vous une idée de ce qu'elle compte faire de Verchamps si nous le lui vendions?

– Certainement y habiter! C'est en regardant des cartes postales du château que lui a montrées Orvoli qu'elle s'est enthousiasmée et a pris sa décision... N'oublions pas qu'elle appartient à un peuple pour qui la photographie est un élément de base de l'existence!

– Je n'ai pas souvenance qu'elle soit jamais venue ici. Une Japonaise dans nos régions, ça se serait remarqué... A-t-elle au moins le type japonais?

– Le type de la Japonaise cossue qui sait s'habiller à l'européenne.

– En quelle langue avez-vous conversé avec elle?

– En français qu'elle parle assez bien, avec une voix un peu aiguë mais ça ressemble quand même à du français... Parce qu'en japonais, je n'aurais rien compris!

– Tous ces étrangers ont la rage d'utiliser des langues impossibles! C'est bien simple : quand on les entend parler entre eux c'est à se demander s'ils parviennent même à se comprendre ?

– L'important est que Madame Kikou Namata m'ait paru pressée de conclure l'affaire.

– N'est-ce pas normal? Qui ne rêve d'être châtelaine de Verchamps? Seulement, même si je cédais à une offre aussi tentatrice, il faudra que cette ambitieuse se mette bien dans sa tête d'Asiatique que la seule princesse de Verchamps sera moi jusqu'à ma mort! Il reste aussi ma belle-fille, l'Espagnole, mais elle, nous pouvons la tenir pour quantité négligeable... De toute façon ce n'est pas parce qu'on achète une propriété dotée d'un grand nom que l'on a le droit de porter à son tour ce nom! Votre Nippone restera toujours une Kikou machin-chouette...

– Je crois qu'elle y compte bien, d'autant plus qu'elle n'est pas une machin-chouette mais une Namata... Et j'attire votre attention sur le fait que, contrairement à ce que vous venez de dire, elle n'est pas du tout « ma » Nippone! Je n'ai jamais été friand de femmes à la peau jaune.

296

– Vous préférez les Camerounaises!

– C'est très vilain, Marie-Adelaïde, de vous montrer aussi rancunière à ce point! La belle Doudou a très bien fait son service... Alors pourquoi la mal juger?

– J'ai toujours haï les femmes qui vous ont plu, Melchior!

– Jalouse à ce point-là? Mais alors vous m'aimez éperdument?

– Je ne vous aime pas : je vous déteste!

– C'est la même chose... Quelle va être votre réponse à l'offre qui vous est faite?

– Je dois d'abord consulter mes enfants pour la forme : ce sont eux les véritables propriétaires de Verchamps. Je ne suis que leur mandataire... Peut-être se refuseront-ils à toute idée de vente? Ce qui me surprendrait puisqu'ils ont toujours besoin d'argent! Et la somme, même partagée en trois – car refusant de me contenter d'un quart d'usufruit je me réserverai bien entendu ma juste part dans l'opération – reste alléchante... Il va bien falloir que nous nous réunissions pour un nouveau conseil de famille : idée qui me fait horreur! Le plus souvent, dans ce genre de colloque intéressé, c'est à qui truandera le plus l'autre!

– Je suis convaincu que vous saurez vous défendre.

– Et ce sera très heureux, Melchior! Si je ne l'avais pas fait depuis le décès d'Éric, il y aurait longtemps que mes chers enfants se seraient déjà débrouillés pour m'expédier, sous prétexte que je suis à demi folle, dans une maison de repos qui n'aurait rien d'un palais, croyez-moi! Je vais leur téléphoner.

– Et moi, qu'est-ce que je fais? Dois-je attendre comme d'habitude dans la chambre de Charles X?

– Vous retournez à Paris faire patienter la Japonaise. Ce serait navrant, si elle a vraiment autant d'argent à perdre, de lui laisser le temps de s'intéresser à des cartes postales montrant les attraits d'un autre château! Les acheteurs de son gabarit doivent se faire de plus en plus rares alors que la plupart des châteaux privés de France et d'Angleterre sont pratiquement à vendre... Il suffit d'y mettre le prix et, dans le domaine de l'achat, les Japonais ont la réputation d'être imbattables!

Quarante-huit heures plus tard, Marie-Adelaïde reçut la visite de l'inspecteur Bontournant qu'elle n'avait plus revu depuis la nuit diabolique où Ermeline Letocard s'était érigée en justicière de son infortune conjugale et où le signor Orvoli s'était enfui en compagnie de Sophia Sarfato qui lui avait cependant prédit le plus brillant avenir à l'époque où elle jouait les cartomanciennes à Nice!

– Monsieur l'officier de police, s'exclama la douairière brusquement saisie d'inquiétude, quel plaisir de vous revoir! Qu'est-ce qui me vaut l'honneur de votre visite? Y aurait-il par hasard un nouveau crime dans nos régions?

– Absolument pas, madame. D'ailleurs les crimes ne sont pas ma spécialité. Si je suis venu un certain soir ici ce ne fut qu'accessoirement pour accompagner le médecin-légiste et pour rendre service aux gendarmes de Nogent-le-Rotrou qui me l'ont demandé. Appartenant à la brigade des stupéfiants, ma véritable activité se limite à la lutte antidrogue qui, vous pouvez me croire, n'est déjà pas une petite affaire! Passant à nouveau dans les parages pour mon travail d'investigation, j'ai pris la

298

liberté de franchir les grilles de votre beau parc pour vous demander si, par hasard, vous n'auriez pas reçu récemment des nouvelles du sieur Orvoli?

– Or... Orvoli? bégaya Marie-Adelaïde de plus en plus saisie. Des nouvelles de lui?

Et, mentant effrontément, elle se reprit en répondant avec une franchise qui n'était pas sa qualité dominante:

– Ma foi non! Pourquoi voudriez-vous qu'il m'en donne après tout le tort qu'il a fait à mon cher Verchamps! Mais je pensais que vous l'aviez retrouvé et coffré comme il le mérite?

– C'est une véritable anguille qui se faufile... Il est malin, le bougre! Nous finirons quand même bien un jour par lui mettre la main au collet.

– Ce ne sera que justice! Pensez-vous qu'il soit encore en France?

– Ce n'est pas sûr. Selon certains renseignements, il se serait enfui avec sa complice pour le Japon.

– Le Ja... Japon? bredouilla Marie-Adelaïde. Mais qu'est-ce qu'il irait faire dans ce pays perdu?

– Se refaire un casier judiciaire en rendant quelques services aux hommes d'affaires de ce pays qui sont toujours à l'affût de bons placements...

– Quel genre de placements? Encore le trafic de ce crack abominable?

– Les Japonais sont plus sages que les Américains et que nous-mêmes sur ce chapitre... Quant à Bruno Orvoli, il est loin d'être un entêté! S'il s'est lancé dans ce genre de commerce, c'est uniquement parce qu'il a pensé que ça pourrait lui rapporter gros... N'en avez-vous pas eu une preuve éclatante dans l'accumulation rapide de fonds qu'il a su réaliser pour l'acquisition par des tiers d'un bon nombre d'actions de votre société d'exploitation du domaine de Verchamps tout en ayant l'habileté suprême de ne pas se mouiller lui-même dans l'affaire ? A ce propos, où en êtes-vous de cette brillante société ?

— Vous pouvez le constater vous-même : c'est le désastre ! Ça ne fonctionne plus !

— Vous pouvez vous estimer très heureuse, madame, qu'il en soit ainsi... Ce qui vous sauve c'est que vos enfants, dont vous êtes la représentante et qui sont les véritables propriétaires de ce domaine, ne soient pas trop mêlés à une pareille aventure ! La possession d'une seule action pour chacun d'eux, ça ne va pas bien loin mais vous, madame, ne détiendriez-vous pas, selon ce que j'ai entendu dire, la majorité légale de l'affaire ? Dans ce cas votre responsabilité personnelle serait grandement engagée de l'avoir fait fonctionner grâce à des capitaux dont l'origine risquerait de se révéler pour le moins des plus mystérieuses ?

— Dites-le tout de suite : vous êtes venu m'arrêter ?

— Pas encore, madame, mais vous devez bien vous douter qu'une enquête est ouverte sur vos activités et sur celles de vos associés.

— Mes associés ? Mais il n'y a que moi, mes pauvres enfants et le cher baron de Raversac qui a eu droit, lui aussi, à une action...

— A quel titre ?

— Pour...

Après une hésitation elle finit par dire :

— ... pour m'avoir fait connaître Orvoli qui s'est chargé de trouver les autres actionnaires, ces messieurs que vous devez sans doute rechercher et que je n'ai jamais rencontrés !

— Vous voyez : à un degré moindre mais inéluctable le baron est également coupable.

– Melchior! Mon plus fidèle ami!

– Il faut se méfier de ses meilleurs amis, madame...

– Lui aussi vous allez l'arrêter? Tel que je le connais, il n'y survivra pas!

– Pas tout de suite non plus, madame. Tout dépendra des conclusions de l'enquête... Si je pouvais vous donner un conseil à vous, à vos enfants et au baron, c'est de rester bien tranquilles pour le moment et surtout de ne rien entreprendre durant un bon bout de temps. Surtout pas de nouveaux projets mirobolants pour rentabiliser ce château! Faites-vous oublier... Pendant cette pause d'activité les choses se décanteront... Je suis persuadé qu'il ne sera pas trop malaisé pour vous quatre de prouver votre bonne foi et de faire comprendre au juge d'instruction, qui sera obligatoirement commis, que vous n'avez été que les victimes innocentes d'un terrible aventurier! Si j'étais votre avocat je n'hésiterais pas à faire peser toute la responsabilité sur Orvoli.

– Il le mérite mille fois et même la guillotine si elle existait encore! C'est bien dommage que cet appareil, qui a massacré injustement tant de Verchamps ou cousins des Verchamps au cours de cette Révolution dont on vient de célébrer avec un goût discutable le bicentenaire, n'existe plus! C'est elle qu'il nous faudrait pour châtier tous ces Orvoli, ces madame Sarfato et ces veuves Letocard qui ont porté un tort irréparable à la grandeur de notre château!

– Dois-je vous rappeler que madame Letocard se trouve déjà sous les verrous avec ensuite la perspective peu enviable de terminer ses jours dans un asile d'aliénés?

– Elle aura beaucoup de chance! C'est la guillo-

301

tine seule qui lui aurait convenu pour avoir osé assassiner une chanteuse sous mon toit et ceci avec le couteau à découper la viande de mon chef! Comme elle l'a trouvé dans ma cuisine, ça me donne l'impression d'être la complice indirecte de cet ignoble meurtre!

– Vous pouvez avoir la conscience tranquille : vous n'y êtes pour rien. Souhaitons simplement que votre innocence soit également reconnue dans votre complicité inconsciente avec les trafiquants dénichés par votre directeur général...

– Il ne l'est plus! Il n'y a plus de Palais de la Retraite! Il ne reste plus personne à Verchamps sauf moi! Ma solitude héroïque recommence... C'est affreux, monsieur l'officier de police! De toute façon, voulant absolument écouter vos conseils, je vais prendre la plus grave décision de ma vie...

– Vous n'allez tout de même pas vous laisser aller au désespoir, une femme de votre trempe?

– Ce sera pire : avec mes enfants nous allons vendre Verchamps et, quand ce sera fait, je ne sais même pas ce que je deviendrai. Sans doute me tuerai-je, bien que le suicide soit assez mal vu dans notre monde... C'est une solution méprisable qui fleure la lâcheté.

– Et vous êtes courageuse! Tout le monde le sait.

– Peut-être que finalement, n'ayant plus à m'occuper de Verchamps, j'entrerai au couvent?

– Quand même pas dans une maison de retraite?

– Quelle horreur! J'ai dit au couvent... Un vrai couvent avec de vraies nonnes en robes monastiques, une vraie clôture – c'est indispensable, la clôture, pour se sentir débarrassée des tapeurs! – et une chapelle où l'on prie tout le temps... L'ennui c'est que je me demande pour qui je pourrais bien prier. Pour le repos éternel de mon époux défunt le prince Éric? Mérite-t-il de connaître une telle récompense après tout le mal qu'il m'a fait de son vivant?... Pour mes chers parents Jubet? Étant athées, ils ne croyaient pas à l'au-delà... Alors pourquoi leur rappeler qu'ils y sont?... Pour mes enfants, Roselyne et Gontran? Ils n'auront plus besoin de mes prières après avoir touché chacun leur part de la vente de Verchamps!... Pour mon gendre le vicomte? C'est un imbécile prétentieux qui préfère le cinéma cochon aux bienfaits de la prière... Pour ma belle-fille l'Espagnole? Jamais!... Pour le petit-fils qu'elle prétend pouvoir me donner bientôt? Évidemment, comme ce sera un prince de Verchamps, il aura un grand besoin de l'aide divine... Elle a toujours manqué aux Verchamps! Peut-être pour le repos de l'âme de cette malheureuse Sophie Barnel qui est morte ici? Mais c'est de sa faute, si l'on y réfléchit... Elle n'avait qu'à pas séduire ce Saturnin Letocard! Finalement, je ne vois pas très bien pour qui je prierai quand j'aurai pris le voile... Voyez-vous, monsieur l'officier de police, je crois que je n'aurai envie de le faire pour personne! Pas plus d'ailleurs que les autres ne se sentiront enclins à avoir une pensée pour moi quand je disparaîtrai... Il faut être lucide.

– Vous l'êtes, madame! Et moi je vais me trouver dans l'obligation de m'en aller : les méfaits grandissants du crack m'appellent.

Trois semaines s'écoulèrent pendant lesquelles Marie-Adelaïde ne demeura pas inactive, tout en observant les conseils de prudence dispensés par l'officier de police. Activité qui se traduisit par une convocation adressée à ses enfants et beaux-enfants auxquels elle fit comprendre sans grand effort qu'il était préférable, à la suite des fâcheux événements venant de se produire, de se débarrasser au plus vite de la lourde charge du château. Ceci d'autant plus qu'une offre inespérée, venue de l'empire du Soleil-Levant, se présentait! Offre qui apporterait immédiatement beaucoup d'argent à chacun des jeunes ménages ainsi qu'à leur chère maman en récompense du courage dont elle avait su faire preuve pour maintenir intact le domaine jusqu'à ce que l'acheteur, non pas millionnaire cette fois mais archimilliardaire, se présente sous la personne d'une Mme Kikou Namata... Offre d'achat plus généreuse même qu'on ne pourrait le croire puisque la future propriétaire – qui ne donnait pas l'impression de vouloir tellement résider sur la commune de Chemy-en-Perche – était entièrement d'accord pour que la princesse douairière continuât à occuper un coin du château jusqu'à son décès. Rien non plus ne serait changé ou seulement modifié dans l'aménagement intérieur de la demeure, qui venait d'être heureusement rénovée grâce à l'argent mystérieux de cette drogue bizarre dont le nom ne serait plus jamais prononcé tant que Marie-Adelaïde serait présente. Pas un portrait d'ancêtre, pas une commode d'époque, pas un fauteuil Louis XV ou Louis XVI, pas une tapisserie des Gobelins, pas un tapis de la Savonnerie ou d'ailleurs ne disparaîtrait! Ceci pour que le château puisse continuer à être imprégné de l'atmosphère envoûtante qui crée le respect du passé.

Aussi bien Roselyne et son époux que Gontran et sa femme se montrèrent – sous des dehors faussement contrits d'apprendre que Verchamps allait échapper à ceux qui portaient son nom – enchantés. Enfin ils allaient pouvoir respirer financièrement tout en ayant la certitude que leur très digne mère – dont ils avaient été mieux placés que personne depuis des années pour apprécier les qualités de surveillante attentive d'un capital immobilier et mobilier même si elle ne pouvait plus en avoir l'usufruit – accaparée par sa fièvre intense de monter la garde, devenue chez elle une sorte de maladie que n'aurait même pas pu guérir un Stéphane de Morane-Baisieux grâce à tout le contenu de sa valise de médicaments, resterait à Verchamps et leur flanquerait une paix princière en ne venant pas résider à nouveau à Paris où, la connaissant, elle ne cesserait pas de se mêler de contrôler l'usage qu'ils feraient de l'argent que la miraculeuse Japonaise allait leur apporter!

Roselyne fut la seule à trouver quelques paroles gentilles pour Marie-Adelaïde :

– Croyez-vous, mère, que vous pourrez continuer à vivre dans ce château qui ne nous appartiendra plus?

– Une fois de plus, ma chérie, je me sacrifierai!

Il était difficile de répondre à quelqu'un sachant faire preuve d'une telle grandeur d'âme.

Le conseil de famille ayant donné son plein assentiment, les négociations pour la vente furent rapidement menées. Avec Marie-Adelaïde il en était toujours ainsi : quand on a pris une décision il faut l'exécuter sans tarder sinon on risque d'avoir des regrets! Et ça ne sert à rien, les regrets, sinon à vous empoisonner l'existence. Ce fut le baron de Raversac, toujours lui, qui – n'oubliant pas qu'il avait su être le plus brillant des animateurs pendant l'heureuse mais trop courte période des fastes du Palais de la Retraite – servit d'intermédiaire entre le clan Verchamps et l'acheteuse représentée par un homme d'affaires anglais se nommant assez banalement M. Smith... Il est très curieux de constater qu'à chaque fois qu'il y a maintenant dans le monde une vente à grand spectacle – n'était-ce pas le cas pour les dimensions de Verchamps? – on y trouve toujours un Anglais... Ceci depuis que des Sotheby's ou autres cabinets spécialisés dans ce genre de tractations ont su affirmer leur incontestable maîtrise! Les Français ne savent pas très bien mener à bon terme ces opérations qui exigent autant de tapage de bon aloi que de discrétion relative.

Il ne fut pas question, bien sûr, que le sinistre Orvoli parût dans la tractation! Restant dans les coulisses, aussi bien pour les impérieux motifs policiers que pour les raisons sentimentales faisant suite à son échec dans la manœuvre de séduction dirigée contre la princesse douairière, il jugea plus prudent de déléguer dans le plus grand secret ses pouvoirs à son ami Melchior qui, une fois encore en échange de ses bons offices, aurait droit à 10 % de la commission plus que substantielle versée en douce par l'énigmatique M. Smith à Orvoli.

Ignorant complètement ce détail, Marie-Adelaïde avait demandé à celui qu'elle continuait à considérer comme étant le plus fidèle de ses amis de bien vouloir l'accompagner jusqu'à l'étude de Maître Dugrimois, officine poussiéreuse spécialisée depuis des lustres dans l'amoncellement des actes civils concernant les plus nobles familles, parmi lesquelles se trouvait évidemment celle des Verchamps, et où aurait lieu un certain mercredi à onze heures précises la signature de l'acte de vente. La douairière ne se sentait pas la force d'assister seule à une cérémonie aussi éprouvante où elle aurait le plus grand besoin de l'appui moral de celui qui venait d'être le témoin des derniers combats qu'elle avait tenté de livrer pour sauver Verchamps.

N'étant pas la propriétaire du domaine, Marie-Adelaïde ne se trouverait au jour dit dans l'étude qu'en qualité de spectatrice éclairée qui regarde sa progéniture apposer ses doubles paraphes au bas de l'acte de vente. Geste que Roselyne et Gontran accompliraient d'autant plus allègrement qu'ils recevraient simultanément en échange des mains de M. Smith un chèque aussi faramineux que confidentiel tiré sur l'une des banques les plus discrètes de Genève. Chèques – c'était prévu dans la secrète entente familiale – sur lequel leur mère percevrait son tiers pour avoir su se montrer compréhensive au moment où il avait fallu déchirer le fameux protocole qui lui accordait jusqu'à sa mort l'omnipotence sur la gestion de Verchamps.

L'acheteuse devant s'estimer très bien représentée par l'Anglais, auquel elle avait délégué tous pouvoirs, n'avait même pas éprouvé le besoin de se déranger pour l'instant solennel. Ce qui fit dire à Marie-Adelaïde dès que tout fut terminé :

– Mais enfin, monsieur Smith, est-ce que nous la verrons un jour, cette madame Kikou Namata ?

– Vous la rencontrerez certainement, madame, quand elle viendra voir cette propriété qu'elle vient d'acquérir... En ce moment elle voyage aux États-Unis où elle procède à l'acquisition d'une chaîne de magasins.

– Je trouve cela proprement inouï ! Vous ne trouvez pas, Maître Dugrimois ?

– L'important, madame, est que cette dame ait payé sans discuter... Au cours de ma longue carrière d'officier ministériel, il m'a souvent été donné de devenir le témoin attristé d'un grand nombre de ventes et d'achats de ce genre au cours desquels il me fallut assister à des discussions de toute dernière heure aussi pénibles que sordides! Sincèrement, je crois qu'il est préférable que les choses se passent comme aujourd'hui.

– Mes enfants et moi aurions quand même été plus rassurés si nous avions pu au moins voir le visage de l'adversaire!

– Madame Kikou Namata n'est pas une adversaire, rectifia M. Smith, mais une acheteuse!

– Incroyable acheteuse qui dépense ainsi une somme fabuleuse pour s'approprier l'un des plus beaux châteaux de France qu'elle n'a même pas encore eu la curiosité de visiter!

– Il faut croire, glissa timidement Melchior, que cette dame s'est contentée de contempler les cartes postales de Verchamps qui lui ont été présentées.

– Par qui? Par vous?

– Par qui vous savez... Ce qui prouve aussi que ces cartes postales sont des plus réussies...

– Taisez-vous, Melchior! Vous persévérez à ne dire que des sottises! Acheter Verchamps sur cartes postales! Feu le prince mon mari n'aurait jamais pu supporter un tel affront et encore moins ses ancêtres! Enfin, puisque c'est fait et que l'argent est là... Nous vivons quand même à une époque de plus en plus détestable! N'est-ce pas également votre opinion. Maître Dugrimois?

– Hélas, madame, il a bien fallu que nous-mêmes, notaires des plus grandes familles, finissions par nous familiariser avec les mœurs de cette époque! Sinon nous n'aurions plus la moindre clientèle...

– L'argent est devenu une chose monstrueuse! hurla Marie-Adelaïde en se levant. Venez Melchior.

Elle sortit de l'étude en oubliant d'embrasser ses enfants et sans prendre même la peine de dire au revoir au notaire ainsi qu'à M. Smith qui, en homme aussi bien élevé que Maître Dugrimois, s'était levé à son départ.

La Citroën du baron de Raversac était stationnée devant la porte.

– Je vous enlève! dit Melchior en ouvrant la portière.

– Où allons-nous?

– Déjeuner! Cela me paraît indispensable pour nous revigorer... Les émotions à ce degré, ça épuise! Un déjeuner d'amoureux, Marie-Adelaïde... Et rassurez-vous : il n'y aura pas d'œuf à la coque, pas de sardines à l'huile, pas de pain perdu à la gelée de groseille... C'est moi qui invite...

– Pas dans votre garçonnière, j'espère?

– Non, au Fouquet's... Vous aimez le Fouquet's, bien sûr?

– Je n'y ai jamais mis les pieds. C'était Éric qui le fréquentait, m'a-t-on dit, mais il allait de préférence au bar lorsqu'il revenait de Longchamp ou d'Auteuil... C'était un enragé du turf! Ce qui n'a évidemment pas arrangé ses affaires! Pauvre Éric! Il doit être très malheureux en ce moment de constater que son épouse vient d'autoriser la liquidation de son Verchamps qu'il aimait tant!

– « Son » Verchamps? Ne fut-ce pas plutôt le vôtre? Aussi malheureux que ça, Éric, de vous savoir, vous et vos chers enfants, enfin tirés d'affaires? Cela me surprendrait! Et puis qui nous dit qu'il sait déjà que la vente vient d'avoir lieu? Je suis sûr que, dans l'au-delà, il doit exister une grâce permettant de conserver l'illusion que les choses continuent à tourner sur terre exactement comme on les a connues quand on y était.

– Peut-être est-ce pourquoi ceux qui se trouvent là-haut n'ont pas manifesté jusqu'ici l'envie de revenir parmi nous?

– Avez-vous quand même un peu faim?

– Ça dépendra du menu...

– Soyez confiante : je vous promets que ce sera encore meilleur qu'à la cantine des Films de l'Avenir.

Pour être plus tranquille, Melchior avait retenu une table au premier étage de l'illustre restaurant où il savait qu'il n'y aurait pas trop de monde à cette heure encore relativement matinale. Dès qu'ils furent installés il annonça :

– Je pense avoir commandé un repas qui devrait faire honneur à la princesse douairière de Verchamps... Et pour commencer buvez un verre de ce champagne... Vous m'avez dit que vous n'aimiez pas le vin, mais j'ai pu constater à maintes reprises, au cours de nos festivités organisées au Palais de la Retraite, que vous ne détestiez pas le champagne, ce breuvage qui ne manque pas d'esprit... Buvons, Marie-Adelaïde, comme dans *la Traviata* pour noyer notre chagrin! Car, même si je le cache, j'en ai tout autant que vous!

– A vous aussi ce qui vient de se passer vous fait de la peine?

– J'en ai parce que vous en avez... Mais les choses auraient été pires si vous n'aviez pas pu rester

310

à Verchamps! Ce qui n'est pas le cas... Seulement est-il dans vos intentions de continuer à vivre cette existence d'ascète et de solitaire dans votre pigeon-nier du deuxième étage alors que, dans tout le reste du château, la nouvelle propriétaire va peut-être recevoir beaucoup de monde et même donner des réceptions dont l'éclat pulvérisera nos dîners dan-sants pour millionnaires?

– Cette intruse – pour moi ce ne sera toujours qu'une intruse même si elle a payé le prix fort pour s'installer dans nos meubles! – pourra bien organiser toutes les fêtes qu'elle voudra! Je les ignorerai! Et en supposant qu'elle ait le toupet de m'y inviter, je refu-serai, préférant m'enfermer à double tour dans ma mansarde pour méditer sur la grandeur et la déca-dence de nos vieilles familles! Je vais être un peu comme vous, mon bon ami, qui vous contentez depuis des années d'une garçonnière où vous ne m'avez d'ailleurs jamais invitée et où je n'ai aucune envie de mettre les pieds après toutes les soubrettes ou filles de salles que vous avez dû y recevoir!

– Je peux vous assurer que toutes, sans excep-tion, étaient ravissantes...

– Si en plus elles avaient été laides, vous seriez impardonnable!

– Mais enfin, tout en ayant le droit légal de continuer à occuper une partie du château en per-manence, vous avez encore votre appartement de Paris qui est des plus agréables? Pourquoi ne pas plutôt y résider et le quitter de temps en temps pour aller voir ce qui se passe à Verchamps? Vous avez une voiture et le trajct n'est pas tellement long.

– L'œil de la princesse transformé en œil de Moscou pour surveiller la Japonaise? Rassurez-vous : je serai cet œil et même beaucoup plus que ça!

311

Je vous garantis que je vais tout faire pour empoisonner tellement les séjours de cette Jaune dans ce qui restera toujours « mon » château qu'elle n'aura plus du tout envie d'y mettre les pieds ! Ceci jusqu'à mon décès ! Maintenant que mes soucis financiers sont écartés, je me sens de plus en plus en forme ! Et je suis certaine que de là où il se trouve, Éric va continuer à m'encourager à persévérer dans cette voie : une Verchamps n'abdique jamais !

— Si vous agissez ainsi, ne craignez-vous pas que madame Kikou Namata, écœurée, ne prenne la décision de revendre le château à des gens qui se montreront beaucoup moins compréhensifs à votre égard ?

— Et alors ? Qu'est-ce que pourront faire ces autres intrus contre moi ? Rien ! La clause de l'acte de vente mentionnant mon maintien dans les lieux est formelle... Peut-être essaieront-ils de m'assassiner ? Je me défendrai ! Et je ne serai pas seule dans le château puisqu'il a été également spécifié que le couple d'Adèle et Ernest devrait y rester en qualité de gardien et pour assurer mon service jusqu'au bout, à condition, bien entendu, que ce soit moi qui les paie : ce que je vais faire avec joie. Ils continueront à occuper leur logement au-dessus du garage et je conserverai la sonnette d'alarme qui me permet de les appeler en cas de danger. N'oubliez pas qu'Ernest, ancien marin, possède une carabine dont il sait très bien se servir et que sa femme, qui est plus forte qu'une Turque, a pris l'habitude de ne jamais se séparer de son rouleau à pâtisserie depuis que je lui ai appris à faire des rondes de surveillance nocturnes dans le château ! Quant à moi, j'ai fait hier, chez l'armurier qui fournissait à Éric tous ses fusils de chasse, l'acquisition d'un revolver qu'il m'a permis d'essayer dans le stand de tir installé au sous-sol de son magasin.

312

– Vous avez tiré, vous, Marie-Adelaïde?

– J'ai tiré, Melchior, et même très bien tiré en visant le centre de la cible plaquée contre le mur de fond du stand.

– Et vous avez mis dans le mille?

– Qu'est-ce que vous appelez le mille? Sans doute voulez-vous parler du petit carré blanc peint au centre de la cible? Eh bien sachez que, dès le premier essai, j'ai placé trois balles sur six dans le carré!

– Pas possible! C'est prodigieux! Décidément, Marie-Adelaïde, vous avez tous les talents!

– Aussi vous comprenez que si la Japonaise avait l'idée néfaste de louer les services d'un tueur à gages – elle à qui une richesse insolente permet de tout acheter – ce voyou trouverait à qui parler!

– Mais peut-être sait-elle tirer, elle aussi? A moins qu'elle ne manie un sabre de samouraï, ce qui serait plutôt la spécialité de son pays?

– Ça ne pourra pas être pire que le couteau de mon chef manié par madame Letocard! Et n'oubliez pas qu'avec Ernest et Adèle nous serons trois! L'union ne fait-elle pas la force?

– Mais ça deviendra une bataille rangée! Vous imaginez cela à Verchamps?

– Le château n'étant plus à mes enfants ni à moi, je saurai le défendre avec la férocité de ces mercenaires que nos ancêtres engageaient jadis pour les accompagner quand ils partaient à la croisade...

– Ce que vous venez de dire est assez amusant : vous deviendriez une mercenaire très bien payée, sans qu'elle y ait même pensé lorsqu'elle a signé ses chèques, par madame Kikou Namata elle-même!

– Pour la dernière fois, Melchior, cessez vos plaisanteries.

– Justement, puisque nous parlons d'argent,

313

que comptez-vous faire de la somme considérable que vous venez de toucher?

– Le transformer en bonnes économies. Vous ne m'en voudrez pas si ce ne sera ni à vous ni à ce bandit d'Orvoli que je m'adresserai pour vous demander de me conseiller dans mes placements?

– Vous aurez mille fois raison parce que ça ne me regarde absolument pas! Et je suis quand même enchanté à l'idée que ma chère Marie-Adelaïde ait pu enfin mettre un peu d'argent de côté.

La douairière le dévisagea avec une réelle satisfaction : décidément pas plus Melchior que ses enfants, ni personne, n'avait l'idée que ses économies luxembourgeoises, dues à la succession Jubet, avaient déjà fait tellement de petits que ce n'étaient plus des économies, mais un véritable capital.

– N'auriez-vous pas envie, reprit le baron, de placer ces économies dans l'achat d'une autre propriété dont l'entretien serait nettement moins onéreux que celui de Verchamps, tout en étant très agréable? Je ne sais pas, moi... Une villa sur la Côte d'Azur ou à Dinard dans le genre de celle des Divois-Maubeux?

– Les surgelés! Ah, non, Melchior! L'argent venu de la douloureuse vente des pierres seigneuriales de Verchamps mérite d'être placé plus dignement que celui qui provient de la vente de produits alimentaires!

Le repas avait eu cette qualité rare que possèdent toutes les bonnes tables où l'on peut poursuivre une conversation sans s'apercevoir que l'on a très bien mangé. Et Raversac avait pu remarquer, comme cela se passait à chaque fois qu'elle était invitée, que Marie-Adelaïde avait une excellente fourchette... Quand il demanda l'addition, la douairière eut un sursaut de civilité.

314

– Sincèrement, Melchior, vous tenez absolument à m'inviter?

– J'y tiens!

– Je suis confuse...

– Ce déjeuner n'est qu'une toute petite compensation destinée à vous remercier pour les repas que vous m'avez offerts dans l'office de Verchamps... Des repas très sains qui ne m'ont jamais chargé l'estomac, ce qui est déjà un grand mérite! Que faisons-nous, maintenant? Je vous ramène à votre domicile parisien?

– Vous me déposez à une station de taxis : j'ai encore quelques courses à faire avant de passer chez moi pour reprendre ma voiture que j'ai laissée dans la rue juste devant ma porte et avec laquelle je compte bien rentrer à Verchamps avant la tombée de la nuit.

Au moment où ils atteignirent la station, le vieil ami remarqua :

– Je constate avec plaisir que vous ne variez pas vos habitudes : à chaque fois que vous nous faites la surprise de venir nous voir dans la Capitale, vous portez ce même imperméable, ces mêmes chaussures à talons plats ainsi que votre vaste cabas qui est presque devenu légendaire! Bientôt Paris ne pourra plus imaginer autrement la silhouette de la princesse douairière de Verchamps!

– Depuis le temps que je suis devenue une campagnarde, je me moque pas mal de l'opinion de Paris sur mon compte! Ce que je sais aussi, c'est que mon cabas, qui n'a plus d'âge comme mon imperméable, vous intrigue comme tout le monde... Vous vous demandez ce que je peux bien transporter dedans? Eh bien aujourd'hui, puisque vous venez de me traiter en grand seigneur, je vais satisfaire votre curiosité en vous révélant qu'il y a dans ce fourre-tout un nouvel objet qui ne s'y trouvait pas jusqu'à hier... Admirez...

Elle sortit du gouffre portatif un revolver en précisant :

– J'ai mis le cran de sécurité, mais il est chargé! J'ai décidé de ne plus jamais me séparer de lui.

– Vous sentiriez-vous en si grand danger, chère amie?

– Nous devrions tous nous méfier du péril jaune, Melchior! Au revoir et encore merci d'avoir accepté d'être à mes côtés pendant la rude épreuve que je viens d'être contrainte de subir chez le notaire! Je le savais depuis longtemps, mais vous venez de me donner la preuve absolue que vous êtes mon plus grand ami.

Elle enfouit l'arme dans le cabas et monta dans le taxi en adressant de la main à travers la vitre de la portière au gentilhomme resté sur le trottoir un large baiser où il y avait un peu de tout; de l'affection, de la mondanité, de l'ironie et peut-être aussi de la méfiance...

En regardant le taxi partir et avant d'aller rejoindre sa Citroën vétuste, Melchior visiblement inquiet parla tout seul à voix haute. Les quelques mots qui vinrent sur ses lèvres furent :

– Pourvu qu'elle ne fasse pas une grosse bêtise avec ce jouet dangereux qu'elle transporte dans son cabas! Une chose que je n'aime pas du tout! J'ai peur que le déplorable exemple donné voici quelques mois à Verchamps par la veuve du notaire ne lui donne de funestes idées...

Un nouveau long mois s'écoula avant que l'ex-châtelaine devenue l'observatrice de Verchamps ne

316

donne de ses nouvelles par téléphone aussi bien à Melchior qu'à ses enfants. Ni l'un ni les autres n'osaient la déranger sachant que « pas de nouvelles bonnes nouvelles! »

Un mois surprenant dans l'existence de Marie-Adelaïde qui ne descendait de sa mansarde de réflexion qu'une fois par jour vers dix-neuf heures pour rejoindre les communs où elle avait décidé de prendre à l'avenir son unique repas de la journée dans le logement aménagé depuis des années pour le couple d'Adèle et d'Ernest. Il n'était plus question de la présence de leur fille mais il arrivait que la douairière demandât à ses hôtes, qui la servaient à leur table familiale sans oser s'y asseoir pendant toute la durée de sa présence, au cours de ce dîner aussi frugal que tous ceux avalés quand elle était encore une sorte de princesse régnante :

– Que devient Clémence?

– Elle nous écrit chaque semaine. Il semble que tout aille très bien pour elle.

– Toujours avec le même monsieur?

– Toujours.

– Ça prouve qu'elle doit être heureuse... Tant mieux! Vous avez encore de la chance qu'elle vous écrive... Depuis que mes enfants ont de l'argent, ils ne me téléphonent même pas! N'ayant plus rien à toucher de Verchamps, ils se moquent éperdument que leur vieille maman y végète!

– Oh! Madame n'est pas encore vieille et elle végète parce qu'elle le veut bien! s'exclama Adèle.

– Dites-moi, Ernest, les choses se passent toujours bien, au potager? Je n'ai même plus le courage d'aller vous y rendre visite depuis qu'il ne m'appartient plus... C'est comme pour le parc... Mais puisque vous êtes le gardien agréé par la nouvelle propriétaire, que vous n'avez d'ailleurs encore pas plus vue que moi, n'hésitez pas à me signaler si vous y remarquiez quelque anomalie au cours de vos tournées... Vous aussi, Adèle, vous continuez à faire consciencieusement vos rondes régulières dans le château?

– Madame peut compter sur notre dévouement parce qu'elle sait très bien qu'elle restera toujours pour nous la vraie châtelaine de Verchamps... L'autre ne comptera même pas le jour où elle y viendra... Mais est-ce que nous finirons par la voir?

– Mystère, ma bonne Adèle! Notez bien qu'on peut très bien se passer d'elle!

Ce que ne révélait pas Marie-Adelaïde aux gardiens, c'est que chaque soir, après avoir été dîner chez eux, elle ne pouvait pas résister, quand elle rentrait dans le château, à faire le tour du propriétaire même si son seul droit était maintenant d'y habiter sans se mêler de ce qu'il pouvait s'y passer... En réalité, depuis la vente, il ne s'était encore rien passé! Ce qui lui semblait de plus en plus louche... C'était à se demander si Verchamps n'avait pas été acheté par une femme fantôme qui ne tenait pas à s'y montrer sous son apparence physique?

Au cours de ses promenades nocturnes, où elle prenait bien soin de ne pas allumer l'électricité pour ne pas attirer l'attention du couple Borniquet – qui aurait pu être intrigué si, des communs où ils résidaient, ils apercevaient quelque lumière dans le château – elle allait lentement de pièce en pièce, passant du vestibule à la salle à manger puis dans les salons avant d'aller caresser amoureusement les reliures de la bibliothèque auxquelles jusque-là elle n'avait jamais prêté la moindre attention. Tout cela dans l'obscurité... C'était elle le véritable fantôme de Verchamps. Pourquoi utiliser même une lampe de poche, puisque pendant les innombrables séances de nettoyage pratiquées au temps de son règne, elle avait appris à connaître les moindres meubles et les plus petits recoins par cœur? C'était son royaume.

Elle se refusait aussi à éclairer la poussière qui avait dû à nouveau tout recouvrir et qui ne ferait que s'accumuler au fur et à mesure que le temps du silence et de l'abandon s'allongerait... Elle ne voulait pas non plus apercevoir les visages sévères de tous les ancêtres, toujours accrochés aux murs, qui devaient sûrement lui reprocher dans l'obscurité d'avoir trahi le passé en se débarrassant d'eux en même temps que de leur demeure le matin où elle avait assisté sans protester, dans une étude de notaire parisien, à la signature de l'acte de vente par ses enfants et qui, pour eux, les disparus, n'était que la capitulation de tous les Verchamps...

Revenue dans le vestibule elle faisait un détour vers le « gourbi » redevenu inutile et frôlait ce qui avait été le bureau de réception avec son standard téléphonique désormais silencieux où opérait Mme Sarfato. Elle ne pouvait pas s'empêcher non plus de repenser aux substantielles additions qui y avaient été réglées à coups de chèques enchantés par les millionnaires volatilisés. Heureusement l'opacité des ténèbres aurait empêché quelque observateur indiscret de pouvoir remarquer la douleur imprégnant le visage angoissé de celle qui, malgré ses héritiers, se considérait comme étant la dernière princesse des lieux.

Abandonnant le vestibule elle rejoignait le soussol où elle entrevoyait, scintillant vaguement dans l'obscurité de la cuisine rénovée, les cuivres des

319

superbes casseroles et les bassines en étain qui avaient été exigées par le chef disparu pour pouvoir faire mijoter l'excellente cuisine réclamée par des gens qui avaient les moyens et le temps de la savourer... Elle ne ressortait jamais de cet antre de la gastronomie sans avoir fait le tour complet de l'immense fourneau modernisé dont les feux s'étaient éteints pour un temps indéterminé. Elle se penchait même au-dessus du four comme si elle cherchait à retrouver le relent de toutes ces odeurs exquises qui donnent un goût au plaisir divin de la bouche. A ce moment, oubliant complètement les banalités du dîner spartiate qu'elle venait de faire chez les Borniquet, elle se croyait ramenée aux soupers aux chandelles servis par un Edmond sanglé dans son habit de bonne coupe.

Quittant presque à regret la cuisine endormie, elle remontait au rez-de-chaussée où l'attendait le grand escalier qu'elle commençait à gravir doucement marche par marche... Pas besoin d'éclairage là non plus! Ne connaissait-elle pas par cœur chaque marche, les ayant maintes fois comptées... Il y en avait trente-quatre pour atteindre le couloir du premier sur lequel donnaient les portes des appartements de rêve. Et elle avançait sans hâte, ouvrant chaque porte, pénétrant dans chaque chambre aux volets à nouveau clos et aux lourds rideaux de velours fermés, inspectant chaque salle de bain où il n'était plus nécessaire de placarder des étiquettes puisque tout le luxe sanitaire appartenait maintenant à « l'autre ». Qu'est-ce que ça pourrait bien faire maintenant si un robinet commençait à fuir ou si une chasse d'eau fonctionnait mal puisque ça n'était plus elle, Marie-Adelaïde, la responsable de la bonne tenue du château et que, s'il y avait des réparations à faire, ce serait le Japon qui paierait!

320

La seule porte devant laquelle elle se recueillait pendant quelques instants avant de l'ouvrir était celle de la chambre d'honneur. Le lit à baldaquin se trouvait toujours là, muet, comme les autres meubles et objets, sur tout ce qu'il avait connu et entendu à Verchamps! A chaque fois qu'elle revenait dans cette pièce Marie-Adelaïde éprouvait la sensation grisante de respirer l'odeur d'un certain parfum. Ce ne pouvait pas être celui de Charles X évaporé depuis plus d'un siècle et demi... Non, n'était-ce pas plutôt l'odeur de fougère chère à Melchior qui devait continuer à imprégner l'atmosphère? Satané Melchior qui à un moment, lui aussi, avait presque fait partie du mobilier du château!

Arrivée devant la porte de la chambre où la chanteuse avait été poignardée, la douairière n'osait même pas l'entrouvrir. Il en fut de même toutes les nuits. Pour elle c'était la seule pièce de Verchamps qu'elle aurait fait complètement démolir, si elle était restée la châtelaine, pour la remplacer par un boudoir aux couleurs tendres et dont les murs auraient été ornés de portraits de grandes artistes disparues, telle une Malibran ou autres, mais peintes par des Vigé-Lebrun... Ceci en souvenir de la malheureuse Sophie Barnel.

L'étrange périple terminé, Marie-Adelaïde remontait par l'escalier de service jusqu'à sa chambre mansardée mais, avant d'y pénétrer, elle sortait de son cabas le clef lui permettant d'entrer dans la lingerie voisine. Et là, debout, entourée par les rangées de linge dont la blancheur était à peine perceptible dans l'obscurité, elle revivait la scène insensée qu'elle avait connue avec un Bruno Orvoli agenouillé devant elle. Combien de temps restait-elle ainsi immobile? Peut-être aussi longtemps que la nuit où elle avait entendu chanter dans ses oreilles extasiées des mots d'amour qu'elle n'avait encore jamais connus jusque-là! Mots auxquels sa dignité lui avait imposé de faire semblant de ne pas prêter attention mais il avait pourtant un tel charme, ce Sicilien à la voix ensoleillée! Et il était beau, avec cela! Infiniment plus qu'un Éric ou qu'un Melchior! Un aventurier peut-être, mais l'aventure n'est-elle pas aussi nécessaire à une princesse qu'à tout autre femme? La prodigieuse aventure qui vous emporte malgré vous vers l'imprévu et vers les promesses de richesse...

Ce qui se passait chaque soir à cette seconde dans les pensées et dans le cœur de Marie-Adelaïde, qui se sentait alors beaucoup plus une Jubet qu'une Verchamps, était fou! Désemparée aussi parce qu'après des mois elle était sûre, dans son secret de femme trop longtemps délaissée, d'avoir manqué cette nuit-là l'occasion unique qui ne se représentait plus jamais pour elle! Mais balayant brusquement d'une chiquenaude morale le vague à l'âme qui l'envahissait, elle parvenait à retrouver chaque soir la force raisonnée qui finissait toujours par dominer en elle tous les autres sentiments... et elle abandonnait rapidement la lingerie dont elle refermait la porte d'un tour de clef, non plus par crainte qu'on ne lui volât des serviettes ou des taies d'oreiller mais parce que c'était la seule pièce du château où elle aurait pu cesser de n'être qu'une femme d'argent pour devenir une femme aussi faible que toutes les autres.

Allongée dans sa chambre sur ce qu'elle appelait son « lit de bonne », la recluse commençait alors à rêver toute éveillée. Ceci malgré la pâle lumière de la lampe de chevet qu'elle avait allumée, le seul éclairage tamisé qui lui convenait à Verchamps depuis qu'elle ne s'y sentait plus l'unique maîtresse. Rêve oscillant entre la satisfaction secrète de posséder à l'abri et pour elle toute seule, aussi bien au Luxembourg qu'en Suisse, une solide fortune lui permettant d'envisager l'avenir avec une totale sérénité, et la pensée que si un Bruno Orvoli ou tout autre de la même trempe romanesque se présentait maintenant pour lui demander d'utiliser ces capitaux et de se lancer avec lui dans de nouvelles entreprises périlleuses, elle n'hésiterait sans doute pas! Débarrassée d'une charge ennoblissante mais pesante, ses parents n'étant plus et ses enfants bien parés, elle se sentait prête à repartir au combat. Seulement voilà, existait-il un autre Orvoli? Ce n'était pas du tout certain! Et où pouvait bien se cacher le génie qui avait réussi le nouvel exploit de lui faire vendre triomphalement Verchamps sans se montrer!

Quand elle éteignait la lampe, ses dernières pensées intimes étaient:

« Bruno, mon sauveur, pourquoi me faites-vous languir? Revenez vite me chercher! C'est vous seul qui pouvez m'aider à me débarrasser de l'intruse. Tout en conservant l'argent que je lui ai pris... Malin comme vous l'êtes, je suis sûre que vous trouverez le moyen! Ensuite nous pourrions récupérer Verchamps et peut-être pour pas tellement cher?»

Un matin, alors qu'elle était encore enfermée dans sa mansarde pour examiner une fois de plus la comptabilité de ses revenus, on frappa à la porte. C'était Adèle qui, essoufflée d'avoir grimpé quatre à quatre, criait:

– Madame, ça y est: elle arrive! Regardez par la fenêtre!

Marie-Adelaïde se précipita à la lucarne et le spectacle qu'elle vit dans la cour d'honneur l'étonna. Aussi importante que la colonne des véhicules des Films de l'Avenir, quand elle arrivait chaque matin à l'époque faste des tournages, une file de grosses voitures noires – se ressemblant toutes et rappelant la limousine aux vitres opaques d'où étaient descendus trois années plus tôt les grands producteurs Issac Dreyfus et Moshé Dupont – venait de s'arrêter en arc de cercle devant le perron au bas duquel se trouvait – hélas sans son bel uniforme de garde-chasse resté accroché dans quelque placard! – Ernest qui courut ouvrir la portière de la voiture de tête. Un grand monsieur blond à l'allure assez distinguée en descendit le premier avant de tendre la main à une personne se trouvant encore à l'intérieur de la voiture et qui parut à son tour. Marie-Adelaïde reconnut immédiatement l'homme : c'était cet Anglais compassé se nommant M. Smith qu'elle avait vu pour la première fois de sa vie dans l'étude parisienne de Maître Dugrimois au moment pathétique de la signature du contrat de vente. Par contre il n'était pas nécessaire de connaître la femme, à qui il avait tendu le bras pour l'aider à descendre de la limousine, pour l'identifier : ce ne pouvait être que la nouvelle châtelaine de Verchamps : Mme Kikou Namata qui venait enfin inspecter « son » acquisition.

Vu du haut du deuxième étage, elle paraissait être d'assez petite taille... Menue mais incontestablement élégante, portant un tailleur Chanel bleu marine et coiffée d'un canotier en paille blanche agressivement perché sur une masse de cheveux noirs coiffés en boule tout autour de la nuque et ramenés en frange sur le front; le visage rond évoquant parfaitement celui d'une poupée japonaise, les deux petits yeux noirs bridés, le nez légèrement épaté et une bouche démesurée donnant l'impression de ne pas pouvoir se débarrasser du fameux « sourire jaune »... Telle se présentait celle qui, pour Marie-Adelaïde, ne pouvait être que la pire des ennemies.

Pendant que M. Smith commençait, avec force gestes s'alliant mal au flegme britannique, à lui donner quelques explications sur la demeure, elle restait debout figée sur le perron à ce même emplacement qu'affectionnait particulièrement celle qui l'avait précédée comme maîtresse des lieux pour pouvoir surveiller tout ce qui s'y passait... Et elle continuait à sourire sans dire un mot.

Délaissant provisoirement la vision d'une Kikou Namata en train d'écouter un M. Smith qui, à son avis, devait être pour elle une sorte de Melchior – mais un Melchior spécialement *made in London* pour Asiatiques – Marie-Adelaïde regardait maintenant avec stupeur la horde de petits bonshommes descendus des autres voitures comme des jouets qui auraient surgi de longues boîtes et qui s'étaient agglutinés, obséquieux, au bas du perron aux pieds de sa remplaçante. Tous des Japonais, c'était certain, avec leurs yeux bridés, leurs sourires stéréotypés et pourvus d'une multitude d'appareils photographiques qui avaient été mis en batterie à une vitesse stupéfiante uniquement pour mitrailler la nouvelle propriétaire. Ce qui se produisit à la seconde où celle-ci voulut bien se retourner pour que son sourire permanent soit chipé par les objectifs.

Après cette première prise de contact, dont la toile de fond avait été la façade du château, la troupe d'envahisseurs s'engouffra das le vestibule sous la conduite d'Ernest.

– Adèle, ordonna Marie-Adelaïde, descendez vite les rejoindre pour voir ce qu'ils vont faire à l'intérieur! Ernest ne peut tous les surveiller à lui seul! Et n'oubliez pas qu'en vertu de l'acte de vente, ils n'ont pas le droit d'emporter quoi que ce soit tant que je serai encore de ce monde! Rien ne doit bouger ni sortir de Verchamps! Si cette bonne femme ou l'un de ses sbires faisait main basse sur le moindre objet, venez immédiatement me chercher... Je ne bouge pas d'ici, ne tenant pas à les voir de trop près : leurs sourires qui n'en finissent pas ne m'inspirent aucune confiance! Je pense qu'ils vont faire le tour complet pour découvrir ce chef-d'œuvre d'art et de goût français que j'ai réussi à maintenir à peu près intact...

Adèle repartit à toute allure.

L'attente dans la mansarde fut longue pour Marie-Adelaïde. Son ambassadrice ne revenait pas et elle avait beau regarder par sa lucarne, personne ne ressortait du château. Seules les limousines et leurs chauffeurs qui, eux, n'étaient pas jaunes, stationnaient alignés dans la cour d'honneur face au perron. On aurait dit les voitures d'un cortège officiel attendant dans la cour de l'Élysée que le Conseil des ministres fût terminé. Il ne manquait que des motards casqués, chacun au garde-à-vous à côté de sa motocyclette.

La douairière se rongeait les sangs, persuadée que Mme Kikou Namata allait demander à la rencontrer : ce qui serait la plus élémentaire des politesses pour cette tard-venue – presque une parvenue – à l'égard de l'une des représentantes les plus qualifiées de la noblesse française.

Que pouvait bien être en train de manigancer cette désenchantée en tailleur Chanel entourée de ses samouraïs en complet-veston pour mettre autant de temps à donner signe de vie? Si encore Verchamps avait possédé des oubliettes, on aurait pu croire qu'ils étaient tombés dedans... Ce qui n'aurait pas été une si mauvaise solution pour permettre à la douairière de reprendre les rênes du pouvoir après la disparition de toute cette smala aux yeux clignotants de roublardise! Malheureusement, à l'époque où Verchamps avait été construit, l'engouement pour les oubliettes était déjà passé de mode...

Enfin on frappa à la porte : C'était Ernest.

– Comment? demanda la recluse volontaire. Vous avez laissé votre femme seule avec ce bataillon d'indiscrets? N'est-ce pas un peu risqué?

– Oh, Madame! ils sont bien paisibles... De la cuisine jusqu'à la chambre royale, en passant par toute la réception du rez-de-chaussée et par tous les appartements du premier, ils ont suivi madame Kikou Namata en silence pour la photographier dans chaque pièce. Elle leur souriait gentiment et dès que la séance de pose était terminée elle repartait, toujours en compagnie du monsieur anglais, vers la pièce suivante où les photos recommençaient... D'ailleurs ces gens-là photographient tout : les meubles, les tapis, les tapisseries, les pendules, les portraits de famille... Rien ne leur échappe! C'est à se demander ce qu'ils pourront bien faire de toutes ces photographies quand ils seront rentrés dans leur pays...

– Ne vous inquiétez pas pour ça, Ernest! En commerçants très avisés qu'ils sont ils en tireront des centaines de milliers de cartes postales qui reviendront chez nous pour y être vendues avec la mention *made in Japan*! Elle vous a parlé?

– Elle m'a dit « bonjour » en français ainsi qu'à

327

Adèle quand elle est venue nous rejoindre mais, pendant toute la visite, elle n'a fait que parler en anglais avec le monsieur.

– Monsieur Smith...

– Ah? Madame le connaît? Ça tombe bien parce que justement c'est lui qui m'envoie pour vous demander si Madame accepterait de le recevoir pendant quelques instants?

– Ah! Elle a quand même compris, cette indigène, qu'il n'y a pas que dans son pays qu'on se fait des tas de courbettes avant de se parler! Elle m'envoie son conseiller en plénipotentiaire pour tâter le terrain et savoir si j'accepterais de la recevoir? C'est sûr! Ce qui prouve que ces gens-là ont quand même quelques notions de savoir-vivre... Eh bien retournez dire à ce monsieur que je le verrai avec plaisir... Mais ça ne se passera pas ici dans cette chambre de bonne. Il faut du décorum pour conserver son prestige! Pendant votre descente, en passant dans le couloir du premier, entrez vite dans la chambre du roi et ouvrez les volets : ce sera là où je recevrai cet envoyé spécial et peut-être aussi, après lui, son impératrice? Enfin je m'entends : là-bas, chez eux, ils aiment encore les empereurs et les impératrices! Ce sont les derniers! Si ça peut leur faire plaisir, en ma qualité de princesse douairière de Verchamps, je n'y vois aucun inconvénient!

– Pour les volets à ouvrir ce ne sera pas la peine, Madame... La visite a été si rapide que je n'ai pas eu le temps de les refermer quand nous sommes ressortis de chaque pièce... Je comptais le faire ce soir avant le dîner.

– N'oubliez pas! Ce n'est pas parce que je n'ai plus les pleins pouvoirs ici qu'il faut négliger la bonne tenue de ce château! Je descends, moi aussi, mais je n'irai pas plus bas que le premier. Il est très important, quand des inconnus manifestent le désir de vous être présentés, qu'ils soient dans l'obligation de gravir les marches pour monter jusqu'à vous... C'est là une tactique que j'avais parfaitement mise au point, souvenez-vous, au temps où je régnais sur notre Palais de la Retraite : j'attendais les nouveaux arrivants du sommet des marches du perron. Il faut toujours accueillir les gens d'assez haut... Allez, mon ami.

Debout, adossée à l'un des montants en torsade du baldaquin, s'étant composé une attitude où s'affirmait toute la dignité d'une personne de son rang, elle patienta à nouveau mais pas longtemps cette fois. M. Smith était un gentleman, sachant qu'un homme bien élevé ne doit jamais faire attendre une dame. Après un coup discret frappé contre la porte donnant sur le couloir, il entra, égal à lui-même, tel que Marie-Adelaïde l'avait déjà vu chez Maître Dugrimois, c'est-à-dire un peu compassé et se tenant aussi raide que celle qu'il allait avoir pour interlocutrice mais, chez lui, cette raideur était naturelle. Après s'être incliné sans perdre de temps en courbettes à la japonaise parce qu'il était un libre citoyen du Royaume-Uni, il commença dans un français châtié qu'agrémentaient quelques intonations d'accent anglais pur Oxford :
– Madame Kikou Namata me prie, madame, de l'excuser auprès de vous si elle ne peut malheureusement pas venir jusqu'ici mais étant dans l'obligation de rentrer rapidement à Paris pour d'impérieuses nécessités, elle a déjà rejoint sa voiture où elle m'attend.

– Elle ne peut même pas se déranger? répondit la douairière devenue blême.

– Je pense qu'elle n'en voit pas l'utilité étant donné qu'elle ne vous a encore jamais rencontrée et que tous les accords ont été dûment signés il y a déjà plus d'un mois à Paris...

– Autrement dit elle ne tient pas à me voir? Eh bien sachez, monsieur Smith, que je pense exactement comme elle et que je n'ai pas la moindre envie de faire sa connaissance! Qu'aurions-nous d'ailleurs à nous dire? Mieux vaut en effet qu'elle parte avec toute sa suite! Mais vous, monsieur, pourquoi vous être donné la peine de monter?

– Par pure convenance, madame.

– Je vous en sais gré et maintenant que c'est fait, je vous rends bien volontiers votre liberté.

– Je vous remercie, madame, dit l'Anglais en s'inclinant à nouveau avant de se diriger vers la porte.

– Me permettez-vous cependant, monsieur, reprit Marie-Adelaïde, de vous poser une toute petite question avant votre départ? Pourrais-je savoir si c'est une habitude chez la dame que vous représentez d'acquérir ainsi une propriété ou même un immeuble sans les avoir jamais visités?

– Cela lui est déjà arrivé fréquemment. Elle n'a pas le temps de tout faire.

– Pas le temps? C'est inouï! Je vous avoue que j'ai déjà connu beaucoup de choses dans ma vie mais pas ça!... Et quand elle vient, comme elle l'a fait aujourd'hui, se rendre compte sur place, après un certain délai, de la physionomie de ses acquisitions, ne lui est-il jamais arrivé d'être déçue?

– Jamais, madame, parce qu'elle est toujours très bien renseignée avant de conclure un marché.

– Un marché? Renseignée sans doute par vos soins?

– Notre cabinet londonien a une grande expérience de ce genre de tractation... Et même en supposant que madame Kikou Namata connaisse une déception, ce qui n'est pas encore arrivé, je m'empresse de vous le dire – ça n'aurait pas grande importance...

– Vraiment?

– Madame Namata nous donnerait immédiatement l'ordre de revendre ce qui ne lui convient pas.

– A quel prix?

– Cela dépendrait... Vous ne me paraissez pas avoir été mise au courant, madame, du fait que votre acheteuse a déjà acquis en France deux autres propriétés de dimensions comparable à celle-ci, l'une dans le Sud-Ouest et l'autre dans l'Est après en avoir déjà acheté une chez nous en Cornouailles...

– Voyez-vous ça! Si je compte bien, cela fait donc déjà quatre châteaux! Mais dites-moi, monsieur Smith, de telles opérations nécessitent des moyens considérables?

– Les fortunes japonaises actuelles sont incommensurables, madame! Elles n'ont pratiquement pas de limites.

– Qu'est-ce que ce serait si le Japon avait gagné la dernière guerre!

– S'il l'avait gagné, madame, il serait sans doute à demi ruiné comme l'a été notre vieille Europe... Ma cliente pourrait très bien acheter aussi le château de Versailles et la cathédrale de Chartres s'ils étaient à vendre.

– Moralité, monsieur, il faut savoir perdre une guerre pour devenir riche! J'ose espérer que les Français en tiendront compte à l'avenir si un nouveau conflit se présentait...

– Vous n'avez plus de question à me poser, madame?

– Aucune, monsieur Smith! Il ne me reste qu'à vous demander à mon tour de vouloir bien souhaiter bon voyage à madame Kikou Namata tout en lui précisant bien que moins je la verrai à Verchamps, où j'ai la ferme intention de continuer à habiter comme m'en donne droit l'acte signé, et plus je m'estimerai satisfaite!

– C'est là, madame, un souhait de votre part qui pourra presque certainement se réaliser puisqu'il me paraît plus que probable que madame Namata n'a pas l'intention de revenir dans cette demeure avant longtemps.

– Qu'est-ce qu'elle va en faire? La laisser comme cela entièrement meublée et inhabitée?

– Ça, je l'ignore. Ce sont ses affaires... Mes hommages, madame.

Il sortit de la chambre royale en laissant Marie-Adelaïde clouée de saisissement et toujours adossée contre le montant du baldaquin.

Il lui fallut une bonne minute pour retrouver sa maîtrise. Le choc de l'affront fait par cette étrangère, qui n'avait même pas daigné lui rendre visite comme si la princesse douairière de Verchamps était devenue une quantité aussi négligeable dans le château que n'importe lequel des objets mobiliers qu'il contenait, avait été rude! Ça ne passait pas dans ses pensées déjà vengeresses, mais une fois de plus son indomptable énergie lui donna la force de se précipiter dans le couloir, dont les fenêtres donnaient sur la cour d'honneur, pour assister au départ des visiteurs. Elle ne vit pas la Japonaise déjà installée dans la première voiture mais seulement M. Smith descendant le perron et s'engouffrant dans la limousine dont Ernest, n'ayant pas complètement oublié qu'il avait été un brillant chasseur, referma la portière mais ne bougea plus pour celles des autres voitures bourrées de photographes... Les valets de celle qui ne lui avait même pas dit au revoir n'avaient qu'à fermer eux-mêmes leurs portières! La caravane nippone disparut encore plus vite que celle des productions cinématographiques et la cour princière retrouva le calme qui lui convenait.

Se dirigeant vers le vestibule, Marie-Adelaïde commença à descendre l'escalier d'où elle aperçut un Ernest et une Adèle, se tenant figés et silencieux, l'un à côté de l'autre, et regardant eux aussi la cour débarrassée des limousines noires. A mi-chemin de sa descente elle leur demanda :

– Seriez-vous devenus muets? Vous donnez l'impression d'être songeurs?

– Madame reconnaîtra qu'il y a de quoi! répondit Adèle.

– Ça m'étonnerait, Ernest, reprit celle qui resterait toujours pour eux la seule vraie patronne, que cette dame et ses sbires vous aient laissé des pourboires comme cela se passe généralement pour un guide de musée ou de château? Et pourtant, ils étaient nombreux!

– Je n'en attendais pas tant, Madame... Ce qui m'a le plus gêné, c'est ce mitraillage incessant des flashes. Ils ont encore pris des photos de leur patronne au moment où elle remontait dans sa voiture. En voilà une qui tient absolument à ce que l'on sache, grâce à cette multiplicité de photos, qu'elle est devenue la châtelaine!

– Les flashes... Mais mon bon Ernest, vous

faites de gros progrès en anglais : on voit que vous avez fréquenté des gens de cinéma! Quant à cette madame Kikou Namata, elle est la femme la plus mal élevée que j'aie jamais rencontrée! C'est pourquoi je l'estime incapable de savoir vivre correctement à Verchamps... Elle ne vous a pas posé de questions en cours de visite?

– Pas une.

– Tout cela est de plus en plus étrange... Ne parlons plus d'elle : ce n'est qu'une malotrue qui ne mérite même pas notre attention.

La blessure d'orgueil avait été plus profonde que la volonté d'oubli pour celle qui se sentait presque une princesse déchue. Un autre mois passa pendant lequel elle continua à errer un peu partout : le jour dans le parc, la nuit dans le château toujours sans éclairage pour ne pas voir l'accumulation progressive de la poussière qui devenait pour elle une véritable hantise. Elle ne monta pas une seule fois dans sa voiture et n'eut même pas l'envie de se rendre au village, ayant appris par les Borniquet le surnom que lui avait donné la population de Chemy après le passage de l'escorte de la Japonaise, qui avait été tout aussi remarquée que celle des cinéastes. C'était Adèle qui avait révélé ce secret à la fin du repas servi dans l'appartement des communs :

– Il y a une chose qui nous ennuie beaucoup, Ernest et moi, et que je me dois de dire à Madame pour qu'elle ne l'apprenne pas par d'autres qui ne l'aimeraient pas... Sait-elle comment on l'appelle dans le pays?

– Par mon nom, j'espère! Ce n'est pas parce que je ne suis plus la gérante du château que je ne suis pas la princesse douairière de Verchamps!

– Bien sûr, Madame, seulement, depuis, il y a eu la venue de l'autre qu'ils ont surnommée la *Geischa du Perche*! Et comme ils ne l'ont pratiquement pas vue, c'est sur Madame qu'est retombée l'appellation... L'autre jour, sur la place devant l'église, j'ai rencontré monsieur le curé qui m'a demandé, en présence de l'adjoint au maire : « Alors, Adèle, comment va votre princesse geisha? » N'est-ce pas honteux?

– Il a dit ça, l'abbé Galopin? Quel toupet et quelle ingratitude après la générosité dont j'ai su faire preuve à son égard quand j'avais fait organiser, au temps des munificences du Palais de la Retraite, cette soirée de gala dont le bénéfice a été porté, sur mon ordre, au presbytère par vos soins, Ernest... Vous vous souvenez?

– Très bien, Madame.

– Je le reconnais : la recette n'était pas fantastique mais cela n'était pas de ma faute, et uniquement celle de ces pensionnaires millionnaires qui n'étaient tous que des radins! Ce qui a compté, ce jour-là, c'est l'intention de charité. Et c'est moi qui l'ai eue! N'est-ce pas, Ernest?

– Madame dit la vérité.

– Moi devenue la « geisha » de Verchamps! Mais c'est insensé et d'autant plus stupide que je n'ai rien, absolument rien, d'une geisha! C'est bien également votre avis à tous les deux qui venez de voir de près pendant des deux heures de visite une authentique Japonaise? Même habillée à l'européenne ces femmes-là conservent toujours un côté geisha... Savez-vous seulement, ainsi que tous les ignares du pays qui m'appellent ainsi, ce que c'est qu'une geisha?

– Non, Madame...

335

– Eh bien il faut vous instruire, tous les deux, maintenant qu'étant gardiens agréés de Verchamps il vous sera donné d'en voir une de temps en temps si elle veut bien revenir! Une geisha c'est une chanteuse qui danse ou, si vous préférez une danseuse qui chante... Oui, je l'ai appris l'autre jour en consultant le petit dictionnaire que j'ai là-haut dans ma chambre... Est-ce que je danse, moi? Est-ce que je chante?

– Non, Madame...

– Alors dorénavant, si vous entendez à nouveau ces envieux du village m'appeler ainsi, savez-vous ce que vous leur répondrez? « La princesse dansant et chantant? Elle n'en a pas le temps parce qu'elle compte les sous qu'elle et ses enfants sont parvenus à piquer à une vraie Japonaise qui, elle non plus, ne sait peut-être même pas chanter ni danser! Vous devriez tous être fiers d'habiter sur la même commune qu'une aussi grande dame de France qui a su défendre le prestige de la France en faisant cracher ces envahisseurs qui ne débarquent dans nos paisibles campagnes que pour les plumer! » Cela aussi, vous l'avez bien compris tous les deux?

– Oui, Madame.

– Je me sauve. J'ai encore à effectuer ma ronde nocturne quotidienne... Vous avez beau m'affirmer que ces spécialistes du karaté n'ont fait que prendre des photographies, je ne suis pas sûre qu'ils n'aient pas pris autre chose, ne serait-ce que la miniature de ma belle-mère, la princesse Isabelle, maman de mon cher Éric, qui est posée en permanence depuis des années sur l'un des guéridons du petit salon... Conduite par une égérie du genre de cette madame Kikou Namata, cette bande de pirates est capable de tous les larcins! Bonsoir.

336

Le désespoir peut conduire au suicide, c'est bien connu. Ne recevant toujours aucun appel téléphonique de ses enfants qui, grâce à leur part de la vente, ne connaissaient plus de besoins pressants, ni même de Melchior qui semblait avoir disparu de la circulation mondaine – peut-être parce qu'il avait enfin trouvé la bergère lui convenant? une bergère ayant réussi à amasser un pécule appréciable grâce aux largesses d'autres vieux beaux de son genre – Marie-Adelaïde se trouvait au bord de la dépression nerveuse qui ne pardonne pas. Mais, comme il était écrit quelque part que Dieu n'abandonnait jamais l'une de ses créatures faite à son image, une fois encore le Ciel lui vint en aide et ceci sous la réapparition tout à fait stupéfiante de Bruno Orvoli!

Un Bruno plus pétulant que jamais, qui fit à nouveau une entrée fracassante dans la cour d'honneur complètement silencieuse depuis l'envol des oiseaux migrateurs du Japon. Il n'était plus au volant de la Ferrari rouge, mais d'une Porsche vert épinard. Et il s'y trouvait seul, sans Melchior ni Mme Sarfato.

Ayant vu du haut de son observatoire arriver ce nouveau bolide, la châtelaine de remplacement s'était précipitée au rez-de-chaussée et, en réalisant que c'était le Sicilien, elle manqua s'étouffer de saisissement. Comment avait-il l'affront, lui qui aurait dû être depuis longtemps en prison comme l'avait laissé entendre l'officier de police, de se présenter à nouveau en toute liberté?

– Eh oui! s'exclama-t-il en bondissant de sa voiture, c'est moi! Je sens que madame la princesse est très étonnée et je la comprends... Elle se dit:

« Qu'est-ce qu'il vient encore faire ici, celui-là? Me parler d'un nouveau projet mirobolant pour Verchamps? » Eh bien non! Bruno Orvoli n'aurait pas cette outrecuidance... Il est trop respectueux de la noblesse et de la grandeur d'âme de celle qui veut bien daigner l'accueillir une nouvelle fois... Il sait aussi que la vente de ce château, dont il s'est occupé de loin voici quelques mois alors qu'il avait personnellement quelques petits problèmes d'autorisation de séjour à résoudre, a permis à madame la princesse de trouver enfin la tranquillité monétaire à laquelle elle aspirait ainsi que ses ascendants qui sont, espère-t-il, toujours en excellente santé? Connaissant cette situation rassurante, il n'arrive donc pas cet après-midi pour présenter une affaire au rendement immédiat mais plus exactement, puisque madame la princesse n'est plus du tout talonnée par d'ingrates obligations d'entretien de toiture ou autres, pour lui proposer un programme de placements financiers qui pourraient doubler le montant du capital qu'elle a certainement déjà dû, étant donné ses qualités d'économiste née, savoir mettre à l'abri... Ce n'est pas à une personnalité ayant son expérience financière que son visiteur se permettrait d'affirmer que toute fortune qui n'augmente pas diminue! Ce sera là le principe de base de l'entretien qu'elle voudra bien lui accorder...

Comme la nuit où il avait fait sa déclaration enflammée dans la lingerie, le signor Orvoli, à bout de souffle, s'était brusquement arrêté de parler et observait Marie-Adelaïde avec l'anxiété chaleureuse de l'Italie, de la Sicile et de la Sardaigne réunies!

Revenue de sa surprise, la douairière demanda :
– Vous avez fini?
– Il me semble : je crois avoir exposé la grande raison de mon retour...

338

– Ah ça, monsieur, seriez-vous indécrottable, avec vos boniments qui ne peuvent plus convaincre personne? C'est à mon tour de vous rappeler cette vérité que « chat échaudé craint l'eau froide »... Ça ne vous remet rien en mémoire? les films pornographiques, les bénéfices de la vente du crack qui ont permis à vos brillantes relations de souscrire un certain nombre d'actions de la société d'exploitation de ce domaine sous l'appellation flatteuse de Palais de la Retraite alors que cette entreprise pour le moins hasardeuse aurait plutôt mieux fait de s'appeler le Palais « des Illusions »? Et comment se fait-il que vous ne soyez pas déjà arrêté?

– Pour quel motif l'aurait-on fait? Ayant refusé – alors que madame la princesse m'en avait très aimablement fait l'offre au moment de la constitution de la S.A.R.L. – d'accepter la moindre action de l'affaire, y compris une action d'apport comme cela s'est passé, si j'ai bonne mémoire, pour le prince Éric de Verchamps, pour la vicomtesse Sosthène de la Roche Brûlée et pour l'aimable baron de Raversac – il n'y avait pas un centime à moi dans le capital! Je n'ai fait que jouer un rôle d'intermédiaire qui a été récompensé, pendant les quelques mois qu'a duré l'exploitation, par ses émoluments de directeur général engagé par contrat et uniquement appointé au fixe sans toucher le moindre pourcentage qu'il a refusé sur les bénéfices... Donc, légalement, Bruno Orvoli est vierge de toute fraude!

– Et moralement?

– Encore plus vierge! Personne n'a pu dire, madame la princesse comprise, qu'il ne s'est pas dépensé pour que ça tourne rond! Et, ma foi, s'il n'y avait pas eu la regrettable anicroche de l'évanouissement de madame Letocard sur le piano, tout aurait pu continuer à bien fonctionner et sans doute madame la princesse ne se serait-elle pas trouvée dans la pénible obligation d'acquiescer à la vente du château? Vente qui, heureusement, s'est effectuée dans les meilleures conditions possibles pour madame la princesse et pour les siens grâce aux renseignements très précis que j'ai transmis à monsieur le baron de Raversac sur les ambitions et possibilités financières d'une madame Kikou Namata qui, elle, n'était même pas simplement millionnaire comme nos pensionnaires mais multimilliardaire! Tel est mon bilan! Madame la princesse peut-elle me le reprocher?

— L'officier de police, avec lequel vous avez préféré éviter tout contact en vous enfuyant précipitamment en compagnie de votre maîtresse que vous avez eu également l'aplomb de m'imposer comme caissière, m'a laissé entendre que votre casier judiciaire n'était pas tout à fait aussi vierge que votre activité à Verchamps?

— Il a dit cela, le misérable! Se permettre de semer le doute dans l'esprit de madame la princesse, la suspicion sur la probité de Bruno Orvoli qui n'a jamais encouru la moindre condamnation? Mais il n'en avait pas de droit! Je vais immédiatement porter plainte contre lui

— Vous? Ce serait le comble!

— Il me paraît indispensable que madame la princesse apprenne, au cas où elle n'aurait pas une grande pratique du droit civil, que la loi française est ainsi faite que « tout prévenu non encore jugé est présumé innocent ». N'ayant encore jamais été prévenu, même libre, comment pourrais-je devenir coupable?

— Et toutes ces combinaisons louches avec vos importateurs de drogue?

340

– Madame la princesse doit bien distinguer : ce ne sont pas ce qu'elle appelle des « combinaisons » mais de simples placements de capitaux dont j'ai toujours ignoré l'origine... Il est bien évident que si je m'en étais douté, jamais je ne me serais permis de conseiller à madame la princesse d'accepter de tels fonds pour le financement de sa société ! Moi aussi, je n'ai été qu'une victime... C'est d'ailleurs pour cela que je n'ai pas été inquiété et que j'ai pu revenir tranquillement la tête haute en France.

– Vous auriez été, m'a dit la police, au Japon ? C'est exact ?

– C'est la vérité... J'y ai rencontré quelques hommes d'affaires remarquables comme nous n'en avons malheureusement pas assez en Europe ! Je m'y suis créé aussi certaines amitiés... C'est ce qui va me permettre d'exposer à madame la princesse mon plan de gestion financière de ses capitaux qui, à mon humble avis, devrait pouvoir l'intéresser au plus haut point...

– Voilà que ça recommence !

– Ça ne recommence pas ! C'est mon indéfectible attachement pour madame la princesse qui se prolonge...

– Je vous en prie, Orvoli, cessez de mêler les sentiments aux affaires ! A propos de sentiments, que devient votre belle amie, madame Sarfato ?

– Sophia ? Je l'ai répudiée !

– Vous êtes un homme de décision. Pourquoi cela ?

– Si je disais à madame la princesse que c'est à cause de l'avion, elle ne me croirait pas...

– Quel avion ?

– Celui de la Japan Airlines qui relie Paris à Tokyo... Sophia n'a jamais voulu y monter sous prétexte que les tarots – oui, avant d'être caissière elle était cartomancienne – lui avaient toujours annoncé que si elle prenait l'avion, il lui arriverait malheur... En réalité, je crois qu'elle avait peur! Seulement, aller au Japon en bateau – et à condition encore d'en trouver un ! – n'était pas possible pour moi qui avais d'importants contrats à conclure là-bas... Aussi nous sommes-nous séparés à Roissy et, depuis, nous avons réussi à très bien vivre l'un sans l'autre! Pour moi ce fut facile puisque je ne pensais toujours qu'à madame la princesse...

– Ça vous reprend? Et votre voiture rouge, elle aussi vous l'avez répudiée?

– La Ferrari? Je m'en suis débarrassé au moment où je connaissais mes petits ennuis avec la police française... Un peu trop voyante, elle permettait de me retrouver facilement.

– Et celle-ci, vous ne trouvez pas qu'elle l'est aussi?

– Cette Porsche que je viens d'acheter? Ça n'a plus aucune importance maintenant puisque je suis libre de circuler où je veux. Et puis madame la princesse sait très bien que le vert est synonyme d'espérance!

– Je préférais l'autre.

– Puis-je faire respectueusement remarquer à madame la princesse que, depuis mon arrivée, nous nous trouvons encore debout sur le perron?

– Vous n'avez pas la prétention que je vous reçoive dans le grand salon ni même dans le petit qui ne m'appartiennent plus? Il ne reste à ma disposition que ma chambre là-haut à côté de la lingerie.

– Peut-être pourrions-nous y aller?

– Ah non! Et encore moins dans la lingerie!

– Dans ce cas, si nous voulons nous asseoir

pendant que j'exposerai mon nouveau plan financier à madame la princesse, nous n'avons plus que la Porsche dont les sièges sont confortables.

– La Porsche? C'est une idée mais à condition que cette voiture ne bouge pas! Ces bolides me font peur quand je les vois me dépasser à 200 à l'heure sur les routes alors que je conduis ma Renault à 80 tout au plus...

Installés dans la Porsche stationnée, devant le perron, vitres fermées pour rester à l'abri d'hypothétiques oreilles indiscrètes, ils commencèrent à « parler affaires » : ce qu'adorait Marie-Adelaïde. N'y avait-il pas déjà longtemps – les deux mois de sa solitude – qu'elle n'avait pu avoir ce genre de conversation? Aussi se hâta-t-elle de dire :

– Je vous écoute...

– Voilà... J'ai entendu raconter que madame la princesse aurait reçu, il n'y a pas si longtemps, la visite de madame Kikou Namata accompagnée d'une nuée de photographes?

– Qui vous a dit cela?

– La rumeur publique.

– De quoi se mêle-t-elle, celle-là? D'abord ce n'est pas moi qui ai reçu la Japonaise! C'est le château tout seul.

– Il doit être à peu près certain, poursuivit Orvoli, que ces photographes n'ont pas manqué de braquer leurs objectifs sur tout ce que Verchamps peut contenir comme objets d'art, tableaux anciens, tapisseries, tapis, lustres, mobilier, pendules d'époque, etc. ?

– C'est exact. Ernest et Adèle, qui ne les ont pas lâchés pendant le tour du château, m'ont raconté qu'ils n'ont rien oublié! S'ils avaient pu photographier la vaisselle et l'argenterie rangées dans des placards ou des tiroirs, sans doute l'auraient-ils également fait!

– Madame la princesse a-t-elle une petite idée de la raison pour laquelle ils font tant de photographies?

– Probablement pour satisfaire l'orgueil de la nouvelle propriétaire de Verchamps qui a tenu à être photographiée dans chaque pièce, de la cuisine jusqu'à la chambre royale, à seule fin de pouvoir prouver que maintenant c'est elle la nouvelle châtelaine.

– Même pas! Ce que madame la princesse ne réalise pas plus que la plupart des Européens ou des Américains, c'est que les Japonais sont ambitieux mais rarement orgueilleux, parce qu'ils sont avant tout des gens d'affaires... Grâce à cette multiplicité de clichés, qui seront soigneusement numérotés et classés dans des archives, ils possèdent maintenant l'inventaire visuel de toutes les merveilles accumulées dans Verchamps pour pouvoir ensuite les vendre le jour ou madame la princesse ne voudra plus continuer à habiter dans le château comme l'acte de vente lui en donne le droit. Ceci soit parce qu'elle n'en pourra plus de se sacrifier pour surveiller la conservation d'un patrimoine qui ne lui appartient plus, soit – et ce sera là un événement qui surviendra inéluctablement un jour ou l'autre! – parce qu'elle aura quitté ce monde... Dans les deux cas madame Kikou Namata, ayant alors le droit de disposer de tout l'ensemble mobilier, le mettra immédiatement en vente morceau par morceau, c'est-à-dire fauteuil par fauteuil, tapis par tapis, tableau par tableau, etc. Et pour que ces merveilles puissent atteindre le prix le plus cher, elle les fera passer, avec la complicité du cabinet anglais de monsieur Smith, dans une vente aux enchères pour laquelle sera faite, à coups de communiqués dans les revues d'art spécialisées, une très habile publicité préliminaire qui attirera l'attention des amateurs, qui sont légion dans le monde puisqu'une vieille loi de l'offre et de la demande veut que plus un objet vieillit, et plus il acquiert de la valeur! Les Smith ou autres sauront très bien faire monter les prix, objet par objet... Ventes qui ont le plus souvent lieu, aujourd'hui, sous le contrôle de commissaires-priseurs agréés à Londres, New York, Genève ou Monte-Carlo, villes privilégiées où les disponibilités d'argent ne manquent pas! Les bénéfices de ces enchères se révèlent presque toujours considérables... Beaucoup plus importants que si le mobilier avait été vendu sur place dans le lieu même où il a été religieusement conservé pendant des décennies par des propriétaires aussi héroïques qu'a su l'être madame la princesse mais qui se trouvent, hélas, dans une situation pécuniaire désespérée!

– Et le lieu, c'est-à-dire le château ou la demeure où se trouvaient rassemblés ces trésors, que devient-il quand on l'a dépouillé de tout son mobilier?

– On le vend également mais avec ses murs nus – ce qui est la plupart du temps beaucoup plus facile – pour être démoli si ses acheteurs décident d'utiliser la vaste superficie qu'il occupe pour y édifier des immeubles de rapport, des maisons d'habitation plus ou moins bourgeoises, des résidences secondaires ou autres... Le morcellement, qui est la grande astuce des marchands de biens, s'avère toujours une opération rentable! Dans le cas de Verchamps, qui possède un grand parc, on pourrait même remplacer le tout par une sorte de cité de loisirs campagnards.

— Et les fermes qui ont été achetées en même temps que le château?

— Rien de plus aisé que de les refiler aux métayers qui les occupent et qui trouveront toujours, grâce à la complicité d'un Crédit Agricole quelconque, les prêts privilégiés leur permettant de les acquérir peu à peu... A moins que le château ne soit acheté par une administration publique ou par une très grosse société privée désireuse d'en faire un centre de vacances pour ses employés?

— Nous revenons en somme au principe de la maison de retraite?

— Plutôt à la maison de repos pour petits employés ou cadres moyens...

— C'est dramatique, Orvoli! Et vous trouvez que se serait là une destinée digne de l'ancien fief des princes de Verchamps?

— Il n'en restera plus rien à l'exception peut-être du nom qui se transformera en une sorte de lieudit... Madame la princesse et ses héritiers n'auront même pas le droit, si cela était, de s'opposer à ce que le nom soit modifié.

— Ce serait scandaleux!

— C'est pourtant ainsi que les choses se passent... Madame la princesse n'a qu'à penser à toutes ces petites ou même à ces grandes villes de France où on ne trouve plus de château mais qui portent quand même le nom de la demeure seigneuriale disparue.

— Vous avez vraiment l'impression que la Japonaise va procéder ainsi?

— J'en ai d'autant plus la certitude qu'elle a déjà commencé à le faire avec les trois autres châteaux

346

qu'elle vient d'acheter en Angleterre et en France... Le mobilier de la propriété de Cornouailles, ancien fief d'un duc anglais qui s'était ruiné à essayer de le maintenir en état, passera intégralement en vente la semaine prochaine à Genève... Les autres suivront! Ce qui sauvera Verchamps, tant que madame la princesse sera encore parmi nous, est la clause très habile, stipulée dans le contrat de vente, qui contraint la nouvelle propriétaire à maintenir les lieux en état.

– Mais après moi?

– Après madame la princesse ce sera le déluge... que madame la princesse ne verra heureusement pas!

– Nous nous rapprochons de la fin du monde, Orvoli!

– Le cataclysme regrettable n'aura lieu que si, entre-temps, et profitant des longues années de vie qu'elle a encore devant elle, madame la princesse ne rachetait pas cette propriété qui lui tient tellement à cœur à madame Kikou Namata...

– Mais comment cela? Je n'ai pas d'argent!

– Madame la princesse a quand même réussi ces derniers temps à placer quelques substantielles économies de côté... Celles-ci pourraient constituer le capital de départ initial qui permettrait de procéder à une légitime récupération...

– Vous ne voudriez tout de même pas que je me mette à nouveau sur la paille pour redevenir la propriétaire de Verchamps?

– Contrairement à la légende que madame la princesse a su accréditer avec beaucoup d'habileté, et comprenant très bien qu'elle tienne à conserver pour elle un substantiel capital de réserve, je me permets de lui rappeler que ce ne sont pas les possibilités

347

d'obtenir un crédit important qui lui manquent maintenant... Tout en laissant son capital dormir discrètement et même s'amplifier là où il se trouve à l'abri, elle pourrait très facilement contracter une sorte d'emprunt à long terme et à taux avantageux qui lui apporterait les disponibilités nécessaires lui permettant de régner à nouveau sur Verchamps en châtelaine absolue! Si l'on y réfléchit, madame la princesse n'a jamais été jusqu'à présent la véritable maîtresse des lieux! Elle n'était que la mandataire de ses enfants...

— Contracter un emprunt sans courir trop de risques? Mais auprès de quel organisme?

— Madame la princesse n'aurait qu'à employer exactement cette même méthode qui a si bien réussi à madame Kikou Namata pour l'acquisition des quatre châteaux, en contractant, elle aussi, un emprunt! Je connais des prêteurs, précisément japonais mais n'ayant aucun lien de parenté ni d'affaires avec Madame Kikou Namata, qui seraient certainement disposés à faire les avances nécessaires à madame la princesse et ceci à un taux des plus raisonnables pour lui permettre d'avoir les disponibilités lui donnant la possibilité d'acheter à bas prix deux ou trois châteaux de France dont les propriétaires se trouvent actuellement dans la plus grande gêne... Ce ne sont pas d'immenses bâtisses comme Verchamps mais des châteaux de dimension moyenne, dont le prix d'achat n'aurait aucune commune mesure avec celui obtenu pour Verchamps! Mais ce sont cependant des demeures qui présentent l'avantage de posséder, elles aussi, à l'intérieur de leurs murs, pas mal de merveilles qu'il faudrait inclure dans le prix global d'achat et que madame la princesse pourrait ensuite monnayer une par une dans des ventes organisées à Genève ou à Monte-Carlo... Le bénéfice récolté servirait à constituer le capital additionnel destiné à racheter Verchamps... Me suis-je bien fait comprendre ?

– En somme vous voudriez qu'après avoir fait du cinéma et un semblant d'hôtellerie, je me lance dans une sorte de brocante à grande échelle ?

– Je me souviens avoir entendu, à l'époque des Films de l'Avenir, madame la princesse dire au téléphone à sa fille Roselyne qu'il n'y avait pas de sot métier ! La brocante est une admirable profession !

– En supposant que je me lance dans cette nouvelle activité et que je réussisse à réunir, grâce à ces magouilles mobilières, une somme suffisante pour racheter « mon » château – parce que Verchamps, vendu ou pas, restera toujours « mon » château – rien ne dit que la Japonaise consentirait à s'en débarrasser ?

– Comme madame la princesse aura toujours bon pied bon œil, madame Kikou Namata finira bien un jour ou l'autre par se dégoûter de ce Verchamps dont elle ne pourra rien extraire du mobilier pour le faire passer en vente ! Et elle s'en désintéressera... Il y a un détail que j'ai omis de signaler à madame la princesse mais qui ne manque pas d'importance : il ne faudrait pas croire – et là je pense avoir été très bien renseigné par ces nouveaux amis japonais que je me suis faits pendant mon petit séjour dans leur pays – que madame Kikou Namata ait effectué l'achat avec son argent personnel... Elle n'en a pas !

– Qu'est-ce que vous me racontez ? Tout a été payé intégralement au jour dit et en dollars !

– Des dollars qui n'étaient pas à elle mais provenaient d'un syndicat de ses compatriotes qui dispose de fonds internationaux dont il est impossible d'évaluer le montant colossal!

– Un syndicat qui représente quoi?

– Madame la princesse a-t-elle entendu parler de la mafia?

– Comme tout le monde!

– Ce que l'on sait moins c'est qu'il n'y a pas que la mafia sicilienne à exister au monde... La mafia japonaise n'est pas mal organisée non plus! Disons, pour simplifier les choses, que madame Kikou Namata n'est qu'une représentante de cette organisation encore plus secrète là-bas qu'aux États-Unis ou dans notre vieille Europe.

– Quoi? Cela voudrait dire que Verchamps aurait été acheté avec l'argent d'une mafia après avoir déjà eu des actionnaires de sa société d'exploitation disparue qui blanchissaient l'argent de la drogue? Mais, Orvoli, c'est monstrueux! Pensez-vous qu'il puisse encore exister quelque part dans le monde de l'argent propre?

– De l'argent, il y en a... mais tout à fait propre, c'est une autre affaire!

– Cette fois ça y est, Orvoli, je sens que je vais devenir folle! Rassurez-moi tout de suite, sinon j'ouvre la portière de votre Porsche et je me lance dans le vide!

– Ce ne serait pas trop grave puisque nous sommes arrêtés...

– Donc si je rachetais Verchamps à cette bonne femme, ce ne serait pas elle qui encaisserait le prix de vente mais une mafia!

– C'est à peu près cela mais ça présente l'avantage que, riche comme elle l'est, la mafia japonaise, qui joue à court terme, préfère toujours se débarrasser rapidement, même à perte – car il ne saurait être

350

question que madame la princesse propose le même prix que celui qui lui a été réglé! – d'une affaire dont le rendement bénéficiaire risquerait de trop s'éterniser pour elle... Ce qui serait le cas si madame la princesse voulait bien se donner la peine de nous faire la joie de vivre jusqu'aux approches de sa centaine, ce que je ne peux que lui souhaiter ardemment! Si nous savons nous y prendre, et plus tôt qu'elle ne le croit en ce moment, madame Kikou Namata recevra des instructions de ses patrons pour accepter l'offre de reprise raisonnable de madame la princesse pour laquelle je me sens tout prêt à servir d'intermédiaire.

– Écoutez, Orvoli, vous êtes un homme qui m'a toujours étonnée, mais là, franchement, vous me sidérez!

– Ne serait-ce pas magnifique si la princesse douairière de Verchamps réussissait l'exploit de récupérer sur ces Japonais, qui nous prennent tout, un authentique joyau du patrimoine architectural et culturel de notre pays? Ce serait alors qu'elle pourrait être décorée par un ministre de droite ou de gauche dans sa cour d'honneur ou même sur la grande place de Chemy-en-Perche pour infliger une bonne leçon à cette population qui a osé la critiquer! Tous ces gens qui ont eu l'affront de la surnommer « la Geisha du Perche »...

– Ça aussi, on vous l'a dit? Mais vous savez donc tout sur moi?

– ... Cette geisha « bien de chez nous », comme aurait dit feu Jean Nohain, que je verrais très bien portante et avec – discrètement cousue sur ses robes, ses tailleurs ou même sur son imperméable presque historique qui lui sied à ravir – la rosette bleue des arts et lettres et pourquoi pas celle rouge de la Légion d'honneur? Tous les ancêtres Verchamps seraient tellement fiers d'une pareille distinction!

– Ne rêvons pas et soyons pratiques. Quel plan de bataille adoptons-nous?

– J'enlève madame la princesse...

– Vous...?

Elle resta sans voix, saisie par l'émotion, avant de pouvoir récupérer son souffle pour reprendre:

– Ceci étant admis, qu'est-ce que je ferai – après les avoir vidés de leur contenu que je vendrai au prix fort dans ces fameuses ventes aux enchères dont vous m'avez parlé – de ces petits châteaux plus ou moins délabrés que j'aurai achetés à bas prix?

– Vous les refilerez à madame Kikou Namata!

– Mais si elle n'en veut pas?

– Sa mafia lui ordonnera de les prendre, ne serait-ce que pour les transformer en relais-fast food à la sauce japonaise. Ce sera très original avec vente de poissons séchés et de petites bouteilles de saké... Et comme ce ne sera pas français mais de facture étrangère, ça prendra très vite chez nous!

– Vous avez bien dit que vous m'enlèveriez?

– Parfaitement: dans ma Porsche! Je voudrais faire découvrir à madame la princesse l'un de ces châteaux facilement monnayables... Le plus proche d'ici se trouve dans l'Allier, en plein Nivernais qui est une région charmante avec ses troupeaux de bovins tout blancs qui gambadent dans des prés tout verts... Madame la princesse adorerait ce petit déplacement! Ensuite, pour peu que l'idée lui plaise, nous pourrions très bien pousser une pointe vers le Périgord où ce ne sont pas les châteaux à vendre qui manquent!

– Toujours en voiture, cette pointe?

– Toujours côte à côte, comme nous le sommes

actuellement depuis que nous bavardons. La seule différence viendra de ce que nous roulerons...

— Vous saurez être prudent? Je meurs de peur sur la route.

— Madame la princesse doit bien se douter que quand Bruno Orvoli connaît l'honneur d'avoir dans sa voiture une aussi grande dame, il est prêt à tous les sacrifices, même à celui de conduire en père de famille!

— Les propriétaires de ces châteaux y résident?

— Ils n'ont ni les moyens d'en partir, ni ceux d'y rester! C'est dire s'ils sont coincés! Nous les verrons... Madame la princesse pourra parler avec eux en prenant soin cependant de ne pas trop révéler son identité... Elle se conduira comme une madame Kikou Namata et je deviendrai son « monsieur Smith »... Nous tâterons le terrain, nous verrons... Et, à la fin de cette journée d'exploration, nous connaîtrons à peu près le montant de l'emprunt que nous devrons contracter auprès de mes banquiers japonais pour trouver ces liquidités immédiates que l'on jette sur une table et dont l'effet persuasif est immédiat sur les vieilles familles françaises dont le portefeuille est à sec. Quand madame la princesse souhaite-t-elle partir pour entreprendre cette tournée de prospection? Ce soir? Demain?

— Ce soir, ce serait trop tôt! Après-demain, je n'en aurai peut-être plus envie... Alors disons demain, départ à neuf heures... Mais où allez-vous dormir, d'ici-là? N'étant pas encore redevenue la propriétaire de Verchamps, je ne peux pas vous y loger!

— Madame la princesse est trop bonne de se préoccuper pour moi de ces questions d'intendance... Je vais aller à Chartres où il y a un excellent hôtel que j'avais déjà peu apprécier à l'époque de la mise en train des tournages de films.

– Pourquoi ne pas coucher plutôt à Nogent-le-Rotrou où se trouve également un bon hôtel? C'est plus près.

– Nogent-le-Rotrou? C'est un nom qui me rappelle d'exécrables souvenirs... Madame la princesse aurait-elle oublié la brigade de gendarmerie qui est venue de là un certain soir? J'ai la conviction que si, cette nuit-là, je n'avais pas pris la sage précaution de prendre ce médicament souverain – que ne m'avait d'ailleurs pas conseillé le cher monsieur de Morane-Baisieux – et qui se nomme la poudre d'escampette, ces pandores sans scrupules m'auraient arrêté sans aucune raison valable. Et sans doute n'aurais-je pas pu faire le voyage au Japon qui m'a permis de trouver ces nouvelles possibilités de financement que je suis tout prêt à déposer aux pieds de madame la princesse.

– Vous avez raison : mieux vaut Chartres! Je vous libère : partez vite! Et revenez-moi demain à neuf heures en dans d'aussi bonnes dispositions qu'aujourd'hui... Quand vous entrerez dans la cour d'honneur, ce ne sera pas la peine de klaxonner pour vous annoncer. Je serai prête et, contrairement à sœur Anne qui ne voyait rien venir, je regarderai arriver votre voiture du haut de ma mansarde... Ne vous dérangez surtout pas maintenant pour m'ouvrir la portière! C'est là un travail qui reste le privilège d'Ernest.

Elle s'extirpa avec une surprenante agilité de la Porsche en ayant cependant une remarque :

– Ces voitures modernes sont ravissantes à contempler mais elles présentent une grande lacune. Elle sont tellement surbaissées qu'il leur manque,

354

dans leurs accessoires, un chausse-pied pour y pénétrer et un tire-bouchon pour en sortir! A demain, Orvoli.

Pendant son dîner, avalé en présence d'Adèle et d'Ernest toujours respectueusement debout, Marie-Adelaïde demeura silencieuse, donnant l'impression d'être très rêveuse... Ce ne fut qu'au moment de quitter les Borniquet pour aller rejoindre son repaire qu'elle leur annonça :
– Demain matin, ne vous inquiétez pas! Monsieur Orvoli, qui est revenu cet après-midi comme vous le savez, viendra me chercher à neuf heures avec sa voiture. Je m'absenterai pendant vingt-quatre ou quarante-huit heures tout au plus pour un voyage d'affaires... Et, quand je serai de retour, peut-être pourrai-je vous annoncer, à vous qui avez su rester mes fidèles inconditionnels, une grande nouvelle! Et puis non, je ne résiste pas à la joie de vous la révéler tout de suite : il est très possible que, d'ici quelques mois, j'ai la possibilité de racheter Verchamps à celle qui, malgré les papiers signés devant notaire, n'est toujours pour moi qu'une occupante provisoire... Ça vous fait plaisir, ce que je viens de dire?
– Oh, oui, Madame! répondirent en cœur Adèle et Ernest.
– Mais pas un mot de cela aux gens du village, ni aux fermiers! Je leur réserve la surprise... Bonne nuit.
Estimant qu'il était inutile d'emporter une valise pour un voyage aussi court, Marie-Adélaïde préféra bourrer son cabas de tout ce qui lui serait nécessaire, y compris un déshabillé d'un rose des

plus suggestifs qu'elle avait acheté pour le cas où elle en aurait eu besoin à l'époque où Verchamps avait pu s'offrir le luxe de faire un tri parmi les millionnaires aspirant à y résider. Déshabillé que, finalement, elle n'avait jamais porté! Seulement, quand on part avec un Sicilien pour compagnon de route, ce n'est peut-être pas l'embarquement pour Cythère mais qui pouvait savoir si ce déshabillé ne s'avérerait pas de circonstance? Par contre, elle ne s'encombra pas du revolver acheté chez l'armurier d'Éric et qui avait déjà eu l'honneur du cabas. Autant elle se méfiait d'une Kikou Namata et de ses acolytes, autant elle avait entière confiance dans un Orvoli qui ne lui avait toujours voulu que du bien, aussi flibustier fût-il...

L'idée de savoir que, dès le lendemain matin, elle se retrouverait dans un bolide en compagnie de celui auquel elle avait déjà rêvé tout le long d'une certaine nuit où sa solitude lui avait terriblement pesé la troublait. Ce n'était pas encore la grande passion mais ça n'en était pas tellement éloigné... C'était comme une sorte d'extase imaginative qui l'emportait vers un monde jusque-là stupidement ignoré par elle : celui très mystérieux des amants... Elle était également toute étonnée de ce qui lui arrivait! Être enlevée demain par un soupirant, ne s'était encore jamais produit au cours de son existence... Ni Éric, quand il lui faisait la cour avant le mariage, ni Melchior pendant les années qui avaient suivi, ni personne n'avait fait preuve d'une aussi merveilleuse idée! Il avait fallu l'arrivée tout à fait insensée d'un aventurier doublé d'un matamore, tel Bruno Orvoli, pour que ce miracle puisse s'accomplir! Le plus passionnant n'était-il pas qu'elle allait partir pour se lancer à nouveau dans les affaires? Une sorte de voyage de « noces d'argent » où ce ne serait pas le temps qui compterait mais l'espoir de réaliser de nouveaux profits avec, au bout de l'escapade, la fabuleuse perspective de pouvoir redevenir l'unique patronne de Verchamps !

Elle eut beaucoup de mal à s'endormir, ne cessant de se revoir dans la Porsche en train de discuter avec le seul homme qui avait réussi à la comprendre depuis son enfance où elle commençait déjà à accumuler des pièces de monnaie qu'elle enfouissait en cachette dans sa tirelire... Pauvre Marie-Adelaïde qui n'avait jamais encore connu le double bonheur d'être aimée pour elle tout en partageant son existence avec un homme capable d'apprécier son sens inné des bénéfices ! N'était-ce pas pour elle une nouvelle existence qui allait commencer ?

Familiarisée avec les réveils matinaux, elle fut prête à l'aurore. Après avoir ingurgité un dernier petit déjeuner aux biscottes non beurrées préparé par Adèle, elle se sentait parée pour se lancer dans la grande aventure à la japonaise qui allait lui permettre d'acheter n'importe quoi, puisque aujourd'hui tout est à vendre ! Sa silhouette dominatrice dressée sur le perron au seul emplacement d'où elle pouvait envoyer ses ukases dans toutes les directions du domaine, fièrement harnachée du cabas attaché en bandoulière autour de sa taille, elle attendait la Porsche libératrice de toutes les abominables contraintes qu'elle avait dû s'imposer pour sauver Verchamps !

Enfin la voiture vert épinard arriva, détruisant de ses quatre roues dévastatrices l'harmonie des savants ratissages d'Ernest et finissant par s'arrêter brutalement devant le perron dans un crissement de freins qui aurait réveillé tous les pensionnaires du

Palais de la Retraite s'ils avaient encore été là! Orvoli bondit de sa conque en tendant deux bras qui devaient vouloir dire : « Venez, ma princesse, je vous attends depuis si longtemps! »

Elle s'engouffra dans le véhicule pendant qu'Ernest, ayant enfin retrouvé son activité de chasseur de palace, refermait la portière en disant :

– Je souhaite à Madame un très bon voyage.

Celui-ci commença sous ses meilleurs auspices. Le temps se montrait radieux, l'air était pur, la route n'était pas aussi large que l'avait chanté jadis le brave Deroulède mais peu importait puisqu'elle était pittoresque et sinueuse à souhait! C'était la route la plus enchantée qu'avait jamais suivi une Marie-Adelaïde qui, n'ayant pas pour une fois à tenir le volant de sa Renault, pouvait se griser tout son soûl du défilé des peupliers et des haies du Perche... Ne conduisant pourtant pas aussi prudemment qu'il l'avait promis, le Sicilien se révélait être l'un de ces acrobates du volant qui foisonnent sous les couleurs italiennes... Ayant pris bien soin de demeurer silencieux pendant les cinquante premiers kilomètres pour laisser à sa noble passagère le loisir de savourer les joies d'une voiture de sport, il finit par parler tout en conduisant. Mots qui furent d'or comme cela se passait à chaque fois qu'il consentait à parler d'argent.

– Ce rapide déplacement était indispensable pour que madame la princesse puisse bien évaluer, en visitant ces châteaux en péril, les sommes fabuleuses qu'ils pourraient nous rapporter si nous savons, comme une Kikou Namata, en exploiter astucieusement le contenu...

Il s'arrêta net de parler : un camion gigantesque transportant des cochons de la région et débouchant

d'une route transversale, venait de se présenter brutalement sur la gauche... Marie-Adelaïde eut tout juste le temps de crier :
– Attention, Bruno!
Ce furent ses dernières paroles.

Melchior de Raversac crut défaillir quand, ayant avalé son petit déjeuner qu'il s'était préparé prolétairement lui-même dans sa garçonnière où il n'y avait plus d'accorte soubrette, il ouvrit son *Figaro* matinal. Un titre en caractères semi-gras s'y étalait en bas de la première page sur deux colonnes : LA PRINCESSE DOUAIRIÈRE DE VERCHAMPS SE TUE DANS UN ACCIDENT DE LA ROUTE. Les explications suivaient et Melchior, croyant être le jouet d'une épouvantable hallucination, s'y prit à trois fois pour les lire et les relire. Plus il lisait et plus ses yeux s'écarquillaient... Explications dont la sécheresse epistolaire était bien du « style fait divers » qui convient à un tel genre d'information. Ce qu'il y avait de plus fantastique, dans la triste fin de cette Porsche qui s'était écrasée contre un camion de cochons et dans laquelle Marie-Adelaïde occupait la place du mort à la droite du conducteur, était le nom même de ce conducteur : Bruno Orvoli! Lui aussi avait été tué sur le coup.
Melchior ne parvenait pas à s'expliquer pourquoi son amie de toujours, la princesse douairière, se trouvait dans la voiture du Sicilien? Il se demandait avec une curiosité qui ne serait sans doute jamais, satisfaite, où ces deux personnages pouvaient bien ainsi se rendre la veille quand le choc s'était produit vers dix heures du matin. Tout ce qu'on apprenait par l'article était que le propriétaire de la voiture accidentée était venu chercher sa passagère une

heure plus tôt au château de Verchamps... Les gardiens du domaine, interrogés au début de l'après-midi par les gendarmes chargés de l'enquête, avaient confirmé ce dernier fait. Leur nom était indiqué : M. et Mme Borniquet... Aucun doute, c'étaient bien les dévoués Ernest et Adèle qui avaient même précisé que la veille de son départ leur maîtresse avait annoncé qu'elle ne s'absenterait tout au plus que pour un voyage d'affaires de quarante-huit heures! Voyage d'affaires? Quelles affaires? se demandait Melchior qui, n'ayant plus revu Orvoli depuis plus de trois mois, le croyait parti à l'étranger. Il ignorait qu'il était revenu en France et encore plus qu'il avait repris contact avec celle qui ne voulait plus entendre parler de lui! Tout cela était ahurissant... A moins – mais, connaissant les rapports très tendus existant entre l'ancienne propriétaire de Verchamps et l'aventurier, c'était à peine crédible! – qu'il ne se soit agi d'une fugue sentimentale? Marie-Adelaïde amoureuse d'un Orvoli après qu'elle lui eut raconté, à lui-même Melchior, la ridicule déclaration que ce dernier s'était permis de faire, dans la lingerie de Verchamps? Ce n'était même pas pensable! Alors?

Abandonnant le journal, le baron se précipita sur le téléphone pour appeler Roselyne. Une femme de chambre répondit.

– Je suis bien chez madame la vicomtesse de la Roche Brûlée? demanda Melchior. Ici le baron de Raversac.

– Oui, Monsieur le baron.

– Votre patronne est là?

– Non, Monsieur le baron. Tout le monde est parti d'urgence hier en début d'après-midi après la visite d'un représentant de la police venu faire part de ce qui s'était passé...

360

– Tout le monde? C'est-à-dire?

– Madame la vicomtesse, Monsieur le vicomte ainsi que Monsieur le prince Gontran et Madame la princesse de Verchamps.

– Où sont-ils tous les quatre? Sans doute à Verchamps?

– Je ne sais pas, Monsieur le baron... Quand Madame la vicomtesse m'a appelée hier soir, ça a été uniquement pour me dire : « Si des amis de la famille téléphonaient, vous leur répondez que la date des obsèques n'a pas encore pu être fixée. »

– Je m'en doute! Bon, je vous remercie.

Éffondré, ne sachant que faire, le vieil ami se laissa tomber dans un fauteuil. Ses pensées heurtées et confuses allaient du stupide accident qu'il imaginait jusqu'aux deux victimes... Orvoli, mon Dieu, ce n'était peut-être pas une grande perte pour la société, mais Marie-Adelaïde! Une femme aussi exceptionnelle, une princesse comme on n'en ferait plus, qui disparaissait stupidement alors qu'elle aurait pu encore se consacrer à tant de belles choses qui auraient meublé sa trépidante activité! Débarrassée des soucis de Verchamps, ayant maintenant devant elle largement de quoi voir venir, elle aurait très bien pu accepter la présidence de l'une de ces œuvres qui ont toujours besoin du nom d'une grande dame pour imposer leur crédibilité et qui se nomment, selon les cas, « l'Emploi des jeunes filles bien pensantes à marier », « l'Amicale des propriétaires de châteaux ruinés », « la Protection de ceux qui ne veulent pas être protégés », etc.

Marie-Adelaïde venait de connaître une fin affreuse dans des conditions similaires à celles qui s'étaient produites trois années plus tôt pour son mari, le cher Éric... Lui aussi, (et c'était bien cela le plus étrange) était dans une voiture, à cette différence près cependant qu'il s'y trouvait en compagnie de sa maîtresse alors qu'il n'était pas concevable de penser qu'Orvoli ait pu être l'amant de Marie-Adelaïde! Non! Si la douairière et Orvoli étaient tous les deux dans cette Porsche dont parlait le journal, ce ne pouvait être, comme Marie-Adelaïde l'avait bien dit aux Borniquet, la veille de son départ, que pour un voyage d'affaires... Et, si l'on y réfléchissait, il paraissait presque normal – étant donné l'existence qu'avait menée les époux Verchamps – qu'Éric fût décédé pour un motif passionnel alors que Marie-Adelaïde avait été tuée emportée par sa fièvre de devenir de plus en plus riche!

La cérémonie eut lieu dans l'église de Chemy-en-Perche et pas dans la chapelle du château dont l'utilisation n'aurait été possible qu'avec l'autorisation de la nouvelle propriétaire. Ce n'était pas que madame Kikou Namata s'y serait opposée mais encore aurait-il fallu pouvoir trouver cette femme, toujours en voyage, pour le lui demander!

Quand il arriva dans son indestructible Citroën sur la place du village, Melchior se rendit compte qu'il n'y avait pas beaucoup de voitures rassemblées à proximité de l'église.

A l'intérieur, celle-ci était à peu près comble grâce à la présence des habitants de la commune qui voulaient rendre un dernier hommage à celle qui, n'ayant cependant jamais été très populaire, incarnait la dernière princesse de Verchamps à avoir vécu dans le château. Quant aux amis, venus de Paris ou d'ailleurs, malgré un faire-part paru dans le *Figaro* l'avant-veille, ils n'étaient pas nombreux. C'était à se demander si beaucoup de gens dits « du monde » ne voulaient pas, par leur absence, marquer leur désapprobation à l'égard de celle qui avait autorisé la vente d'un château ancestral à une Japonaise.

Les enfants et beaux-enfants, parmi lesquels se trouvait la belle-fille madrilène enceinte de ce futur prince de Verchamps que ne connaîtrait jamais Marie-Adelaïde, étaient là au premier rang ainsi que Melchior, le confident des bons et des mauvais jours.

Les héritiers ne donnaient pas l'impression d'avoir trop de chagrin. Sans doute pensaient-ils déjà – parce que tout finit par se savoir malgré les précautions – au fabuleux héritage que la « très pauvre » Marie-Adelaïde leur laissait dans la terre promise du Luxembourg ?

Ce fut l'abbé Galopin qui donna l'absoute et, après que le cercueil eut été transporté sur les épaules des fermiers du domaine jusqu'au caveau édifié au centre du petit cimetière jouxtant l'église, le maire se sentait déjà prêt à prendre la parole pour prononcer un discours de circonstance... Mais le baron de Raversac le saisit par le bras pour lui faire comprendre en aparté que cet hommage posthume ne serait peut-être pas très indiqué étant donné le peu de sympathie que la défunte avait suscité de son vivant !

Marie-Adelaïde, princesse douairière de Verchamps, née Jubet, fut donc inhumée en toute simplicité, sans discours et avec le moins de fleurs possible. Elle qui appréciait tant les économies dut être ravie de constater de l'au-delà que, même après sa disparition, ses héritiers ayant bien digéré ses leçons d'avarice, ne faisaient pas de dépenses inutiles. Et tout le monde se retira qui dans sa maison du village, qui dans sa voiture – le ramenant chez lui –

laissant la place déserte et privée du tintements de cloches.

La domesticité du château avait été représentée par ce qu'il en restait : Ernest et Adèle, parents de Clémence. Cette dernière, ayant appris la triste nouvelle par un télégramme adressé à Venise où elle se trouvait avec « son » Jules avait aussitôt répondu à Paris par un autre câble libellé au nom du baron de Raversac et dont la teneur était : « *Suis très triste parce que, malgré sa méchanceté à mon égard, j'aimais bien la princesse douairière. Stop. Trouve plus juste de transmettre mes condoléances à vous qui étiez son meilleur ami plutôt qu'à ses enfants qui la détestaient. Clémence.* »

Ce télégramme, Melchior l'avait dans sa poche quand il vint à l'enterrement mais, se gardant bien de le montrer aux enfants de la disparue, il le glissa dans la main d'Adèle quand elle était passée devant lui en compagnie de son époux au cours du défilé qui avait eu lieu au cimetière après l'inhumation. On s'était serré les mains en bredouillant des mots de consolation incompréhensibles. N'était-ce quand même pas navrant pour une orgueilleuse princesse de Verchamps que d'avoir été enterrée dans le cimetière d'une commune sur le territoire de laquelle continuait à se dresser le château des ancêtres vendu à une Japonaise ?

S'il y eut un défilé, il ne fut pas question de lunch, faisant suite à la cérémonie, qui aurait permis à l'assistance et surtout aux quelques courageux venus de Paris de se réconforter. Et où aurait-il pu avoir lieu, ce repas d'enterrement, puisque les héritiers ne pouvaient pas recevoir dans une demeure qui ne leur appartenait plus ? Au bistrot du village ? Ce n'était pas possible et cela aurait profondément

364

déçu Marie-Adelaïde... Dans un hôtel de Nogent-le-Rotrou ou de Chartres? C'eût été bien loin... En fin de compte, mieux avait valu ne rien faire du tout! Ce qui avait dû également enchanter la défunte ayant toujours détesté les dépenses gastronomiques.

Six mois passèrent. Personne ne parlait plus de Verchamps ni de sa douairière. Melchior qui, depuis, avait traîné ses guêtres de réception en réception et d'invitations en invitations, lut un matin dans son *Figaro* quotidien une nouvelle qui ne le consterna pas mais qui l'intrigua... Une vente importante y était annoncée pour le surlendemain à l'hôtel Drouot et, parmi les merveilles qui seraient dispersées au vent des enchères, l'annonce spécifiait que l'on trouverait des objets mobiliers de grande valeur provenant du château de Verchamps. «Ça y est! se dit Melchior. Maintenant que Marie-Adelaïde n'est plus, le clause conservatoire de l'acte de vente est tombée et madame Kikou Namata, ayant la possibilité de disposer du tout, ne va pas se gêner! Elle bazarde, mais à quel prix? Je serais très curieux d'assister à ce déballage...»

Son insatiable curiosité l'emportant toujours, il était installé au troisième rang parmi les habitués de l'hôtel des ventes dont il ne faisait plus partie depuis longtemps, n'ayant pas les moyens d'enchérir et encore moins de surenchérir dans des joutes passionnées. Il était venu là seulement pour voir qui pourrait bien se ruer sur un mobilier qu'il connaissait presque aussi bien que la chère disparue! La vente commença, monotone comme la plupart des ventes. Des gens à l'apparence assez misérable, inconnus de lui et auxquels on avait presque envie de prêter de l'argent pour leur permettre de justifier leur présence en ce sanctuaire de l'offre et de la demande, achetaient sans grande passion, malgré les prix qui grimpaient à chaque annonce, sans doute parce que c'était leur vie d'acheter pour revendre ou de vendre pour racheter?

Ce fut ainsi que l'ancien invité d'honneur de Verchamps vit passer et disparaître successivement quelques portraits d'ancêtres Verchamps qu'il avait toujours trouvés très laids, le canapé du grand salon dans lequel le faux roi Louis XV et sa maîtresse préférée avaient pris leurs ébats au cours du tournage des *Amours lascives du Marquis de Pompadour*, le tapis d'Aubusson sur lequel était étendue les bras en croix et un couteau planté en pleine poitrine la malheureuse Sophie Barnel, le lustre du petit salon que l'on allumait le moins souvent possible pour des raisons d'économie, et beaucoup d'autres merveilles que Marie-Adelaïde avait protégées avec la férocité d'une tigresse... Mais tout à coup le commissaire-priseur annonça une pièce de mobilier excessivement rare. Quatre employés apportèrent avec respect le lit à baldaquin de la chambre royale! Melchior en eut les larmes aux yeux : voir ainsi partir vers des destinées incertaines l'admirable couche qui avait été celle de Charles X et la sienne à lui, le baron! Ah, s'il avait eu encore quelque argent, il n'aurait pas hésité une seconde pour tenter de sauver ce meuble historique sur lequel le dernier roi légitime de France avait passé sa dernière nuit avant l'exil et où lui-même Melchior avait... Mieux valait ne plus penser aux joies qu'il y avait connues!

Qui allait bien pouvoir acheter le lit à baldaquin? Celui qui l'avait occupé pendant les mois de tournage et durant ceux du Palais de la Retraite en avait des sueurs froides... De toute façon ce serait un véritable sacrilège si tout autre qu'un roi ou qu'un baron de Raversac s'allongeait à l'avenir sur ce matelas protégé par ce que Clémence appelait « le petit toit » ! Jamais Raversac ne ressentit davantage le malheur de n'être qu'un baron de la bourse plate ! Il écumait intérieurement. La voix du commissaire-priseur énonça un prix qui sembla énorme à Melchior. Il est vrai que, juste avant, ce même spécialiste avait raconté en quelques mots alléchants l'histoire de ce lit qui avait eu l'honneur d'accueillir un monarque... Le baron s'estima quand même très heureux que ce rapide exposé ait omis de parler de ce qui s'était passé dans ce lit pendant le tournage des *Plaisirs secrets du Grand Turc* ainsi que vingt-quatre heures plus tard...

Après le chiffre de la mise à prix, la voix du commissaire patienta quelques secondes avant de crier « Une fois ! ... Deux fois ! » ceci sans qu'il y ait eu la moindre réaction dans la salle. « Comment ? se demanda Melchior, un tel joyau, qui a été le témoin d'exploits aussi passionnants, n'intéresserait-il donc pas les collectionneurs ? » Et à l'instant précis où le troisième et dernier coup allait être donné avant que le lit ne soit retiré de la vente, une petite voix pointue lança du fond de la salle un chiffre qui était le double du prix de départ auquel il avait été estimé... Une voix que Melchior reconnut immédiatement ! Pas besoin de se retourner ! Oui, ça ne pouvait être que celle de Clémence Borniquet... Une fois, deux fois, trois fois, le marteau retomba : le baldaquin était vendu.

Le reste de la vente ne l'intéressant que médiocrement, Melchior se précipita vers le fond de la salle... Clémence était bien là, rayonnante, jolie à croquer, plus rousse que jamais, plus femme aussi...

A ses côtés il y avait Jules Nougat donnant l'impression d'avoir rajeuni de dix années. Etait-ce le résultat de l'amour?

— Clémence! dit Melchior presque dans un sanglot.

— Monsieur le baron, répondit la soubrette recyclée, je l'ai eu, le baldaquin! Vous êtes content, hein?

— Si je suis content? Mais c'est admirable, ma petite Clémence! Comme ça j'ai l'impression qu'il reste un peu dans la famille... Ce que la princesse serait fière de vous!

— *Verchamps avant tout*! Monsieur le baron... Et puis vous savez: depuis le temps que Jules et moi nous l'attendons, ce lit!

— Vraiment?

— Oui. Nous sommes encore en concubinage et j'ai promis à Jules que, le jour où nous pourrions coucher dans ce plumard, je l'épouserai! Alors Monsieur le baron se rend compte?

— Si je me rends compte!

Et se souvenant de certaines confidences que Jules lui avait faites à Verchamps pour lui expliquer que le meilleur moment d'une liaison était avant le mariage parce que la jeune personne l'espérait alors qu'après ça ne présentait plus aucun intérêt, il n'osa pas ajouter: « Tu vas faire une sottise, ma pauvre Clémence! Dommage... Je te croyais plus futée que ça! »

Ce fut elle qui n'hésita pas à lui dire en guise d'au revoir:

— Monsieur le baron, dès que le baldaquin sera installé chez nous, je vous téléphonerai pour vous demander de venir voir l'effet qu'il produit...

– Un effet miraculeux, c'est certain !

Il repartit vers sa garçonnière et, pensant à Clémence, à la veuve Letocard et surtout à Marie-Adelaïde, il se sentit très heureux d'avoir réussi à rester vieux garçon...

TABLE DES MATIÈRES

Aubin Imprimeur

LIGUGÉ, POITIERS

Achevé d'imprimer en décembre 1991
N° d'édition ES 92013 / N° d'impression L 39066
Dépôt légal janvier 1992 / Imprimé en France
ISBN 2-73-82-0471-6
33-12-5471-01/9